ANERKENNUNG FÜR D***
(LÖSUNGSORIENTIE***ES VERKAUFEN)

"Zweifellos eines der aufschlussreichsten Bücher zum Thema Verkauf, die ich je gelesen habe. So geht Vertrieb heute!"
— CHRIS NADEAU, VERKAUFSLEITER BEI PRESENCE OF IT

"Wenn mein Gedächtnis plötzlich gelöscht würde und ich im Verkauf wieder von vorn anfangen müsste, und ich hätte nur ein einziges Lehrmittel zur Verfügung, um mich zu entwickeln, dann wäre es dieses Buch."
— CASPER FOPP, VORSTAND FÜR VERTRIEB BEI WONDERSIGN

"Von praktischen Tipps und Strategien über die Einstellung von Vertriebsmitarbeitern für Lösungsorientiertes Verkaufen bis hin zum Management entsprechender Vertriebsteams bietet dieses Buch alles, was man über Lösungsorientiertes Verkaufen wissen muss. Für die meisten Verkaufsleute wäre es bestimmt ratsamer, dieses Buch 20 Mal zu lesen als 20 andere Bücher zum Thema Vertrieb jeweils nur einmal. Doch dieses Buch ist nicht nur für Verkäufer. Es ist ein Buch, von dem Marketingfachleute, Kundenbetreuungsteams und Wirtschaftsführer gleichermaßen profitieren können – es beschreibt die bessere Art, Geschäfte zu machen. Es ist wirklich ein Buch, das ich im Laufe meiner Karriere noch viele Male lesen werde."
— CALEB MALIK, VERTRIEBSLEITER BEI SMARTBUG MEDIA

"Gap selling ist mehr als nur Gold ... Es ist reinstes Rhodium! Als ich mit dem Lesen von Gap selling fertig war, habe ich sogleich gegoogelt "Was ist das teuerste Edelmetall?". Ich erfuhr, dass Rhodium das teuerste aller Edelmetalle ist und derzeit zu einem Preis von 2.725 US-Dollar pro Unze gehandelt wird. Das ist mehr als doppelt so teuer wie Gold und 154-mal teurer als Silber, wenn man sich eine bessere Vorstellung von seinem Wert machen möchte. Wenn man etwas für außergewöhnlich hält, dann pflegt man doch oft zu sagen "Das ist pures Gold". Nun, im Falle von Gap selling läge man mit dieser Bewertung etwa um das Zweifache zu niedrig.
Im Laufe meiner Karriere habe ich so manches Geld in Bücher, Kurse, Konferenzen und Trainer investiert. Ich weiß mittlerweile, dass "Investieren" eigentlich eine Umschreibung für "Vergeuden" ist, denn Gap selling ist von Grund auf, von vorne bis hinten, zu 360 Grad das einzige Buch, das Sie je gelesen haben müssen, wenn Sie im Verkauf tätig sind."
— NED ARIK, REFERENT FÜR GESCHÄFTSENTWICKLUNG BEI VERTIMAX

"Was 'Rework' [Überarbeitung] für unsere Vorstellung von Arbeit war, ist Gap selling *für den Vertrieb. Es ist also sehr treffend, wenn ich mir die Worte von Seth Godin über 'Rework' ausleihen darf, um* Gap selling*zu beschreiben: 'Wenn Sie dieses Buch ignorieren, sind Sie selbst schuld'."*

— AARATHY KULATHUNKAL, GRÜNDER & GESCHÄFTSFÜHRER' VON BEING CLOUD, LTD.

*"*Gap selling *hat mir die Augen geöffnet und mir dabei geholfen, den Verkauf, die Akquise und den Kaufabschluss aus einer völlig neuen Perspektive zu betrachten! Es ist unverblümt, geradeheraus und exakt das, was junge Vertriebler wie ich brauchen, um sich in unserer heutigen unüberschaubaren digitalen Welt voller vertriebsrelevanter Inhalte zurechtzufinden."*

— AMMON MCKINLAY, MANAGER FÜR GESCHÄFTSENTWICKLUNG BEI BITWISE INDUSTRIES

*"*Gap selling *ist genau der frische Wind, den wir als Verkaufsleute brauchen. Wir haben oftmals das Gefühl, dass die Art und Weise, wie wir gelernt haben, Dinge zu tun, nicht mehr funktioniert, und das bestätigt sich hiermit. Keenan bricht auf brillante Weise mit den Regeln des Spiels und zeigt die praktischen Schritte auf, um es auf höchstem Niveau zu meistern.* Gap selling *ist Ausdruck eines profunden Wissens über eine Vielzahl von Methoden und markiert einen evolutionären Durchbruch in der Vertriebsausbildung. Ähnlich wie Shark hat auch Keenan eine Verkaufsmethode entwickelt, die perfekt auf ihr Umfeld zugeschnitten ist. Probleme, Ergebnisse, derzeitige und zukünftige Situationen, Veränderungen, Eindrücke, warum, wieso, weshalb. Geschäfte werden durch Entdeckungen erzielt, und 'niemand schert sich einen Dreck um Dich', also höre genauer zu, rede weniger, definiere diese Lücke und erziele das Ja! Ich finde es toll."*

— GREG HOWARD, KUNDENBETREUER STRONGPOINT

"Keenans Buch Gap selling *gefällt mir außerordentlich gut, da es die Konzepte, die ich mit unserem Verkaufsteam verfolge, auf den Punkt bringt. Ich habe mich bemüht, von unserer Arbeitsweise, bei der wir immer wieder 'den gleichen Sermon herunterleiern', zu einer Mentalität zu gelangen, die Werte erkennt und diese unseren Kunden vermittelt. Keenan geht mit seinen Methoden zum Lösungsorientierten Verkaufen noch einen Schritt weiter, mit konkreten Beispielen und einem Handlungsleitfaden.*
Es ist ohnehin schon schwierig genug, Veränderungen in der Unternehmenskultur herbeizuführen, doch ohne einen präzisen Plan ist es eine schier unlösbare Aufgabe. Keenan beschäftigt sich ausführlich mit dem Denkprozess, welcher dem Herausfinden der Lücke bei Ihrem Kunden gilt (unabhängig davon, ob der Kunde diese selbst erkennen kann oder nicht), und zeigt uns sodann, wie wir mit diesem Wissen etwas bewirken können. Es gibt keinen Bereich des Verkaufs, der nicht behandelt ist, von der Akquise über die Interaktion mit dem Kunden bis hin zur Steuerung der Vertriebskette. Dieses Buch wird ganz bestimmt als Handbuch auf meinem Schreibtisch seinen Platz haben."

— CHRIS ABELES, DIREKTOR FÜR GESCHÄFTSENTWICKLUNG BEI ASPEN AEROGELS

"Keenans Buch Gap selling *hat mich in seiner Klarheit und Wirkung umgehauen. Es zeigt Dir den eigentlichen Kern im Verkauf, nämlich einem potenziellen Kunden zu helfen, die Auswirkungen seines aktuellen Zustands (Current Status, CS) und die Auswirkungen seines zukünftigen Zustands (Future Status, FS) zu erkennen. Keenan zeigt, wie man diese Lücke entdeckt und sie nutzt, um potenzielle Kunden als interessant zu qualifizieren bzw. zu disqualifizieren, Einwände zu überwinden, ihre Entscheidungskriterien zu bewerten, sich darauf zu konzentrieren, was Du in Deiner Demo zeigen solltest, usw. Ich bin mir sicher, dass auch Du nach der Lektüre dieses Buches davon überzeugt sein wirst, dass die Diagnose der Lücke und die Nutzung dieser Lücke im gesamten Verkaufszyklus die einzige Möglichkeit ist, ein Spitzenverkäufer zu werden."*

– ZACHARY BROMBERG, VIZE-PRÄSIDENT MB FINANCIAL

*"*Gap selling *ist so leidenschaftlich geschrieben, dass man kaum eine Seite lesen kann, ohne die Wucht von Keenans kraftvollen und couragierten Argumenten zu spüren. Es ist informativ, packend und vor allem für Vertriebsleute unerlässlich. Die Fülle der in dem Buch enthaltenen Verweise verschafft unmittelbar Klarheit im Denken. Manchen von Keenans Darlegungen kann man nur schwer widersprechen, während andere mich nahezu wahnsinnig machen, weil sie meine Grundprinzipien als Verkäufer in Frage stellen. Es ist die Art von Buch, die man immer wieder liest, weil man nichts verpassen möchte."*

– AMEYA KAPRE, LEITER DIREKTVERTRIEB BEI TNEX

"Von der ersten bis zur letzten Seite ist Gap selling *eine echte Freude zu lesen. Es ist mehr als ein Prozess oder eine Philosophie, denn* Gap selling *ist eine Art Lebenseinstellung. Es lässt sich auf alle möglichen Verkaufssituationen in jeder Phase Deiner Karriere anwenden. Wenn Du bereit bist, Dich weiterzuentwickeln und etwas zu erreichen, solltest Du dieses Buch unbedingt lesen! Nun schnall' Dich an,* Gap selling *wird Dich vom Hocker hauen!"*

– ERIC DUTTON, REFERENT FÜR GESCHÄFTSENTWICKLUNG BEI COFFEY COMMUNICATIONS

"Dies ist ein absolut konsequenter Ansatz für den Verkauf. Machen Sie sich bereit, Ihre Fähigkeiten zu entwickeln, die Probleme Ihrer Kunden zu erfassen, tiefer zu graben, um mehr über Ihre Kunden zu erfahren, und die Kunst des Verkaufs von Veränderung zu Ihrer neuen Superwaffe zu machen. Dieses Buch sollte bei jedem im Regal stehen, der im Geschäftsleben und im Vertrieb tätig ist."

– TRACY KREITER, VERKAUFSDIREKTOR TURF VALLEY RESORT

"Ein 3-faches Hoch auf Gap selling–Gap selling *ist ein Muss für den modernen Verkaufsprofi. Tipps ohne Ende, neue Perspektiven und weise Worte aus langjähriger Erfahrung durchziehen die Seiten von Keenans* Gap selling.*"*

– JAMES BUCKLEY, MANAGER FÜR GESCHÄFTSENTWICKLUNG IM UNTERNEHMEN BEI CIRRUS INSIGHT"

Keenans unkonventioneller Stil spiegelt sich in seinem Buch Gap selling *wider. Das Verkaufsspiel kann eine ziemliche Herausforderung sein. Keenan räumt mit alten Klischees auf, an die Verkäufer seit jeher glauben. Keenan erklärt nicht nur sehr eingehend, wie man beim Verkaufen erfolgreich sein kann, sondern gibt dem Leser auch Erfahrungen und Beispiele an die Hand, die man nachempfinden kann. Ich lege* Gap selling *sowohl neuen als auch erfahrenen Verkäufern ans Herz. Dieses Buch enthüllt die Spielregeln beim Verkaufen und vermittelt dem Leser das Wissen für seinen zukünftigen Erfolg. Wie bei jedem anderen Spiel auch, gilt es, sich einzusetzen, um zu gewinnen. Mit dem Wissen von* Gap selling *erhöhen sich Ihre Gewinnchancen enorm."*

— Melissa Morrisette, Inhaberin und Gestalterin von Morrisette Design

*"*Gap selling *redet Klartext – ich war letzte Woche mitten im Buch, als sich eine Gelegenheit ergab, das Gelernte in die Tat umzusetzen. Kurz gesagt, ich konnte mir ein Vermittlungshonorar sichern, das weit über der eigentlichen Erwartung lag, weil es mir aufzuzeigen gelang, wie mein Übungskunde von seinem derzeitigen Zustand zu seinem gewünschten Zustand gelangen würde. Angesichts der Einnahmen aus meiner neuen Entdeckung bestätigte der Geschäftsführer sogleich, dass mir das Honorar zusteht.* Gap selling *ist eine unterhaltsame und leicht verständliche Lektüre, und dies über alle Branchen hinweg."*

— Kris Johnson, Gründer von Epoch Recruiters

"Dieses Buch zeigt den Unterschied auf zwischen Verkaufsleuten und Verkaufsprofis!"

— Kevin Sullivan, Verkaufsmanager bei Universal Field Supplies

ANMERKUNGEN DES ÜBERSETZERS

Das Buch und Konzept Gap Selling von Erfolgsautor Keenan war bisher vor allem auf dem US-Markt bekannt, doch jetzt kommt sein einzigartiges Know-how mit dem verblüffend wirkungsvollen Denkansatz für den Vertrieb auch nach Deutschland. Zu diesem Zweck habe ich mit unserem Team in Deutschland in enger Zusammenarbeit mit dem Autor das Buch ins Deutsche übersetzt.

Die sprachliche Herausforderung, Gap Selling zu übersetzen, war, gelinde gesagt, gleichermaßen ungewöhnlich und faszinierend. Zunächst musste ich mich mit meinem sehr provokanten, sehr eigenen Thema beschäftigen, nämlich unserem Autor, "Keenan". Obwohl sein vollständiger Name "Jim Keenan" lautet, verwendet er ausschließlich den Nachnamen, was für sich genommen schon eine recht bemerkenswerte Botschaft ist. Außerdem hat Keenan eine überaus quirlige und beachtliche Online-Präsenz. Ich habe mir Keenans Verkaufsförderungsvideos, seine Video- und Textausbrüche auf LinkedIn usw. angesehen und dabei gelernt, dass hinter all seinem Schreien und Brüllen gegenüber vielversprechenden, indes unerfahrenen Verkäufern das tiefe Anliegen steckt, zu helfen. Schließlich las ich das Buch vorwärts und rückwärts und noch einmal von vorn, um sicherzugehen, dass ich wirklich jedes Wort mit der vom Autor beabsichtigten Ausdrucksweise erfasste. Das Endergebnis ist nach meiner Überzeugung eine deutsche Wiedergabe, die recht frech daherkommt, doch dabei, ohne Zweifel, den englischen Originalton und besonderen Stil des Autors wiedergibt.

Persönlich hat mich dieses Buch, mit dem ich immerhin mehr als 45 Tage verbracht habe, durch den Übersetzungsprozess tief beeindruckt. Ich habe Keenan und seine Lehren dabei von den verschiedensten

Blickwinkeln aus kennengelernt. Das Buch ist ausnehmend erfrischend und provokativ in seiner Art, das gesamte Spiel der Verkaufens und die Funktion des Verkaufs zu erklären, damit jeder der sich im Vertrieb immer noch mit den Taktiken von gestern abkämpft, seine Art und Weise des Verkaufens ändern kann. Werden auch Sie mit Lösungsorientiertem Verkaufen endlich im Vertrieb schneller, berechenbarer, erfolgreicher und profitabler! Es wird alles komplett verändern – ebenso wie Ihre Ergebnisse! So geht Verkaufen heute. Dies ist mir im Laufe dieses Übersetzungsprozesses deutlich geworden.

Allen Lesern und dem Autor sei hiermit viel Erfolg gewünscht.

Peter Albert
~ berlin@avalon-linguistic.com

GAP SELLING

GAP

SELLING

DEN KUNDEN ZUM JA BRINGEN: WIE
PROBLEMZENTRIERTES VERKAUFEN DIE
VERKAUFSZAHLEN STEIGERT, INDEM ES
ALLES VERÄNDERT, WAS DU BISLANG ÜBER
BEZIEHUNGEN, DAS ENTKRÄFTEN VON
EINWÄNDEN, KAUFABSCHLUSS UND PREIS

KEENAN

GAP SELLING

ERSTAUSGABE

Herausgegeben von Heather Pendley und Eve Minkler.

Umschlag, Infografiken und Gestaltung von KS Revivo.

Die Katalogisierung durch die Kongress-Bibliothek ist beantragt.

Hardcover: 978-1-7328910-3-6
Paperback: 978-1-7328910-4-3
ePub/eBook: 978-1-7328910-5-0

An meine drei Töchter Kenna, Elle und Ava, denn ihr seid einfach spitze.

Ich werde Euch alle meine Bücher widmen.

Ihr seid die großartigsten jungen Ladies überhaupt.

Aufgepasst Welt, sie kommen.

INHALT

GAP SELLING

AN VERTRIEBLER IN ALLER WELT

Hey, Ihr Verkäufer, Ihr seid echt eine Wucht! Ihr seid die Extremsportler der Geschäftswelt. Ihr werdet nur bezahlt, wenn Ihr Ergebnisse liefert. Ihr riskiert zwischen 40 % und 100 % Eures Gehalts als Provisionen. Es gibt keine Garantien, und die Vorstellung, dass es welche geben sollte, stoßt Ihr von Euch. Ihr müsst viel Ablehnung erleiden und werdet von unhöflichen, schroffen und verunsicherten Käufern mit Absagen traktiert. Ihr arbeitet wochen-, monate- oder gar jahrelang an einem Geschäft, nur um es dann letztlich wegen ein paar Euro oder einer Kleinigkeit an die Konkurrenz zu verlieren. Ihr werdet ständig von übereifrigen Managern beschattet, die Euch heftige Quoten und den nächsten Geschäftsabschluss vorgeben. Das Leben eines Verkäufers ist echt hart, und doch seid Ihr jeden Tag aufs Neue bereit, Euch ins Zeug zu legen, um das Leben Eurer Käufer und Kunden zu verbessern.

Wegen Euch habe ich *Lösungsorientiertes Verkaufen* entwickelt und dieses Buch geschrieben. *Bei Lösungsorientiertem Verkaufen* geht es darum, Euer Leben ein wenig einfacher zu machen. Ich möchte Euch zeigen, dass Verkaufen gar nicht so schwer sein muss, wie man uns immer weismachen will. Verkaufen sollte nicht mit unzähligen verlorenen Geschäften, erfolglosen Preisverhandlungen, abtrünnigen Interessenten, ignorierten E-Mails und unberechenbaren Vertriebsketten einhergehen. So ist es nur, wenn man es falsch anstellt. Wenn man es richtig macht, ist Verkaufen ziemlich unkompliziert, vorhersehbar und erfolgreich. Dieses Buch bringt Dich genau dorthin.

Gap selling wird Dich auf eine Reise mitnehmen, die für manche von Euch etwas ungemütlich sein dürfte. Es wird viele Deiner eingefahrenen Überzeugungen und Verkaufsmethoden hinterfragen. Es steht in unmittelbarem Widerspruch zu dem, was man uns jahrelang beigebracht hat, zum Beispiel:

- Auf Beziehungen kommt es wirklich nicht an

- Die Leute kaufen sehr wohl auch von jemandem, den sie nicht besonders mögen

- Es gibt eigentlich kein "Abschließen"

- Du solltest niemals Dein Produkt oder Deinen Preis rechtfertigen müssen

- Niemand kümmert sich einen Dreck um Dein Produkt oder Deinen Preis

- Anpreisen ist nicht Verkaufen

- Verkaufen auf das Bedürfnis des Kunden hin ist falsch

- und Vieles mehr

Fast all diese Probleme und Herausforderungen im Vertrieb sind hausgemacht. Wir schaffen selbst die Ursachen dafür, dass der Kunde sich zurückzieht. Wir selbst richten den Fokus auf den Preis. Wir lassen zu, dass der Kunde uns wegen einer Nebensächlichkeit quasi als Geisel nimmt. Wir lassen es zu, dass die Konkurrenz in letzter Minute zuschlägt. Wir lassen Situationen entstehen, in denen der Käufer sich entschließt, untätig zu verharren. Wir machen es Interessenten leicht, unsere E-Mails, Voicemails und LinkedIn-Nachrichten zu ignorieren. Diese Schwachpunkte sind fast immer unsere eigene Schuld, weil man uns das Spiel des Verkaufens nicht richtig gelehrt hat. Wir kennen zwar die Regeln, wir kennen das Ziel, indes verstehen die meisten von uns die Feinheiten des Spiels nicht recht, und genau das kostet uns und die Vertriebsbranche jedes Jahr Milliarden von Euro.

Gap selling bringt Dir bei, worauf es beim Verkaufen ankommt und wie man erfolgreich dabei wird. Es gibt Dir praktische Ratschläge und umsetzbare Fähigkeiten sowie Methoden an die Hand, um mehr Aufträge zu gewinnen, Verkaufszyklen zu verkürzen und Preisnachlässe zu vermeiden. Es zeigt Dir, wie Du Käufer dazu bringst, mit Dir zusammenzuarbeiten und ein integraler Bestandteil des Verkaufs zu sein, so dass sie nicht länger abtauchen, Deine Anrufe vermeiden und unnötige Hindernisse aufbauen.

Das Buch ist in vier Teile gegliedert. In Teil I geht es um die Regeln des Lösungsorientierten Verkaufens, damit Du fortan jeden Verkauf mit dem richtigen Denkansatz und psychologischem Verständnis angehen kannst. In Teil II lernst Du die speziellen Fähigkeiten und Strategien, um dieses Spiel besser als alle anderen zu spielen – von den einzelnen Stufen einer super Entdeckung über die Durchführung einer erstklassigen Präsentation bis hin zur Vermeidung von Fallstricken und der Entkräftung von Einwänden. Teil

III zeigt verblüffende Wege auf, wie man die Prinzipien des Lösungsorientierten Verkaufens anwenden kann, um ergiebigere Kundenakquisition zu betreiben, damit Du schneller eine größere und bessere Vertriebskette aufbauen kannst. Und Teil IV schließlich dient als Leitfaden für Vertriebsleiter, um eine Umgebung für Lösungsorientiertes Verkaufen zu entwickeln und zu führen, ein schlagkräftiges Team für Lösungsorientiertes Verkaufen aufzubauen und keine schlaflosen Nächte mehr damit zu verbringen, sich Gedanken über ihre Verkaufszahlen zu machen.

Wir haben dieses Spiel zu lange gespielt, ohne es je zu begreifen. Du hast etwas Besseres verdient.

Bist Du bereit, das Spiel des Verkaufens zu lernen? Sehr gut! Heute ist dann also der letzte Tag, um so zu verkaufen, wie Du bislang verkauft hast. Es gibt nämlich einen besseren Weg.

Bist Du bereit, das Geheimnis dieses Spiels zu ergründen?

TEIL I

DAS SPIEL VERSTEHEN

ERSTES KAPITEL
WILLKOMMEN ZUM SPIEL

E stand 0-0. Unsere Gegner standen an unserer 10-Yard-Linie. Wir hatten sie bereits sieben Mal hintereinander gestoppt. Das war schon beeindruckend. Es muss eine Strafe oder so etwas gegeben haben, denn wenn ich mich recht erinnere, so hatten sie keinen First Down, also keinen Ersten Versuch, erzielt. Doch nun hieß es 4. Versuch und Tor gegen Ende des letzten Viertels. Alles, was wir zu tun hatten, war, sie für ein weiteres Spiel in Schach zu halten.

Wir schrieben das Jahr 1979, und ich war elf Jahre alt. Ich hatte zuvor noch nie Wettkampf-Football gespielt und dies war meine erste Saison. Ich schaute es nicht im Fernsehen an. Meine Mutter und mein Vater waren typische Hippies der 60er Jahre, keine Sportbegeisterten und schon gar keine Football-Fans. Meine Kenntnisse über diesen Sport waren also so gut wie null.

Ich war recht schmächtig, aber schnell, also dachten die Trainer, dass ich einen guten Running Back (Offensivläufer) abgeben könnte. Sie zogen einen anderen Jungen und mich beiseite und zeigten uns eine Kreidetafel, auf die Kreise und Zahlen gekritzelt waren. Diese sollten die Offensivlinie und die "Lücken" zwischen den einzelnen Linienspielern darstellen. Es hätte genauso gut auf Chinesisch sein können. Ich weiß ehrlich gesagt nicht mehr, ob ich keine Lust hatte, es zu lernen, oder ob ich die ganze Sache zu kompliziert fand, das Ergebnis war jedenfalls dasselbe: Ich habe nicht aufgepasst.

Bei unserem ersten Training setzte mich der Trainer als Offensivläufer ein. Wir haben uns versammelt und der Quarterback (der Spielführer) hat den Spielzug aufgerufen. Ich hatte genug gelernt, um zu verstehen, dass das Spiel des Quarterbacks darüber entschied, wer den Ball bekam und wer nicht, aber alles andere ergab für mich keinen Sinn. Sobald die Versammlungsphase vorbei war, rief ich dem anderen Running Back zu: "Wer kriegt den Ball?"

"Du bist dran", sagte er und warf mir einen seltsamen Blick zu.

In Ordnung. Verstanden.

Als der Ball abgespielt wurde, nahm ich die Hereingabe an und rannte los. Ich wurde schon binnen einer halben Sekunde im Rückfeld angegriffen, was zu einem Verlust führte. Als ich aufstand, begannen die gesamte Mannschaft und auch der Trainer, mich anzuschreien.

Was ist los mit Dir, Keenan? Wo zum Teufel wolltest Du denn hin? Die Lücke ist dort drüben! Was soll das, Keenan?

Ich hatte indes absolut keine Ahnung, wovon sie sprachen.

Anscheinend ist es wichtig, was der Quarterback beim Versammeln ansagt. Ich bin nicht zur richtigen Lücke gelaufen. Ich hatte den aufgerufenen Spielzug nicht verstanden. Ich habe die Spielzüge überhaupt gar nicht verstanden. Wie Ihr Euch vorstellen könnt, war dieses eine Spiel das Ende meiner Zeit als Running Back, zumindest für dieses Jahr.

Ich saß dann für den Rest des Wettbewerbs auf der Bank. Ich war verlegen, verwirrt und frustriert, und ich schwor mir, dass ich es beim nächsten Mal besser machen würde, falls es überhaupt ein nächstes Mal geben sollte.

Am nächsten Tag beim Training setzte mich der Trainer auf der Sicherungsposition in der Verteidigung ein, und er sagte etwas, das ich nie vergessen werde: "Keenan, renn' einfach so schnell Du kannst und schnapp' Dir den Typen, der den Ball hat"

Ich weiß nicht, ob dieser Trainer der beste Trainer der Welt war, oder ob er mich für das dümmste Wesen auf der Welt hielt. Jedenfalls verstand er, dass ich zwar eigentlich ein talentierter Sportler war, indes Schwierigkeiten hatte, das Spiel zu verstehen. Also hat er mir das Spiel so einfach wie möglich gemacht.

"Lauf' so schnell Du kannst und greife den Burschen mit dem Ball an."

Das konnte ich. Seitdem bin ich wie ein tasmanischer Teufel über das Spielfeld geflogen und habe jeden angegriffen, der es wagte, den Ball gegen unser Team zu spielen. Das war meine Aufgabe. Ich genoss es, und ich war ziemlich gut darin.

Bis zu dem Tag, an dem es 4. Versuch und Tor hieß und der Quarterback der gegnerischen Mannschaft kurz davor war, den Ball zu werfen.

Ich spielte als Deckung auf der rechten Seite des Feldes und beobachtete den Quarterback, wie er den Ball abwarf. Ich beobachtete, an welchen Running Back er den Ball übergeben würde, als plötzlich alle zu schreien anfingen: "Abgeben!"

Abgeben? Huch? Bei Pop Warner, der Jugend-Football-Organisation, hat niemand abgegeben. Damals jedenfalls nicht. Herrje, wir waren doch gerade mal 11 oder 12 Jahre alt.

Der Quarterback ließ sich zurückfallen, um einen Pass zu spielen, und als ich aufblickte, sah ich den Wide Receiver (Passempfänger des Quarterbacks), der nur fünf Meter weiter rechts vor mir lauerte. Der Quarterback drehte sich in unsere Richtung und warf den Ball. Es war ein erbärmlicher Fehlpass, wie eine taumelnde Ente, die von einer Seite zur anderen schwankte. Ich stand unmittelbar darunter, ebenso wie der Wide Receiver. Mein Herz begann zu pochen. Ich war in der perfekten Position. Ich wusste, dass ich diesen Spielzug schaffen und groß rauskommen könnte. Ich hatte die ganze Sache zeitlich abgeschätzt. Ich stellte mir vor, wie mich alle nach dem Spiel bejubeln würden. Ich war ganz ruhig als ich zwei Schritte zurücktrat, den Wide Receiver abschätzte, zum Ball hochschaute, darauf wartete, dass er ihn fängt, und meinen Angriff perfekt abpasste. Kaum hatte er den Ball gefangen, stürzte ich mich mit meinem ganzen Gewicht und meiner ganzen Kraft auf ihn und warf ihn zu Boden. Ich sprang auf und war sehr aufgeregt wegen der Behandlung, die ich dem armen Jungen gerade verpasst hatte. Als ich aufgestanden war, musste ich jedoch feststellen, dass ich der Einzige in meinem Team war, der feierte. Das gegnerische Team war hingegen völlig aus dem Häuschen.

Was war geschehen? Nun, ich habe getan, was der Trainer von mir verlangt hatte, und trotzdem hatten wir verloren, und nach den bösen Blicken zu urteilen, die ich von meinem Team erntete, war das alles allein meine Schuld. Ich habe es nicht verstanden. Ich habe den Typen in Ballbesitz angegriffen. Nein, ich habe den Burschen mit dem Ball *zu Boden gebracht*. Ich wusste, dass ich meine Aufgabe erledigt hatte.

Das, was ich nicht wusste, hat uns das Spiel gekostet, weil mir nicht klar war, dass meine Aufgabe darin bestand, zu verhindern, dass er den Ball überhaupt fängt.

Ich hatte nicht nur noch niemals zuvor Football gespielt, sondern ich hatte mir auch nicht die Mühe gemacht, etwas über das Spiel zu lernen, und das wurde in diesem Spiel deutlich. Das erste, was ich nicht verstanden habe, war das System der Ballabgaben. Wir hatten das Dribbeln geübt, aber da niemand jemals einen Pass spielte, hatten wir kein Abfangen geübt, während mein Wissen über Football auf das beschränkt war, was ich auf dem Übungsplatz gesehen hatte. Ich habe außerdem die Bedeutung des Ballbesitzes nicht verstanden. Ich habe einfach in der Verteidigung und somit auf dem Spielfeld zu sein, als eine Chance gesehen, zu spielen. Es war mir nie in den Sinn gekommen, dass man mit Ballbesitz oder in der Offensive den Gegner daran hindert, ein Tor zu erzielen und das Spiel zu gewinnen. Allerdings hat mein fatales Missverständnis einen gegnerischen Touchdown (Gewinn von sechs Punkten) bewirkt. Aus irgendeinem Grund war ich mit meinen elf Jahren des Glaubens, dass man die Torpfosten passieren muss, um ein Tor zu erzielen. Die Torpfosten waren meine Touchdown-Fixpunkte. Daher sah ich kein Problem darin, mit dem Angriff auf den Wide Receiver des anderen Teams zu warten, bis er den Ball fünf Yards vor den Torpfosten gefangen hatte – genau in der Mitte der Endzone.

Wir haben nicht verloren, weil ich etwa ein schlechter Sportler war. Wir haben nicht verloren, weil ich nicht in der Lage gewesen wäre, den Receiver auszuschalten. Wir haben nicht verloren, weil ich den Ball etwa nicht abfangen konnte. Verloren haben wir vielmehr, weil ich das Spiel nicht verstanden hatte. Aufgrund meines mangelnden Verständnisses von Football konnte ich nicht korrekt spielen, und das hat meine Mannschaft einen verdienten Sieg gekostet.

ES IST NICHT SO, DASS DU NICHT VERKAUFEN KANNST—ES IST EHER SO, DASS DU NICHT ANALYSIEREN KANNST

Ich habe das Spiel nicht verloren, weil ich nicht angreifen konnte. Ich habe das Spiel verloren, weil ich das System der Ballabgaben nicht verstanden hatte, insbesondere beim Abfangen. Du verlierst Verkäufe nicht etwa, weil Du nicht verkaufen kannst. Du verlierst sie, weil Du nicht verstehst, wie Du das Problem bzw. die Problems Deines Kunden diagnostizieren kannst und wie Probleme den Verkauf vorantreiben. Es ist nicht Dein Produkt, das den Verkauf ankurbelt. Das Problem tut es vielmehr, und wenn Du das Problem nicht diagnostizieren kannst, hilft Dir auch kein Verkaufskönnen und kein anderes Verkaufstraining. Selbst wenn Du Dich um "15 Minuten" Zeit Deines Kunden bemühst, wird es nicht dazu kommen, wenn Dein Kunde kein Problem hat, das Du lösen kannst. Das ist der Grund, warum Du auf 99 % Deiner Kaltakquise-E-Mails keine Antwort bekommst. Sie heben nicht auf ein Problem ab, unter dessen Wirkung der Käufer steht. Das ist zudem der Grund, warum Du 80 % oder mehr Deiner Geschäfte verlierst. Der Käufer meint, das Problem sei es gar nicht wert, eine Lösung zu suchen. Du wirst beim Preis heruntergeputzt, weil die Lösung des Problems nicht den Preis wert ist, den Du verlangst. Du siehst also, das Problem ist der Schlüssel für den Verkauf. Ein guter Verkäufer muss in der Lage sein, das Problem des Kunden zu erkennen und zu verstehen, welche Auswirkungen das Problem für ihn hat.

Lösungsorientiertes Verkaufen macht Dich zu einem Meister der Analyse und verändert die Art und Weise, wie Du verkaufst, nachdem Du das Problem erkannt hast. Du wirst das Spiel viel besser verstehen als je zuvor, damit Du nicht mehr länger selbst der Grund dafür bist, dass Du Geschäft verlierst.

DIE REGELN LERNEN

Ich war ein guter Sportler, vielleicht sogar ein außergewöhnlicher, aber das reichte nicht aus. Leider habe ich mich auch nach dieser Erfahrung, so sehr ich Football auch liebte, nicht dazu entschlossen, die Feinheiten des Spiels zu erlernen. Dieses Wissensdefizit hielt mich davon ab, mein volles Potenzial als Spieler auszuschöpfen zu können. Stattdessen habe ich all meinen angeborenen Optimismus und meine Zuversicht sowie meine ganze überschäumende Energie genutzt, um die Feinheiten des Verkaufsspiels beherrschen zu lernen.

Das war nur logisch. Während meiner Kindheit war ich immer derjenige, der die Limonadenstände aufbaute – der Tom Sawyer meiner Nachbarschaft gewissermaßen, der die anderen Kinder stets davon überzeugen konnte, sich mir bei einem Spiel oder Abenteuer meiner Wahl anzuschließen. Als ich älter wurde, galt ich als der Typ mit den verrückten Influencer-Fähigkeiten, der für jedes Problem oder Hindernis eine Lösung finden konnte – damals meist verkörpert durch die Türsteher von Clubs und Barkeeper –, und ich hatte einen Riesenspaß dabei. In den Verkauf zu gehen, war ein naheliegender Schritt.

So begann ich meine offizielle Vertriebskarriere 1996 mit der Vermittlung von Mitgliedschaften für die Denver Metro Industrie- und Handelskammer. Obwohl ich ohne jegliche formale Erfahrung begann, übertraf ich dort innerhalb eines Jahres alle bisherigen Verkaufsrekorde. Von dort aus wechselte ich in den Vertrieb von Informationstechnologie und wurde eingestellt, obwohl ich in meinem Vorstellungsgespräch zugab, daß ich noch nie etwas von Y2K [Millenium-Fehler] gehört hatte. Vier Jahre und zwei Jobs später war ich Vizepräsident, verwaltete 300 Millionen Dollar Umsatz und leitete ein bundesweites Vertriebsteam mit 120 Mitarbeitern. Im Jahr 2009 habe ich dann mit dem Bloggen begonnen. Jeden Tag schrieb ich über die Arbeit mit Vertriebsteams, das Management von Vertriebsteams, schlechte Vertriebsstrategien und die Einführung von Prozessen – alles Dinge, die ich auch in meinem damaligen Job machte. Innerhalb von zwei Jahren bekam ich Beratungsangebote und sammelte Zehntausende von Followern. Mein Unternehmen, A Sales Growth Company, habe ich im März 2011 gegründet. Seitdem bin ich um die Welt gereist, um B2B-Vermarkter und Verkaufsleiter dabei zu unterstützen, sich in der turbulenten, sich ständig weiterentwickelnden und informationsgesättigten Vertriebslandschaft zurechtzufinden. Es war ein Heidenspaß!

Im Laufe der Zeit hat sich bei mir jedoch zunehmend Frustration über den Zustand der Verkäufergewerkschaft breitgemacht. Die Grundlagen des Verkaufens haben sich nicht geändert (und werden sich auch nie ändern), allerdings haben die Vertriebsorganisationen in den letzten Jahren zunehmend vom Außendienst auf den Innendienst und von Outbound auf Inbound umgestellt, und die Vertriebsmitarbeiter haben zunehmend Schwierigkeiten, Termine zu vereinbaren und Geschäfte abzuschließen. Käufer sind mittlerweile weitaus informierter und widerstandsfähiger gegenüber den traditionellen Verkaufsmethoden, mit denen Verkäufer gewöhnlich ihre Umsätze steigern. Laut dem *CSO Insights Bericht über Weltklasse-Vertriebspraktiken*, erreichten 2016 nur 53 % der Vertriebsmitarbeiter ihre Quote, gegenüber 63 % im Jahr 2012.

Was geht hier vor sich? Ein Teil des Problems besteht darin, dass sich die Verkäufer in der Vergangenheit zu sehr auf Vertriebsinstrumente verlassen haben. Sie sind zudem Opfer von unrealistischen Verkaufsquoten, schlechtem Verkaufsmanagement und dem Fehlen eines strukturierten

Verkaufsprozesses. Aber selbst wenn das Problem nicht organisatorischer Natur ist, finde ich, dass Verkäufer sich auf gewisse Weise selbst sabotieren. Sie selbst sehen das natürlich nicht so. Wenn ein Geschäft platzt, ist irgendwie immer jemand anders schuld. So zum Beispiel:

- Der Interessent zieht sich zurück.

- Da war plötzlich Konkurrenz, von der wir nichts wussten.

- Unser Preis war zu hoch.

- Das Geschäft konnte zum erwarteten Zeitpunkt nicht abgeschlossen werden.

- Nach acht Monaten hat der Interessent keine Entscheidung getroffen und verharrt im Status quo.

- Meine Anrufe blieben unbeantwortet.

- Ich kam nicht zu den Entscheidungsträgern durch.

- Der Interessent hielt mich weiter hin, wollte sich indes nicht festlegen.

- Wir hatten nicht alle Leistungsmerkmale, die der Käufer haben wollte.

- Sie sagten uns, wir hätten den Zuschlag, änderten dann aber ihre Meinung.

- Ich habe ein mieses Gebiet.

- Die Kontakte sind schlecht.

- Die Konkurrenz hat Vorteile, über die ich nicht verfüge.

Nun, ich kenne sie alle. Allerdings sind dies keine Gründe dafür, einen Verkauf zu verlieren. Das sind alles vielmehr nur Ausreden.

Tatsächlich stellt diese Liste wirkliche Probleme dar, die zuweilen den Verkaufsabschluss gefährden können, aber letztendlich ist der wahre Grund, warum sie selbst die besten Verkäufer treffen, dieser: Zu viele Vertriebsleute sind eine Niete im Verkaufen.

Ich weiß, das ist ziemlich drastisch, doch die Wahrheit tut mitunter weh. Jeder, der seine Quote regelmäßig nicht erreicht, ist schlicht und einfach ein Versager im Verkauf. Doch Du solltest mir jetzt genau zuhören: Der Grund, warum so viele Leute versagen, liegt nicht in einem Mangel an natürlichen Verkaufsfähigkeiten oder Potenzial, sondern geht auf dieselbe Ursache zurück, aus der heraus ich seinerzeit diesen Wide Receiver einen Touchdown erzielen ließ – sie haben das Spiel nicht gelernt. In einer Welt, die auf die Bereitstellung von Werten ausgerichtet ist, schränkt ihr Mangel an Wissen ihre Fähigkeit ein, den Verkauf voranzutreiben.

Ich hatte damals keine Lust, sämtliche Football-Regeln zu lernen, doch die Regeln des Verkaufens kenne ich in- und auswendig. Das Befolgen dieser Regeln ist der Grund, warum ich in einem Verkaufsteam immer meine Zahlen erreicht habe und warum meine Kunden ihre Zahlen erreichen, sobald ich es ihnen gezeigt habe. Ja, ich bringe es ihnen bei. Ich weiß, wozu diese Regeln da sind. Zu viele Verkäufer verlieren Geschäfte, weil sie keine Ahnung davon haben. Und nicht nur das, *denn meist sie **wissen nicht einmal**, dass sie es nicht wissen*! Sie können nicht erkennen, dass sie selbst erst die Situation schaffen, in der ein Käufer verschwinden kann. Sie selbst sind es, die ihren Interessenten zur Konkurrenz treiben. Sie erlauben es dem Käufer, sich wegen des Preises abzuwenden. Sie laden potenzielle Kunden geradezu ein, Merkmale zu verlangen, die derzeit nicht verfügbar sind. Genauso wie ich damals beim Football zurücktrat und den Jungen den Ball in der Endzone fangen ließ, bringen Verkäufer ihre Kunden dazu, von einem Verkauf Abstand zu nehmen, und das kostet sie und ihre Unternehmen Millionen. Verkäufer sind ihre eigenen ärgsten Feinde. Sie haben schlichtweg aus den Augen verloren, worum es beim Verkaufen überhaupt geht. Wie auch beim Football oder überhaupt im Leben gilt jedoch, dass je klarer man die Regeln versteht, desto besser kann man seine Erfolgschancen maximieren.

Ich habe *Gap selling* geschrieben, um die Regeln des Verkaufens zu verdeutlichen und Verkäufern sowie Vertriebsorganisationen zu zeigen, wie sie mehr verkaufen können, indem sie lernen, wie sie ihren Kunden besser helfen können. Im Herzen eines jeden Verkaufs findet sich nämlich eine Lücke. Es ist eine Lücke zwischen dem, was der Käufer derzeit hat, und dem, was er sich für die Zukunft wünscht, zwischen seiner jetzigen Situation und derjenigen, die er für morgen anstrebt, oder gar zwischen seinem momentanen Zustand und dem, wo er hin will. In dieser Lücke liegt der Nutzen des Verkaufs für den Käufer *und* den Verkäufer. Ohne Lücke gibt es keinen Verkauf.

Das Geheimnis, um dem verdammten Scheitern ein Ende zu setzen!

Gap selling vermittelt Dir alles, was Du über die Lücke wissen musst und warum sie so wichtig ist. Ich zeige Dir außerdem, wie Du die Lücke, die es in jeder Gelegenheit gibt, nutzen kannst und wie sich der Wert der Lösungen, die Du anbieten kannst, maximieren lässt, sei es, indem Du den Kundenstamm Deiner Käufer vergrößerst, ihren Umsatz steigerst, ihre Prozesse rationalisierst oder ihr Leben bzw. ihre Arbeit produktiver und angenehmer machst. Wenn Du mit der Lektüre dieses Buches fertig bist, wirst Du verstehen, wie die richtige Einschätzung der Lücke den gesamten Verkaufsprozess in Schwung bringt, von der Preisverhandlung bis zum Ausräumen von Einwänden, vom Abbau von Hindernissen bis zum Umgang mit der Konkurrenz, wie man vermeidet, dass Interessenten sich zurückziehen, bis hin zum Vertragsabschluss. Das wirst Du im Folgenden lernen:

- **"Lesen" der Gedanken von Interessenten während der Entdeckungsphase** – damit Du ihre Bedenken erkennen, mögliche Einwände im Voraus berücksichtigen und vermeiden kannst, von ihren Entscheidungen überrumpelt zu werden.

- **Erkennen und sogar Vorausbedenken der besonderen Bedürfnisse und Probleme von Käufern** – damit Du maßgeschneiderte Lösungen anbieten und einen optimalen Mehrwert schaffen kannst

- **Beeinflussen des Veränderungsprozesses** –damit der Käufer erkennen kann, warum er gerade Deine Unterstützung in Anspruch nehmen sollte.

- **Deinen Wert als Ratgeber ausbauen** –damit Du nicht lediglich als Verkäufer, sondern darüber hinaus auch als Berater und Vordenker der Branche wahrgenommen wirst.

- **Deinen Kunden einen besseren Service bieten und ihre Bedürfnisse in den Vordergrund stellen** –damit sie Dich beim Kauf unbedingt dabei haben wollen.

- **Ein Gefühl von Dringlichkeit erzeugen** –damit Du den Verkaufsprozess beschleunigen kannst.

- **Steigern der Abschlussquoten** –damit Du keine Zeit mehr mit Geschäften vergeudest, die ohnehin nicht zustande kommen werden.

- **Unnötige Komplikationen vermeiden** –damit Du den Verkauf selbst steuern kannst und nicht etwa vom Verkauf (oder dem Kunden) bestimmt wirst.

- **Verbessern der Vorhersehbarkeit** –damit Du nicht noch auf den letzten Drücker versuchen musst, die Quote zu erfüllen.

Jede Herausforderung, mit der wir Vertriebler konfrontiert sind, lässt sich letztlich auf die Lücke zurückführen. Jede Lösung ergibt sich aus dem Erkennen dieser Lücke, der richtigen Einschätzung ihres Wertes und dem auf diese Lücke hin orientierten Verkauf (was, wie wir im Folgenden noch sehen werden, etwas völlig anderes ist als das Verkaufen eines Produkts oder einer Dienstleistung). Ganz gleich, ob Du nun beispielsweise Software, Beratungsdienste oder Smartphones verkaufst, die zum Lösungsorientierten Verkaufen vermittelten Erkenntnisse und Techniken gelten jedenfalls für jede Art von Verkauf oder Transaktion.

HÖR' AUF, EINFACH NUR ZU VERKAUFEN. FANG' AN, BESSER ZU VERKAUFEN

Ich bin nicht in den Verkauf gegangen, weil ich gerne verkaufe. Ich habe es getan, weil ich es liebe, Menschen zu helfen und Probleme zu lösen. Ich bringe gerne Mist in Ordnung. Das ist es, worum es beim Lösungsorientierten Verkaufen geht. Es geht keineswegs um das Anpreisen von Produkten und Dienstleistungen, sondern vielmehr darum, Probleme zu lösen und Menschen das Leben leichter zu machen. Ich habe noch niemanden getroffen, der nicht erstaunt gewesen wäre über den positiven Effekt, welchen Lösungsorientiertes Verkaufen auf seine Abschlussquote hat. Wie bei allen anderen Dingen gilt auch hier: Wenn man erst einmal weiß, was es zu wissen gilt, dann wird alles ganz einfach. Nach diesem ersten katastrophalen Footballspiel habe ich damals eine ganze Menge gelernt, und ich habe danach sogar ein paar Mal einen Ball abgefangen. Beim ersten Mal war der Trainer hell begeistert, er war so aufgeregt und freute sich riesig für mich. Bei dieser Gelegenheit sagte er mir, dass ich den Fehler, der uns einige Wochen zuvor das Spiel gekostet hatte, wieder gutgemacht hätte. Ich war mächtig stolz auf mich und hatte seither noch jahrelang Spaß am Footballspielen. Trotzdem sehe ich in Gedanken immer noch diesen verdammten Ball am Himmel über meinem Kopf schweben. Ich kann mich noch gut daran erinnern, wie ich damals diese verhängnisvollen Schritte zurückging und dadurch dem andere Spieler erlaubte, den Ball zu fangen, bevor ich ihn einen Sekundenbruchteil später zu Fall brachte. Ich weiß noch, wie ich spontan jubelte, weil ich glaubte, meine Aufgabe gut erledigt zu haben, und wie schockiert und entsetzt ich danach war, als ich erfuhr, dass ich uns das Spiel gekostet hatte, weil ich etwas nicht wusste.

Ein Geschäft zu versemmeln ist stets Mist. Es ist schlecht für Deine Moral, Deine Abschlussquote, und für Dein Bankkonto auch – einfach für alles! Doch ein Geschäft zu verlieren, das Du nicht hättest verlieren müssen, ein Geschäft, für welches Du durchaus das Talent, die Fähigkeiten und die Möglichkeiten hattest, es erfolgreich abzuschließen, aber gescheitert bist, weil Du das Verkaufen nicht recht verstanden hast. Wie ist das denn? Das ist wirklich das Schlimmste überhaupt. Lies dieses Buch, und Du wirst nie wieder ein Geschäft verlieren, das Du nicht verlieren musst.

Du verlierst derzeit Aufträge nicht, weil Du etwa nicht hart arbeitest, weil es Dir egal wäre oder weil Du möglicherweise zu dumm bist. Nein, diese Geschäfte verlierst Du deshalb, weil Dir nicht bewusst ist, was Du nicht weißt. Du verstehst die Spielregeln beim Verkaufen nicht. Viele von Euch verkaufen immer noch, doch wenn Ihr beim Verkaufen lediglich verkauft, bedeutet dies, dass Ihr eigentlich gar nicht verkauft. Ihr denkt in einer veralteten Vorstellung davon, worum es beim Verkaufen geht. Dabei übersehet Ihr wichtige Verkaufsprinzipien und -techniken, die so viel Einblick in Eure Kunden und deren Bedürfnisse verschaffen können, dass Ihr schon auf halbem Weg zum Vertragsabschluss seid, bevor Ihr mit der Präsentation anfangt. Es gibt da eine Leerstelle in Deiner Vertriebsausbildung, denn eine Reihe wesentlicher Konzepte hat man Dir nie beigebracht. *Lösungsorientiertes Verkaufen* schafft hier Abhilfe und sorgt dafür, dass Du es im Verkaufsgeschehen fortan nicht nur besser weißt, sondern dass Du wirklich Ahnung von allem hast.

ZWEITES KAPITEL
DIE NEUN WAHRHEITEN
BEIM VERKAUFEN

Du sitzt an Deinem Schreibtisch, gehst Deine Vertriebskette durch und reibst Dir die Schläfen. Verflixt, Dein Kopf schmerzt! Gerade als Du zum Supermarkt gehen willst, um etwas Ibuprofen zu kaufen, steht wie von Zauberhand plötzlich ein äußerst dynamischer, freundlicher Mann in einem rotkarierten Hemd vor Deiner Bürotür. Ich bin's, Keenan. Hey, was ist los? Ich halte Dir eine kleine schwarze Schachtel hin. Auf dem schwarzen Stoff liegt eine kleine, von der Gesundheitsbehörde zugelassene weiße Pille, die Deine Kopfschmerzen garantiert mit einer einzigen Dosis verschwinden lässt.

Wie viel wärst Du bereit, für meine Pille zu zahlen?

Fünfzig Cent? 1,50 Euro? 5,00 Euro?

Wie wäre es mit einer Million Euro? Würdest Du das bezahlen?

Du verdrehst die Augen. Eine Million Euro, damit ein Kopfschmerz verschwindet?

Ja klar, was soll's.

Dann stelle ich ein paar Fragen:

Treten diese Kopfschmerzen häufig auf? Beeinträchtigen sie Deine Sehkraft? Wie sieht es Deinem Gleichgewicht aus? Fühlen Du manchmal Schwäche in Deinen Gliedmaßen? Hast Du Dich in letzter Zeit übel gefühlt? Hast Du schon einmal Taubheitsgefühl oder Krämpfe im Gesicht verspürt?

Deine Antwort lautet Ja. Zu allen Fragen. Ein sofortiger Besuch bei Deinem Arzt, der eine Computertomographie veranlasst, bestätigt das Schlimmste: Du hast einen Hirntumor.

Klingt eine Million Euro immer noch zu hoch für meine Pille?

Nun, das hätte ich nicht gedacht.

Das obige hypothetische Szenario mag ein wenig abgedroschen erscheinen, doch es erfüllt einen wichtigen Zweck: Es zeigt nämlich, wie sich die neun Wahrheiten beim Verkaufen auf jede Verkaufstransaktion auswirken, an der Du später beteiligt sein wirst. Als da wären:

1. **KEIN PROBLEM, KEIN VERKAUF**

2. **BEI JEDEM VERKAUF GIBT ES EINE LÜCKE**

3. **BEI JEDEM VERKAUF GEHT ES UM VERÄNDERUNG**

4. **KUNDEN MÖGEN VERÄNDERUNGEN NICHT**

5. **VERKAUFEN IST EINE EMOTIONALE ANGELEGENHEIT**

6. **KUNDEN MÖGEN VERÄNDERUNGEN DANN, WENN SIE DAS GEFÜHL HABEN, DASS SIE DIE KOSTEN WERT SIND**

7. **DIE FRAGE "WARUM?" BRINGT KUNDEN DAZU, "JA" ZU SAGEN**

8. **VERKÄUFE FINDEN STATT, WENN DER KÜNFTIGE ZUSTAND EINE VERBESSERUNG DARSTELLT**

9. **NIEMAND SCHERT SICH EINEN DRECK UM DICH**

Nun wollen wir die einzelnen Regeln näher betrachten, um zu verstehen, was sie in der Praxis bewirken.

WAHRHEIT NR. 1: KEIN PROBLEM, KEIN VERKAUF

Jeder Verkauf beginnt mit einem Problem. Wenn es kein Problem gibt, wird es auch keinen Verkauf geben. Punkt. So einfach ist das. Jeder Verkauf beginnt damit, dass jemand unglücklich, frustriert, wütend, traurig, gereizt oder mit einem sonstigen Gefühl hinsichtlich eines Problems ist, das sich negativ auf ihn auswirkt. Diese Frustration über das Problem wirkt wie ein Impuls für Veränderungen. Der Käufer bzw. Interessent wird zunehmend unzufriedener mit seiner Situation und möchte etwas daran ändern. Dieser Prozess des Problemlösens und Dinge zu verändern, ist die Grundlage für einen Verkauf.

Es ist schon erstaunlich, wie viele Verkaufschancen ich in meiner Laufbahn beurteilt habe, bei denen der Verkäufer das Problem, welches der Käufer zu lösen versuchte, nicht erkannt hat. Es ist dieser mangelnde Bezug zum Problem, der die Fähigkeit des Verkäufers untergräbt, effektiv zu verkaufen und letztendlich das Geschäft abzuschließen.

Das Verständnis des Problems ist deshalb so wichtig, weil mit dem Problem auch die Auswirkungen des Problems einhergehen, und die Auswirkungen wiederum bestimmen die Größe und den Umfang des Problems. Ein Problem wie etwa "Ich habe Kopfschmerzen" mag auf den ersten Blick unbedeutend erscheinen. Je nachdem, wie stark die Person betroffen ist, können die Auswirkungen indes alles andere als harmlos sein, wie das obige Beispiel mit dem Hirntumor zeigt. Probleme führen zur Wirkung, und die Wirkung ist der Bereich, in dem die Dringlichkeit, der Wert und das Interesse deutlich werden und wo der Verkauf zustande kommt. Du musst das Problem kennen, mit dem Deine Kunden und Interessenten leben, sowie die Auswirkungen, die es auf sie hat. Ohne Lücke gibt es keinen Verkauf.

WAHRHEIT NR. 2: IN JEDEM VERKAUF GIBT ES EINE LÜCKE

Bei jeder Verkaufstransaktion geht es darum, eine Lücke zu entdecken – den Unterschied zwischen dem, wo der Kunde momentan ist (der jetzige Zustand) und dem, wo er hin möchte (sein künftiger Zustand). Nehmen wir einmal eine Person mit Kopfschmerzen, die gern eine Person ohne Kopfschmerzen sein möchte. Kopfschmerzen, die lediglich lästig sind und mit der Zeit wahrscheinlich von selbst verschwinden, haben nur eine geringe Auswirkung auf das Leben, so dass es sich um eine lediglich kleine Lücke handelt, die es zu füllen gibt. Doch eine Migräne, die einen davon abhalten könnte, einen wichtigen Termin für ein 500.000-Euro-Projekt einzuhalten oder an der Abschlussfeier des Kindes am Gymnasium teilzunehmen? Das ist eine verdammt große Lücke, und derjenige, der sie rasch schließen kann, hat etwas von enormem Wert zu bieten. Oftmals ist die Lücke jedoch nur *scheinbar*klein, und ein wenig Herumgraben offenbart einen drohenden Krater. Manchmal erscheint die Lücke größer als sie tatsächlich ist. Manchmal scheint es, als gäbe es überhaupt keine Lücke. Allerdings man kann nicht sicher sagen, wie es wirklich ist, wenn man nicht genau hinschaut.

Das Schlimmste, was Du zu Beginn eines Verkaufs tun kannst, ist, die Worte Deines Käufers für bare Münze zu nehmen oder auf ein bestimmtes Bedürfnis hin zu verkaufen. Ich weiß, dass man uns das so beigebracht hat, aber ein Bedarf setzt voraus, dass der Kunden weiß, was er will, und das ist an sich schon eine unzutreffende Annahme. Natürlich *glauben* Käufer zu wissen, worin ihr Problem liegt, doch was ist, wenn sie sich irren?

Kannst Du Dich noch an Palm Pilots erinnern? Das waren im Grunde Smartphones ohne das Telefonteil, ein besserer Tagesplaner mit Adresskartei. Ich hatte Anfang der 2000er Jahre so ein Gerät und fand es toll. Die Batterien hielten nahezu eine Ewigkeit, so dass ich mein Ladegerät nur selten mitnahm. Nun, eine Woche lang war ich in Boston auf einer Konferenz, und am Morgen der Konferenz stellte ich plötzlich fest, dass mein Akku leer war. Ich konnte weder auf meinen Terminkalender noch auf meine Kontakte zugreifen. Ich wusste, dass ich die ganze Woche über Treffen haben würde, aber leider wusste ich nicht, mit wem oder wo. Glücklicherweise gab es im Konferenzzentrum ein Franklin Covey-Geschäft, und Franklin Covey war Händler für Palm-Produkte. Ich weiß, das war ein echt glücklicher Zufall. Ich ging in den Laden und fragte den Herrn hinter der Theke, ob er ein Palm Tungsten T-Ladegerät habe. Er bejahte. Dann fragte er, ob er mir noch etwas anderes anbieten könne, etwa eine Hülle für das Gerät. Leicht genervt entgegnete ich Nein. Ich hatte einen Hülle, und ich wollte lediglich meinen Palm aufladen und zu meinen Sitzungen gehen. Er nahm ein Ladegerät aus dem Regal, kam dann zu mir zurück und legte es auf die Theke. Dann fragte er abermals nach: "Kann ich sonst noch etwas für Sie tun?" Ich dachte, *Ach, lass gut sein, Mann! Ich will einfach nur ein Ladegerät, und Du kannst damit aufhören, mir etwas andrehen zu wollen.* Ich war nun bestimmt sichtlich ungehalten. Ich sagte "Nein" und machte deutlich, dass ich nur noch bezahlen und gehen wollte. Während des Kassierens sah er mir dann in die Augen und stellte mir eine sehr interessante Frage: "Ist der Grund dafür, dass Ihr Palm keine Akkulaufzeit mehr hat, etwa der, dass die Schutzhülle auf die Tasten drückt, wenn Sie ihn in Ihre Aktentasche oder in Ihre Jackentasche stecken, und die Tasten gedrückt hält, bis der Akku leer ist?"

"Ja!" rief ich aus, "Das ist genau das, was passiert!"

Er sagte "Einen Moment", drehte sich um, nahm eine Hülle aus dem Regal hinter sich und legte sie auf die Theke. Sie sah genauso aus wie die Hülle, die ich schon hatte – gleiche Farbe, gleiche Marke, alles gleich – doch dann öffnete er sie. Auf der Innenseite befanden sich fünf Aussparungen an den Stellen, wo die Tasten sitzen, damit die Abdeckung nicht mehr länger auf die Tasten drücken und den Akku entladen kann. Es war einfach genial.

Ich kaufte das Ladegerät und die Schutzhülle.

Ich hatte gedacht, ich bräuchte ein Ladegerät, aber das brauchte ich gar nicht. Ich brauchte nur einen Aufladevorgang. Was ich eigentlich brauchte, war eine Hülle, die verhindert, dass der Akku meines Palm sich weiterhin vorzeitig entlädt. Ich wusste nicht, was ich brauchte, weil ich mich nicht mit dem eigentlichen Problem befasst hatte, *und* weil ich nicht wusste, welche Optionen oder Lösungen mir zur Verfügung standen. Ich wusste also gar nicht, was ich brauchte.

Verkaufe niemals auf ein Bedürfnis hin. Wenn Du nur das Problem löst, von dem Dein Kunde denkt, dass er es habe, und nicht dasjenige, welches er wirklich hat, dann wirst Du ihm überhaupt nicht wirklich helfen. Du bist dann wie ein Arzt, der nur die Symptome und nicht die Krankheit selbst behandelt. Nein, es ist eigentlich noch schlimmer. Du bist wie ein Arzt, dem die Tatsache völlig entgangen ist, dass es überhaupt eine Krankheit gibt! Die eigentliche Krankheit lauert noch immer, und ohne Behandlung könnte sie noch viel, viel schlimmer werden. Um jedem Kunden einen tatsächlichen Dienst zu bieten, musst Du jeden Verkauf in dem Bewusstsein angehen, dass das, was wirklich erscheint und was Dein Kunde für gegeben hält, möglicherweise nicht so ist.

Beim Lösungsorientierten Verkaufen geht es darum, die Annahmen des Käufers taktvoll in Frage zu stellen, die wahre Größe seines Problems aufzudecken (und gegebenenfalls zu bestätigen) und sodann die Auswirkungen auf sein Leben richtig einzuschätzen. Je mehr Auswirkungen sich zeigen, desto größer ist die Lücke. Und je größer die Lücke ist, desto wertvoller ist Deine Lösung, das heißt, Dein Produkt oder Deine Dienstleistung.

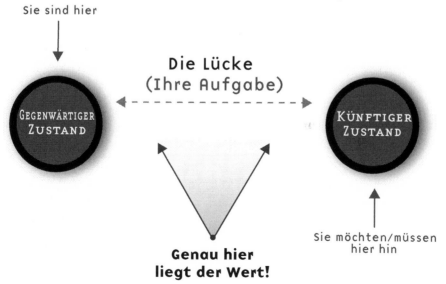

Sie sind hier

Die Lücke (Ihre Aufgabe)

GEGENWÄRTIGER ZUSTAND

KÜNFTIGER ZUSTAND

Sie möchten/müssen hier hin

Genau hier liegt der Wert!

WAHRHEIT NR. 3: BEI JEDEM VERKAUF GEHT ES UM VERÄNDERUNG

Beantworte diese Frage: Was bewegt Kunden zum Kauf? Wenn Du wie die meisten Vertriebsleute bist, denkst Du wahrscheinlich an einen oder mehrere der folgenden Gründe:

- Sie haben ein Problem, das sie lösen müssen

- Sie sind nicht zufrieden mit dem, was sie haben

- Sie verlangen nach etwas Neuem

- Sie können etwas nicht erreichen oder tun, was sie gerne möchten

- Es gibt eine Gelegenheit, die sie nicht wahrnehmen können

- Sie verlieren Geld, kommen nur langsam auf den Markt oder haben mit irgendwelchen Problemen zu kämpfen

- Sie stecken in einer Situation fest oder sind sonstwie nicht in der Lage, voranzukommen

All das ist natürlich zutreffend, aber keine davon ist die richtige Antwort. Diese Antwort lautet: Veränderung! Egal, ob sie nach etwas Besserem streben oder von etwas Schmerzhaftem wegkommen möchten, Kunden kaufen, weil sie sich unwohl fühlen und etwas gefunden haben, das ihre Beschwerden lindern kann. Anders formuliert: Sie haben das Bedürfnis, etwas zu verändern.

Doch zum Glück ist es das, was Du verkaufst. Ich weiß schon, Du denkst, Du verkaufst Sachen, wie Medikamente und Frühstücksflocken, Software und Dienstleistungen, Produkte und Bilderrahmen, Ernährungsberatung und Datentarife. Aber das stimmt nicht. Du verkaufst Veränderung.

WAHRHEIT NR. 4: KUNDEN MÖGEN VERÄNDERUNGEN NICHT (SELBST WENN SIE ES BEHAUPTEN)

Es ist nur allzu verständlich, dass Menschen auf unerwartete, unerwünschte Veränderungen besorgt reagieren, weil sie sich dadurch verunsichert fühlen, vor allem, wenn sie von aufdringlichen Kaltaquise-

Verkäufern angepriesen werden, die ihre Produkte vermarkten wollen. Die Forschung belegt jedoch, dass der Mensch im Grunde keine Veränderungen mag, ob sie nun unerwartet sind oder nicht. Ihr Verhalten deutet immer wieder darauf hin, dass sie Tradition, Beständigkeit und Vertrautheit dem Neuen, Unkonventionellen und Fremden vorziehen. Die ganze Kategorie von Gerichten, die wir als Comfort Food, also Wohlfühlessen oder Nervennahrung, bezeichnen, gibt es, weil der Mensch sich am wohlsten fühlt, wenn er sich emotional an Orte und Zeiten zurückversetzt fühlt, die in der Nostalgie verankert sind. Wir fühlen uns für gewöhnlich gut, wenn da etwas ist, das uns an unsere Mutter, unsere Familie oder das Zuhause, in dem wir aufgewachsen sind, erinnert. Und nicht nur das: Selbst wenn wir keinerlei persönliche Verbindung haben, neigen wir dazu, Menschen, Orten und Dingen, die es schon lange gibt, oder von denen wir zumindest glauben, dass es sie schon lange gibt, unwillkürlich positive Gefühle zuzuschreiben. Wenn wir Veränderung verkaufen – und wie wir mittlerweile wissen, verkaufen alle Vertriebsleute Veränderung – stellt diese tief verwurzelte Loyalität gegenüber dem Bewährten und Vertrauten eine Herausforderung dar.

DIE KRAFT DER BESTÄNDIGKEIT

Studentin Denise muss sich immer noch von der Party der vergangenen Nacht erholen, während sie mit ihrem Rucksack über der Schulter über den sonnenüberfluteten Campus zum Unterricht stapft, als ein Mann mit einem Notizbrett sie fragt, ob sie eine europäische Schokolade probieren und ihre Meinung dazu abgeben möchte. Als Studentin sagt sie bei kostenlosem Essen selten Nein. Das ihr gereichte Schoko-Quadrat ist von einem satten, glänzenden Braun. Sie beißt hinein. Zart. Süß. Leeecker! Ja, natürlich. Als er Denise die Schokolade überreichte, erklärte ihr der Typ mit dem Notizbrett, dass es die Marke bereits seit 73 Jahren gebe. Das ist fast ein Jahrhundert! Nichts hält sich ohne Grund so lange auf dem Markt, stimmts? Denise macht sich auf den Weg und kommt zu spät zur Vorlesung. Ein paar Minuten später kommt Max, ein anderer Student, an der gleichen Stelle vorbei und wird ebenfalls von demselben Schokoladenverteiler angehalten. Max erklärt sich zu einer Verkostung bereit. Das ihm gereichte Schoko-Quadrat ist von einem satten, glänzenden Braun. Wie er erfährt, handelt es sich um eine neue Marke, die erst seit drei Jahren auf dem Markt sei und erst jetzt in die Regale der örtlichen Supermärkte komme. Er beißt hinein. Irgendwie wachsartig. Nicht sonderlich süß. Seine Bewertung lautet "mäßig." Er geht weiter. Als der Mann mit dem Notizbrett die Ergebnisse dieses Tages auswertet, stellt er fest, dass es sich bei der von Denise verkosteten Probe in Wirklichkeit um die gleiche Schokolade einer anderen Marke handelte, die Max probiert hatte, und dass sie diese als "sehr gut" bewertete – genauso wie fast alle anderen Studenten, denen gesagt wurde, dass es sich um eine bekannte Marke handele. Umgekehrt bewerteten diejenigen Studenten, denen gesagt wurde, dass es eine neue Marke sei, diese nicht so hoch. Sie mochten sie anscheinend nicht so sehr, obwohl es sich um die gleiche Schokolade handelte.

Ein Szenario wie das soeben beschriebene hat sich bei einer Studie an der Universität von Arkansas tatsächlich so ereignet. Das stützt die Vorstellung, dass der Mensch an einer Beständigkeits-Voreingenommenheit leidet, einem Phänomen, bei dem wir Dingen, die schon länger existieren, mehr positive Gefühle zuschreiben als Dingen, die uns neu sind. Interessanterweise gaben die Studienteilnehmer, als sie fünf Gründe für ihre Meinung angeben sollten, durchweg die Zeit auf dem Markt als den unwichtigsten Grund an. Und als die Teilnehmern in offenen Fragestellungen ihre Meinung erläutern sollten, erwähnte niemand überhaupt die Zeit der Präsenz auf dem Markt. Doch die Ergebnisse waren beständig – jedes Mal, wenn die Teilnehmer dachten, dass es sich um eine ältere, bereits etablierte Marke handele, gaben sie bessere Bewertungen ab als die Teilnehmer, die davon ausgingen, dass die Schokolade erst seit drei Jahren auf dem Markt sei. Die Assoziation von Beständigkeit hatte offensichtlich unbewusst ihr Urteilsvermögen beeinflusst.

Dieses Phänomen zeigte sich auch bei anderen Tests, als die Teilnehmer beispielsweise den ästhetischen Wert eines Gemäldes oder eines Baumes beurteilen sollten. Dabei bewerteten die Teilnehmer das betreffende Objekt umso höher, für je älter sie es hielten. Die Forscher erklärten dazu: "Da Beständigkeit die Beliebtheit fördert, kann sie Glaubwürdigkeit verleihen." Die Ergebnisse der Studien deuten darauf hin, dass Menschen, ganz gleich, ob es etwa um Ästhetik, Lebensmittel oder Technik geht, von Natur aus dazu neigen, unterbewusst das zu mögen und dem Vertrauen zu schenken, was sie bereits kennen und was etabliert und wohlvertraut ist. Selbst wenn Menschen sagen, dass sie Veränderung suchen, so fürchten sie sich im Innersten oft doch davor. Selbst wenn Dein Kunde Dich anruft und sich sicher zeigt, dass er nach zehn Jahren für eine komplette Systemüberholung bereit ist, werden bei ihm gewissermaßen die Alarmglocken schrillen, wenn der Zeitpunkt des Geschäftsabschlusses näher rückt. Wenn das nun schon auf jemanden zutrifft, der tatsächlich selbst den Kontakt zu Dir aufgenommen hat, dann stelle man sich erst einmal vor, was für ein elendiger Konflikt im Kopf eines Interessenten vorgehen mag, den Du angerufen hast und der sich nicht einmal sicher ist, ob er überhaupt mit Dir sprechen möchte.

WAHRHEIT NR. 5: VERKAUFEN IST EINE EMOTIONALE ANGELEGENHEIT

Bei jedem Verkauf geht es um Veränderung.

Veränderung ist etwas Emotionales.

Folglich hat jeder Verkauf eine emotionale Komponente.

Und Emotionen sind nun einmal kompliziert.

Das erklärt, kurz gesagt, warum Verkaufen so schwer ist und weshalb so viele Menschen derart schlecht darin sind.

Der Jugendliche, der sich sein erstes Auto kauft, könnte bei dem Gedanken, das Sparkonto zu leeren, für das er so lange gebraucht hat, ins Grübeln geraten. Der Geschäftsmann könnte sich bei der Anprobe von Krawatten wegen seines Doppelkinns unsicher sein. Die Geschäftsführerin, die ein teures, kompliziertes neues Qualitätskontrollsystem absegnet, drückt möglicherweise die Daumen und hofft, dass sie es tatsächlich wird umsetzen können. Kein Verkauf findet in einem emotionalen Leerlauf statt. Menschen erleben die unterschiedlichsten Emotionen, und jede einzelne von ihnen hat das Potenzial, den Ausschlag bei einem Verkauf zu geben. Jüngere Menschen gehen vielleicht freudig und mit der Erwartung eines Neubeginns an den Kauf eines neuen Hauses heran, während ältere Menschen diesen Moment womöglich eher als den Beginn eines langen, schmerzhaften Abschieds erleben. Eine neue Stelle kann eine leidenschaftliche Entschlossenheit auslösen, die eigenen Fähigkeiten unter Beweis zu stellen und künftig mehr Geld zu verdienen, oder sie kann zu einer Krisenstimmung mit Verunsicherung führen. Manche Menschen sind sentimental und mögen sich nur ungern von Vertrautem trennen, während andere eher pragmatisch sind und das Gewohnte mit Leichtigkeit hinter sich lassen können. Und manchmal sind die Menschen einfach nur unsicher oder in einem inneren Zwiespalt. Menschen gehen häufig mit Angst, Besorgnis oder auch Erleichterung an ein Verkaufsgeschäft heran, doch selbst echte Begeisterung ist mitunter von Besorgnis begleitet. Wird Dein Produkt die Erwartungen erfüllen? Wird der Kunde es später bereuen? Was ist, wenn Dein Produkt oder Dienst eine ganze Reihe neuer Probleme verursacht?

Wenn Du Deinem Interessenten nahelegst, von Dir zu kaufen, wie viel Veränderung verlangst Du dabei von ihm? Ist es viel oder wenig? Ist es leicht oder eher irgendwie schwer zu vertragen? Hast Du alles unternommen, um die Veränderung attraktiver, weniger riskant und leichter akzeptabel zu machen? Wenn Du so bist wie die meisten Vertriebler und Vertriebsorganisationen, lautet die Antwort auf die letzte Frage wahrscheinlich Nein. Meiner Erfahrung nach machen sich Verkäufer meist nicht allzu viele Gedanken über den emotionalen Zustand ihrer Kunden. Sie sind voll und ganz auf ihr Produkt konzentriert. Oder sie sind ganz mit dem Verkauf von Lösungen beschäftigt, obwohl sie sich nicht die Zeit genommen haben, um herauszufinden, worin die besonderen Probleme ihrer Kunden bestehen. Weißt Du, was das bewirkt? Das erschreckt die Kunden entweder oder nervt sie. Jawohl, dadurch werden sie *emotionaler*.

Nach Rosabeth Moss Kanter, Bestsellerautorin und Professorin an der Harvard Business School, gibt es zehn Faktoren, die Menschen dazu veranlassen, sich Veränderungen zu widersetzen. Ein unbeabsichtigtes Auslösen einer dieser Situationen während des Verkaufsprozesses kann leicht dazu führen, dass Deine Käufer innehalten und noch einmal darüber nachdenken, ob sie wirklich kaufen wollen. Hier sind die zehn Risiken, von denen Kanter spricht:

1. KONTROLLVERLUST

Ganze Abteilungen konnten mithilfe Deines Produkts, mit dem seither mehrere Benutzer von überall aus zusammenarbeiten können, ihre Geschwindigkeit und Effizienz steigern. Deine Kundin ist seit Jahren der Ansprechpartner für die Projekte ihres Teams. Nicht nur, dass sie es vermissen wird, als Anlaufstelle zu fungieren, da nun jeder jederzeit seine Änderungen einbringen kann, sondern sie befürchtet zudem, dass sie nicht mehr in der Lage sein wird, die Qualität des Endergebnisses so zu kontrollieren, wie sie es bisher gewohnt war. Und da der Chef nun sehen kann, wer was wann gemacht hat, hält er ihren Beitrag zum Produkt vielleicht nicht mehr für so herausragend wie in der Vergangenheit. Das ist vielleicht also keine so gute Idee ...

2. Übermässige Verunsicherung

Marcos möchte als zukunftsorientierter, innovativer Typ wahrgenommen werden, doch Dein Produkt ist so neu auf dem Markt, dass noch nicht viele Daten oder Bewertungen von Nutzern vorliegen. Wenn man es sich recht überlegt, wäre es vielleicht sinnvoller, noch ein Jahr zu warten und erst einmal zu sehen, wie gut andere Unternehmen mit dem Produkt zurechtkommen ...

3. Überraschungen

Tyson wollte sich gerade abwenden, aber unerwartet hast Du in der Firma die Erlaubnis erhalten, ihm einen großen Rabatt anzubieten, wenn er sich bis zum Ende des Quartals verpflichtet. Das günstige Angebot hat ihn zurückgelockt, aber jetzt muss er sich darum bemühen, seine Vorgesetzten mit ins Boot zu holen. Die Zeit wird knapp. Er versteht, dass Du nicht willst, dass er etwas verpasst, doch Deine ständigen Erinnerungen und Nachfragen stressen ihn. Er ist sich der Frist bewusst, vielen Dank, aber in seinem Unternehmen gibt es ein Protokoll, das er einhalten muss, bevor er grünes Licht bekommt. Er befürchtet, dass in der Eile ein Detail übersehen werden könnte. Das Unternehmen ist auch ohne diesen neuen Dienst gut zurechtgekommen. Vielleicht brauchen sie ihn nicht so sehr, wie er gedacht hattte ...

4. Zu viel Veränderung auf einmal

Ein neues Gesetz zwingt Carries Unternehmen zu raschen Veränderungen, und sie und ihr gesamtes Team fühlen sich überfordert. Dein Produkt gefällt Ihr, und sie würde es gerne nutzen, aber sie muss sich noch um tausende andere Dinge kümmern. Was nützt es, jetzt zu kaufen, wenn sie es nicht vernünftig hinbekommt, oder wenn das Produkt vielleicht ungenutzt liegen bleibt, bis sie Zeit haben wird, die anderen auf den neuesten Stand zu bringen? Immer eins nach dem anderen. Das kann vielleicht noch etwas warten ...

5. Ansehensverlust

Dein neues System soll dasjenige ersetzen, das William vor fünf Jahren eingeführt hat. Er war wirklich stolz darauf, doch nun fragt er sich, ob eine Entscheidung des Unternehmens, es so schnell wieder abzulösen, nicht ein schlechtes Licht auf ihn werfen könnte. Vielleicht sollte er seinem Chef zeigen, wie leicht er einige der kleinen Problemchen beheben kann ...

6. Unsicherheit

Robert hat seinen Vorgesetzten die Lösung Deines Start-up-Unternehmens vorgestellt, aber jetzt, wo es darauf ankommt, wird ihm klar, dass er auf verlorenem Posten steht, falls es nicht so funktioniert, wie Du es versprochen hast. Womöglich wäre es klüger, die Sache abzublasen und sich für die größere, besser eingeführte Marke zu entscheiden ...

7. Zusätzliche Arbeit

Dein Produkt ist nicht kompliziert, jedoch ist es etwas gewöhnungsbedürftig. Adrienne denkt nur noch daran, wie viel Zeit sie damit vergeuden wird, herauszufinden, wie sie Dinge tun kann, die sie früher mühelos ohne zweimal zu überlegen geschafft hat. Vielleicht sollte sie noch einmal über die Sache nachdenken ...

8. Der Dominoeffekt

Leela ist begeistert von der gesteigerten Effizienz, die Dein Service ihrer Abteilung bringen wird, aber sie fürchtet sich vor den Beschwerden, die sie von allen anderen Mitarbeitern erhalten wird, die das Gefühl haben könnten, dass weniger nicht immer gleich mehr ist. Vielleicht sollte sie noch einmal einen Blick auf diesen anderen Service werfen und sehen, ob er eventuell etwas bietet, das ihre Bedenken ausräumen kann ...

9. Frühere Enttäuschungen

Du warst ganz ehrlich zu Dave, aber nachdem der letzte Verkäufer ihm all diese unerwarteten Gebühren aufgebrummt hat, ist er immer noch misstrauisch, ob es vielleicht irgendwo einen Haken gibt. Vielleicht sollte er sich für die kleinere Lösung entscheiden, um zunächst auf Nummer sicher zu gehen ...

10. Wirkliche Gefahr

Oscar ist sich darüber im Klaren, dass durch Deine neue Software mehrere seiner Kollegen ihren Arbeitsplatz verlieren könnten. Die menschliche Note ist für das Kundenerlebnis von entscheidender Bedeutung. Vielleicht sollte das Unternehmen diesen Schritt noch einmal überdenken ...[ii]

Die meisten Verkäufer haben nicht unbedingt einen Abschluss in Psychologie, aber die emotionale Verfassung der Kunden zu verstehen —und vor allem, wie sie dazu gekommen sind — ist der Schlüssel zum erfolgreichen Abschluss eines Verkaufs.

Es ist unglaublich schwierig, Menschen durch bloße Argumentation von ihrer Meinung abzubringen. Es war das Gefühl, nicht die Vernunft oder gar der eigene Verstand, der die Studenten veranlasste, bestimmte Schokoladenstücke von relativ unbekannten Marken hoch zu bewerten. Es war ihr Respekt vor einer Marke, die es schon länger zu geben scheint, als sie selbst auf der Welt sind. Das vermittelte ihnen sogleich den Eindruck von Qualität, und weil sie das Gefühl hatten, es handele sich um Qualitätsschokolade, genossen sie die Kostproben so, als ob es tatsächlich Qualitätsschokolade wäre.

Die Emotionen Deiner Kunden sind *ausschlaggebend* dafür, ob es Dir gelingt, ein Geschäft zum Abschluss zu bringen oder nicht. Du solltest lernen, diese zehn Gefahren zu erkennen, die Deinen Kunden in einen emotionalen Zustand versetzen können, der für den Kauf äußerst hinderlich ist. Du solltest sie so gut kennen, dass Du in der Lage bist, zu beurteilen, wann Du die Techniken zu ihrer Entschärfung einsetzen solltest, worauf wir später in diesem Buch noch eingehen werden.

Wahrheit Nr. 6: Kunden sind für Veränderungen *dann offen*, wenn sie das Gefühl haben, dass sie die Kosten wert sind

Wie bitte? Wahrheit Nr. 4 besagt doch, dass die Leute Veränderung nicht mögen! Das stimmt auch – und zwar bis zu einem gewissen Grad. Sie mögen Veränderungen nicht bis zu dem Moment, in dem sie zu der Überzeugung gelangen, dass die ihnen entstehenden Unannehmlichkeiten, wie etwa ein höherer Preis oder die zum Erlernen eines neuen Systems erforderliche Zeit, sich lohnen und das Ergebnis wert sind.

Die Menschen werden von ihren Gefühlen geleitet. Menschen sind nur dann bereit, sich auf Veränderungen einzulassen, wenn sich die negativen Gefühle ändern, die sie im Zusammenhang mit dieser Veränderung empfinden. Natürlich zum Besseren. Der Mensch empfindet positive Emotionen, wenn er sich sicher ist, die Herrschaft über seine Umgebung zu haben. Wenn Verkäufer Kunden umwerben und versuchen, sie zum Kauf zu überreden, zwingen sie ihnen Veränderungen auf, nehmen ihnen gleichsam die Kontrolle aus der Hand und drängen sie in die Defensive. Das ist der beste Weg, einen Verkauf zu ruinieren. Beim Verkaufsabschluss geht es darum, dem Kunden das Gefühl zu geben, dass er sich sicher genug fühlt, um seine Abwehr zu überwinden und seine Probleme mitzuteilen, und ihn dann an einen Punkt zu bringen, an dem er so weit überzeugt und zuversichtlich ist, sich zu einer Veränderung bereit zu zeigen – entweder zu etwas Besserem oder um von etwas Unangenehmem wegzukommen. Sie müssen davon überzeugt werden, dass sich Veränderung lohnt.

Der unterbewusste Risikomesser Deines Käufers oder Interessenten wird Fragen wie diese stellen:

Wird dies umfangreiche Arbeiten nach sich ziehen?

Bin ich bereit, mir die Zeit zu nehmen, um zu lernen, was ich wissen muss, um diese Entscheidung treffen zu können?

Sollte ich mir die Mühe machen?

Lohnt sich die Umstellung?

Macht mich dieser Schritt angreifbar?

Was sind die Folgen, wenn ich es nicht tue?

Ist diese Veränderung das Risiko wert?

Die Klärung dieser Fragen kann zu einem mühseligen Prozess des Abwägens von Vor- und Nachteilen führen, der wahrscheinlich von zwei bereits erwähnten Einflüssen stark beeinflusst wird: Beständigkeit und Ängste, die innere Abneigung gegen Veränderungen auslösen. Dies kann selbst dann der Fall sein, wenn ein Kunde seine Unzufriedenheit mit seinem derzeitigen Zustand erkennen lässt. Selbst wenn etwa eine Kundin schon weiß, dass ihr Team die webbasierte Kollaborationsplattform hasst, die das Unternehmen seit fünfzehn Jahren verwendet, und auch sieht, dass die von Dir angebotene Plattform intuitiver, funktioneller und effizienter ist, könnte der Gedanke an all die leidvollen Anlaufschwierigkeiten, die ihr Team beim Erlernen des neuen Systems erleiden wird, sie leicht dazu veranlassen, den Wechsel zu verschieben. Wird sich der Aufwand lohnen, selbst wenn vorübergehend Effizienz und Geschwindigkeit geopfert werden müssen? Wird sie immer noch in der Lage sein, denselben erstklassigen Kundenservice zu bieten wie bisher? Wird sie den Stress bewältigen können? Die Befürchtungen könnten ausreichen, um sie auf den Weg des geringsten Widerstands zu leiten, das heißt, in ihrem derzeitigen Zustand zu bleiben, um das Risiko und das Gefühl der Unsicherheit zu minimieren.

Der einzige Zeitpunkt, an dem wir dazu neigen, Altes loszulassen, uns vorzuwagen und uns auf Veränderungen einzulassen, ist dann, wenn wir uns einen besseren künftigen Zustand als den gegenwärtigen vorstellen können *und* wenn wir davon überzeugt sind, dass die Vorteile dieses künftigen Zustands die Kosten für den Weg dorthin, die erforderlichen Anstrengungen oder die möglichen Schwierigkeiten überwiegen, die wir unterwegs erleiden werden. Das gilt eigentlich für alle Bereiche, von der Geschäftstätigkeit über den Arbeitsplatzwechsel bis hin zur Entscheidung, den eigenen Wohlstandsbauch loszuwerden. Veränderung gibt es nur, wenn die Antwort auf alle oben aufgeworfenen Fragen ein klares, festes "*Ja*" ist.

WAHRHEIT NR. 7: DIE FRAGE "WARUM?" BRINGT KUNDEN DAZU, "JA" ZU SAGEN

Jedes Mal, wenn Du nach dem "Warum" fragst, brichst Du die Oberflächenschichten der Psyche Deines Kunden auf, um zu seinen inneren Beweggründen zu gelangen, zu dem Grund, warum er Dir überhaupt eine Chance gegeben hat, mit ihm zu sprechen. Wenn du keine Ahnung hast, was Deine Kunden zu einem Wechsel motiviert, wirst Du sie kaum dazu bringen, die von Dir angebotene Veränderung als erstrebenswert zu begreifen.

Aufmerksame Leser werden meine Aussage bemerkt haben, dass Du nur selten einen Auftrag erhalten wirst, wenn Du die eigentliche Motivation Deines Kunden nicht kennst, und nicht, dass Du dies niemals erreichen kannst. Erinnerst Du Dich, wie wir über die Gefahr gesprochen haben, das Problem Deines Kunden für bare Münze zu nehmen? Er spricht vielleicht sehr offen über das Problem, das er lösen will, aber es kommt ihm vielleicht nicht in den Sinn, Dir den wahren Grund zu nennen, warum er es lösen möchte. Er weiß es unter Umständen nicht einmal selbst. Dieser Grund liegt in seiner inneren Motivation, und es hat Folgen, falls man diese nicht vollständig erkennt.

Nehmen wir einmal an, Du hast zwei Kunden, die sich neue Produktivitätssysteme wünschen, um besser delegieren und selbst mehr Zeit außerhalb des Büros verbringen zu können. Du bietest eine Lösung, die es beiden ermöglicht, mehr Zeit daheim zu verbringen. Letztendlich müssen ihre Mitarbeiter trotzdem immer noch regelmäßig ihre Vorgesetzten kontaktieren, um deren Zustimmung einzuholen, und Ihre Kunden müssen weiterhin mehrere Stunden täglich online sein, um Projekte zu überwachen. Das passt für einen der beiden Kunden, dessen eigentliche Motivation, nicht so oft ins Büro zu kommen, darin besteht, Benzin zu sparen und die Staus zu vermeiden, die seinen Blutdruck so gefährlich in die Höhe treiben. Leider wusstest Du aber nicht, dass die Motivation Deines anderen Kunden, diese Zeit zu Hause zu verbringen, darin liegt dass sie im Begriff war, pflegebedüftige Zwillinge mit körperlicher Behinderung zu adoptieren. Die beiden Kunden versuchten, das gleiche Problem aus sehr unterschiedlichen Gründen heraus zu lösen. Du hast einem geholfen, und er ist darüber zufrieden. Im zweiten Fall gibt es keine Zufriedenheit, denn Du hättest der Kundin lediglich geholfen, ein Problem gegen ein anderes einzutauschen.

Mit dem Wissen um die innere Motivation Deiner Kunden kannst Du die Probleme lösen, von denen sie nicht einmal wussten, dass diese überhaupt bestehen. Um der inneren Motivation Deiner Kunden für Veränderung auf den Grund zu gehen, braucht es Zeit und Geduld. Und das ist bisweilen ziemlich frustrierend, weil Du dabei vielleicht feststellst, dass Dein Produkt nicht genau die Lösung bieten kann, die sie brauchen. Doch wenn wir eines in dieser neuen Ära gelernt haben, in der nicht nur Du, sondern auch Deine Kunden jeden Gedanken oder jede Beobachtung teilen können, sobald sie ihnen einfällt, dann ist es, dass die Leute zwar oft zögerlich sind, gute Dinge über ein Unternehmen online zu sagen, indes werden sie jede Gelegenheit sofort nutzen, Dich in Stücke zu reißen, wenn Du sie enttäuschst oder noch schlimmer, sie anlügst. Du solltest es nicht riskieren, etwas zu verkaufen, das eventuell ähnlich unangenehme Auswirkungen hat wie das ursprüngliche Problem, das Dein Kunde lösen wollte. Indem man lernt, das "Warum" herauszufinden, kann man Zeit und auch den eigenen Ruf retten. Sollte sich herausstellen, dass Dein Produkt die eigentliche Motivation des Kunden nicht erfüllen kann, solltest Du von dem Verkauf Abstand nehmen. Verkaufe nichts, was Du nicht leisten kannst.

Du musst lernen, gründlich nachzuhaken und Deine Fragen nicht aufzugeben, bis Du die treibende Kraft hinter der Motivation Deines Kunden, etwas zu ändern, verstanden hast (eine Fähigkeit, die Du in Teil II lernen wirst). Je mehr Du das tust, desto weniger wird sich jemand dafür interessieren, wie lange Du schon im Geschäft bist, oder für Deine gewonnenen Auszeichnungen oder die Anzahl Deiner Filialen. Das Anpreisen von Leistungsmerkmalen, die für Deinen Kunden mehr oder weniger wertvoll sein können, bringt Dich dem Verkaufsabschluss nicht näher. Selbst wenn Du Deinen Platz in den Fortune 500 anführen kannst, kommst Du damit dem Vertragsabschluss trotzdem nicht näher. Eigentlich riskierst Du jedes Mal, wenn Du über Dich selbst sprichst, diese veränderungsresistenten, emotional aufgeladenen Gedanken und Gefühle bei Deinen Kunden auszulösen.

Das Einzige, was Dich in Richtung Verkauf weiterbringt, ist die überzeugende Demonstration, dass Du die Probleme Deiner Kunden und die Auswirkungen dieser Probleme verstehst, dass Du weißt, warum sie sich abmühen, dass Du verstehst, warum sie mit ihrem gegenwärtigen Zustand unzufrieden sind, dass Du den Schlüssel dazu hast, sie in den Zustand zu bringen, den sie sich für die Zukunft wünschen, und dass die Veränderung, die sie vor sich haben, das Geld und die Mühe wert ist, die es braucht, um dorthin zu gelangen. Sie möchten erfahren, wie Du ihnen dabei helfen kannst, ihren Umsatz zu steigern, die Produktionszeit zu verkürzen, ihre Kommunikation zu verbessern oder die Lieferung zu beschleunigen. Sie möchten wissen, wie Du ihr Leben besser machen wirst. Sie wollen, dass Du zeigst, ihre Bedürfnisse zu verstehen und eine maßgeschneiderte Lösung anbieten kannst, die den künftigen Zustand besser aussehen lässt als den jetzigen Zustand.

Wahrheit Nr. 8: Verkäufe finden statt, wenn der zukünftige Zustand eine Verbesserung darstellt

Was für bessere künftige Zustände wünschen sich die Kunden?

- Ein Vorteil gegenüber der Konkurrenz

- Wege zu bislang unerschlossenen Märkten

- Höhere Gewinne

- Schnellere Markteinführung

- Erhöhtes Anlegerinteresse

- Einsparungen in Millionenhöhe

- Rationalisierte Fertigungsprozesse

- Den Blickwinkel einer neuen Generation

- Schnellere Kommunikation

- Zufriedenere Mitarbeiter mit stärkerem Engagement

- Stärkere Kundenbindung

- Verbesserter individueller Kundenservice

- Mehr Kontakte

- Verbesserte Bearbeitungszeiten

- Umsatz

Dies sind nur einige der Möglichkeiten, die Deine Kunden dazu bewegen könnten, ein Produkt zu kaufen, eine Dienstleistung in Anspruch zu nehmen oder eine Investition zu tätigen. Wie viele davon bietest Du an? Dies ist keine rhetorische Frage.

DEN AKTUELLEN ZUSTAND VERSTEHEN, UM DEN KÜNFTIGEN ZUSTAND ZU VERBESSERN

Du kannst keinen künftigen Zustand verkaufen (wo Dein Kunde hin möchte), wenn Du seinen gegenwärtigen Zustand nicht genau kennst (wo Dein Kunde gerade ist). Der gegenwärtige Zustand ist die Umgebung, in welcher Dein Kunde derzeit lebt, und in der seine Probleme angesiedelt sind. Um diese Probleme herauszufinden, musst Du tief in die derzeitige Situation Deines Kunden eintauchen, jedoch zuerst solltest Du ein Dokument erstellen, das Dich bei diesem Prozess leiten wird. Eine solche Problemerfassungs-Übersicht gilt es zu erstellen, noch bevor Du damit beginnst, potenzielle Kunden anzusprechen. Auf einem Blatt Papier notierst Du dazu jedes Problem, das Dein Produkt oder Deine Dienstleistung für Deine Interessenten und Kunden lösen kann. Lege zunächst eine Spalte an und gib ihr die Überschrift "Probleme".

Das können niedrige Abschlussquoten, verpasste Fristen, Kommunikationslücken oder die Unfähigkeit sein, Lagerbestände zu verlegen oder mehr Interessenten zu gewinnen. Dies sollten die wirklichen Probleme sein, unter denen Deine Interessenten leiden. Dann erstellst Du eine Spalte mit der Bezeichnung "Auswirkungen". In dieser Spalte listest Du die Auswirkungen auf, welche diese Probleme gegebenenfalls auf einen Kunden haben könnten. Niedrige Abschlussquoten können sich beispielsweise in hohen Vertriebskosten niederschlagen, da zu viel Geld ausgegeben wird, um die wenigen Verkäufe zu tätigen, die überhaupt zustande kommen. Möglicherweise sind die Folgen auch ein langsames Umsatzwachstum, weniger Kunden und zu hohe Angreifbarkeit durch die Konkurrenz. In einer dritten Spalte mit der Bezeichnung "Hauptursache" führst Du schließlich die jeweiligen Ursachen für die in der ersten Spalte genannten Probleme auf. Die Hauptursachen sind der Grund, weswegen es die betreffenden Probleme überhaupt gibt. Du wirst schon bald lernen, dass es zwar unzählige Möglichkeiten gibt, wie sich Probleme auf Kunden auswirken können, dass Du hingegen nur eine begrenzte Anzahl von Hauptursachen für diese Probleme ausmachen kannst. Wir werden in Teil II dieses Buches näher darauf eingehen, wie man diese vorbereitende Übung am besten durchführt. Für den Moment solltest Du einfach nur wissen, dass es noch kommen wird.

Du könntest versucht sein, diesen Schritt zu überspringen, wenn wir zu diesem Punkt kommen. Tu das nicht! Für den Erfolg im Lösungsorientierten Verkaufen ist es von entscheidender Bedeutung, die Probleme, mit denen sich Deine Kunden möglicherweise in ihrem derzeitigen Zustand herumschlagen, schon im Voraus zu erkennen. Du solltest Dir diesen Prozess so vorstellen, als würdest Du Deinen Werkzeugkasten auffüllen. Du wirst feststellen, dass die Problemerfassungs-Übersicht ein unentbehrliches Nachschlagewerk ist, sobald Du mit dem Entdeckungsprozess beginnst, und sogar wenn Du neue Interessenten akquirierst.

Wahrheit Nr. 9: Niemand schert sich einen Dreck um Dich

Ted checkte sein Handy. Er hatte seiner Frau versprochen, heute Abend früh zu Hause zu sein, damit er das Abendessen zubereiten konnte, doch in letzter Minute ließ er sich auf ein Treffen mit einer Vertreterin von Blot ein, einem Druckdienstleistungsunternehmen, die ihm erklären wollte, wie sie kostengünstigere Geräte, bessere Wartung, Entsorgung, Abfallreduzierung und einen umweltfreundlicheren Toner anbieten kann als das Unternehmen, welches bislang sein mittelgroßes Büro bedient. Er hatte eigentlich an einen Termin für eine Online-Präsentation gedacht, aber die Vertreterin hatte versprochen, ihn nicht allzu lange aufzuhalten, wenn sie zu ihm käme, und er hielt ein persönliches Treffen für den besten Weg, die Vertrauenswürdigkeit einer Person zu beurteilen. Als er und sein Einkaufsleiter sich auf ihren Stühlen am Kopfende des kleinen Konferenzraums niederließen, versicherte ihm der leuchtende Bildschirm seines Mobiltelefons, dass er noch genügend Zeit hatte, um die Besprechung zu absolvieren und um 17.00 Uhr zu gehen.

Beim Eintreten bot ihm die Frau, die ihm jetzt gegenüberstand, einen festen Händedruck an und stellte sich als Mandi vor, "mit einem 'i', nicht mit 'y'". Sodann richtete Mandi ihren grauen Blazer und lächelte selbstbewusst.

"Vielen Dank für den Termin, Ted. Ich kann Ihnen versprechen, dass Sie es nicht bereuen werden. Ich habe schon bei einigen Druckereien gearbeitet und ich bin immer noch sehr überzeugt von unserem Leistungsangebot. Lassen Sie mich Ihnen zunächst ein wenig über die Geschichte des Unternehmens verraten. Wir wurden von Jim Floramund gegründet, dessen Faszination für die Kalligraphie in seiner Kindheit ihn zu einer lebenslangen Suche nach der perfekten Tinte und einer Besessenheit von den Maschinen, die sie verwenden, führte. Er begann mit einer kleinen Druckerei in Tacoma und entwickelte das Unternehmen zu einem Dienstleister für den gesamten Bundesstaat Washington. Heute haben wir landesweit 1.300 Standorte. Als das digitale Zeitalter anbrach, erweiterte Jim als vorausschauender Unternehmer sein Angebot rasch um Scanner und all die anderen Technologien, die jedes Unternehmen wie das Ihrige für seine Geschäfte benötigt. Als engagierter Umweltschützer (er war drei Jahre lang bei Greenpeace!) hat er es sich zur Aufgabe gemacht, einen ungiftigen, umweltfreundlichen Toner zu entwickeln, der auch als Düngemittel verwendet werden kann. Ich habe Ihnen hier eine Probe mitgebracht, die Sie zu Hause an Ihren Pflanzen ausprobieren können. Es hat bei meinen Rosensträuchern bereits wahre Wunder bewirkt! Wie auch immer, Ted, ich weiß, worüber Sie eigentlich von mir hören möchten, also komme ich gleich zur Sache. Wir bei Blot sind besonders stolz darauf, unseren Kunden den optimalen Service zu bieten. Sie sind für uns wie eine Familie. Ich habe eine Liste aller Auszeichnungen zusammengestellt, die wir im Laufe der Jahre für unseren Kundenservice erhalten haben, und ...."

Ed und sein Einkaufsleiter warfen sich gegenseitig fragende Blicke über den Tisch hinweg zu.

Was zum Teufel ...?

Nach zehn Minuten ergriff Ted schließlich das Wort, wobei er sich um einen ruhigen Tonfall bemühte. "Mandi, ich habe Sie hierher kommen lassen, weil ich es leid bin, meinen Mitarbeitern dabei zuzusehen, wie sie sich mit ausgefallenen, blockierten Geräten herumschlagen und unscharfe Ausdrucke zu erhalten, wenn ich um Dokumente bitte. Am Telefon haben Sie mir gesagt, dass Sie einige Ideen zur Kostensenkung und Abfallreduzierung präsentieren könnten. Könnten wir jetzt bitte zu diesem Punkt kommen?"

Mandi schaute etwas überrascht und nickte kurz. "Natürlich, Ted. Das Beste habe ich für den Schluss aufgehoben. Aber lassen Sie mich Ihnen zuerst diese Tabelle zeigen, in der die Beschaffung all unserer Produkte dokumentiert ist ..."

Ted hat es zwar bis 17.00 Uhr aus dem Büro geschafft, doch es sollte nicht weiter überraschen, dass Blot den Auftrag nicht erhalten hat.

Viele Verkäufer mögen dieses Beispiel als albern oder übertrieben abtun, doch seien wir mal ehrlich: Wie viele von Ihnen, die im Einkauf tätig sind, haben nicht schon einmal ein ähnliches Gespräch erlebt? Schlimmer noch: Wie viele von Euch Verkäufern haben doch wohl schon einmal ein Gespräch wie dieses geführt? Ich weiß, dass es Euch gibt. Und ich weiß, dass Ihr es gut meint. Dennoch, jedes Mal, wenn Du einen Kunden umwirbst, ohne Dich direkt auf die spezifischen Dinge zu konzentrieren, die ihm wichtig sind, bist Du nicht anders und verkaufst nicht besser als Mandi mit "i".

WIR BEFINDEN UNS IN DER VORZEIGE-WIRTSCHAFT

Wir befinden uns heute in der Vorzeige-Wirtschaft. Die Erzähl-Wirtschaft ist tot, vorbei. Falls Du also immer noch versuchst, Deinem Interessenten zu "erzählen", was Du tust, was Dein Produkt leistet und warum Du wichtig bist, verschwendest Du seine Zeit. Und in der heutigen Welt mögen potenzielle Kunden es nicht, wenn man ihre Zeit verschwendet.

Die Zeit der Erzähl-Wirtschaft war vor dem Aufkommen des Internets. Es war eine Zeit, in der Interessenten und Kunden von uns erwarteten, dass wir ihnen *erzählen*, wer wir sind, was wir getan haben und wie toll wir sind. Das gehörte zum Spiel. Es gab buchstäblich keinen anderen Weg für potenzielle Kunden, um zu erfahren, wer wir waren und was uns auszeichnete. Was wir taten, war zu *erzählen*.

Dank des Internets können wir heutzutage schon *zeigen*, wer wir sind und was wir tun, lange bevor wir überhaupt wissen, dass ein Kunde an uns interessiert ist, und lange bevor wir unser erstes Gespräch führen. Die Zeiten, in denen man in Meetings und Verkaufsgesprächen Zeit darauf verwendete, dem Interessenten etwas zu *erzählen*, gehören damit der Vergangenheit an. Wir haben bereits besprochen, dass es beim Verkaufen darum geht, Menschen dabei zu helfen, sich auf Veränderungen vorzubereiten, und dazu musst Du das Vertrauen der Kunden gewinnen. Aus irgendeinem Grunde scheinen viele Verkäufer der Meinung zu sein, dass sie, sobald sie einen Kunden zu einem Gespräch bewegen, sein Vertrauen am besten dadurch aufbauen können, dass sie zunächst über die Anzahl ihrer Jahre in der Branche schwadronieren, ihre zahlreichen Auszeichnungen, ihre Platzierung auf der INC-5000-Liste der am schnellsten wachsenden privaten Unternehmen, die Großartigkeit ihres Produkts, die anderen Unternehmen, welche ihr Produkt verwenden, wer ihr Produkt empfiehlt, und so weiter und so fort. Das ist einfach nur entsetzlich. Dein Kunde will das gar nicht hören, garantiert. Also, Schluss damit. Hör' einfach auf damit. Falls Dein Chef, der Geschäftsführer oder die Marketingabteilung darauf besteht, dass Du diesen Mist in Dein Exposé oder Dein Verkaufsgespräch aufnimmst, schick' sie zu mir. Ich werde sie aufklären.

Ich versichere Dir, niemand schert sich einen Dreck um Dich, Dein Unternehmen oder Dein Produkt.

Ich weiß genau, was Du jetzt denkst. Du denkst Dir: Moment mal, Keenan hat doch gesagt, dass die Leute eine Vorliebe für Beständigkeit haben und deshalb Dinge mögen, die schon eine Weile auf dem Markt sind. Ja, es liegt im ureigensten Interesse von Verkäufern, dass ihre Kunden alles über das Unternehmen und seine Auszeichnungen, seinen Rang auf der INC-5000-Liste und die Anzahl der Jahre, die es bereits im Geschäft ist, wissen, vor allem, wenn Sie schon lange dabei sind, und so weiter. Sie wollen den ganzen Mist einfach nur nicht beim Verkaufsgespräch hören. Dafür gibt es ja das Internet. Lass' das Internet seine Arbeit machen, und Du tust Deine.

In der Erzähl-Wirtschaft, also vor dem Internet, war es sinnvoll, sich bei unseren Kunden einzuschmeicheln, indem wir ein Treffen mit einer gesprächigen Einführung begannen, in der wir erklärten, wer wir sind, wie lange wir schon im Geschäft waren, und indem wir Nachweise dafür erbrachten, dass wir wissen, was wir tun. Manchmal überreichten wir eine Art von hübschem Verkaufspapier mit einigen wichtigen Unternehmens- oder Produktdaten. Wir steckten viel Geld in die Werbung. Das schuf Glaubwürdigkeit. Wie hätten unsere Kunden sonst etwas über uns erfahren können? Dann wurde vor etwas mehr als zwei Jahrzehnten das Internet geboren und katapultierte uns in die Vorzeige-Wirtschaft, woraufhin die Unternehmen begannen, sich auf ihre Webseiten zu stützen, um die Welt über sich und ihre Produkte zu informieren. Gleichwohl konnten wir nicht unbegrenzt viel an Informationen auf eine Webseite stellen. Unsere Mittel waren begrenzt, und es war nicht ungewöhnlich, dass Käufer immer noch nur recht wenig darüber wussten, wer wir waren oder was uns und unser Unternehmen ausmachte.

Die sozialen Plattformen ermöglichen es uns heute, der Welt zu zeigen, welchen Wert wir bieten. Wir brauchen ihnen nicht mehr von Angesicht zu Angesicht über uns zu erzählen, denn sie wissen es schon, bevor wir sie treffen. Wir haben bessere Möglichkeiten. Jetzt kannst Du ein E-Book für Deine potenziellen Kunden zum Herunterladen erstellen, das die Tiefe und Breite Deines Wissens unter Beweis stellt. Jetzt kannst Du zweimal pro Woche einen Artikel für LinkedIn schreiben. Jetzt kannst Du Blogbeiträge, Anleitungsvideos und Podcasts erstellen, die beweisen, dass Du weißt, wie Du die Probleme Deiner Kunden lösen kannst. Jetzt kannst Du aktive, engagierte Instagram-, Facebook- und Snapchat-Konten aufbauen. Jetzt kannst Du mit Influencern in Kontakt treten und Gastauftritte auf deren Plattformen einbringen. Die Inhalte, die Du Tag für Tag, Woche für Woche und Jahr für Jahr erstellst, spiegeln sowohl die Entwicklung Deines Unternehmens als auch Deine Erfahrung und Deine Fähigkeiten wider. Du kannst Deine Gedanken zu Branchentrends mitteilen, Dich mit den Auswirkungen neuer Landes- oder Bundesgesetze befassen, auf die Popkultur reagieren und einen Blick hinter die Kulissen Deines Unternehmens oder Deines täglichen Lebens anbieten. Du kannst eine Verbindung zu Deinen Kunden aufbauen, lange bevor ihr Euch tatsächlich trefft. Über sämtliche Kanäle kannst Du jedem, der sich dafür interessiert, *zeigen*, was Du tust, anstatt Dich darauf zu beschränken, zu *erzählen*, was Du schon alles getan hast.

Genau wie Du, so sind auch Deine Kunden schwer beschäftigt. Sie werden sich nicht die Zeit nehmen, sich mit Dir zu treffen, ohne Dich zuvor online zu recherchieren, um mehr über Dein Unternehmen oder Dein Produkt in Erfahrung zu bringen. Wenn sie tatsächlich mit Dir in Kontakt treten, weißt Du, dass Du ihnen genug gezeigt hast, um ihnen Grund zu der Annahme zu geben, Du könntest die richtige Antwort auf ihr Problem haben. Wenn sie das tun, dann garantiert nicht, damit Du ihnen mehr über Dich oder Dein Unternehmen erzählen kannst. Sie werden den Kontakt zu Dir suchen, weil sie wissen möchten, ob oder wie Du ihre derzeitigen Probleme lösen kannst.

Verkaufen ist ein Beruf, bei dem man etwas gibt. Jedes Mal, wenn Du mit einem Kunden in Kontakt trittst, eine E-Mail schickst oder etwas entwickelst, solltest Du Dir die Frage stellen: "Was habe ich zu geben?" Die Antwort sollte lauten: "Brancheninformationen", "Einblicke in den Markt", "Tipps, die ihnen die Arbeit erleichtern" oder "die Lösung für ein Problem, das ihnen bislang noch nicht zu lösen gelungen ist". Sie sollte keinesfalls lauten: "Mehr Informationen über mich". Beim Verkaufen geht es nicht um Dich! Also, Schluss mit dem egozentrischen "ich, ich, ich", und konzentriere Dich endlich auf "sie, sie, sie". Denn ich schwöre Dir, Deine Kunden kümmen sich einen Dreck um Dich oder Dein Unternehmen. Sie wollen nur wissen, was Du für sie tun kannst.

DRITTES KAPITEL
DER JETZIGE ZUSTAND –
WO DER KUNDE DERZEIT IST

Hast du schon einmal beobachtet, wie jemand in Deiner Nähe versucht hat, ein Baby dazu zu bringen, etwas zu essen, was es nicht essen wollte? Selbst das umgänglichste Baby verzieht sein Gesicht wie einen Bratapfel, wenn es auch nur die kleinste Portion eines Lebensmittels bemerkt, das ihm nicht schmeckt, wie etwa gedünstete Karotten oder Spinat. Die meisten Eltern sind sich darüber im Klaren, dass es einige Zeit dauern wird, bis ein Kind einen Geschmack für bestimmte Geschmacksrichtungen entwickelt, so dass sie sich damit abfinden, alles, was das Baby ablehnt, zu essen oder wegzuwerfen und es an einem anderen Tag erneut zu versuchen. Was allerdings schwerer zu verstehen ist, ereignet sich, wenn ein Baby plötzlich die Nase über etwas rümpft, das es zuvor wochenlang mit Genuss gegessen hat. Auf einmal ist Kartoffelpüree sowas wie Gift. Auch hier ist es für die Eltern verwirrend und überraschend, aber solange noch kein großes Problem, bis das Kind anfängt, auf alles, was man ihm vor den Hochstuhl stellt, genauso zu reagieren. Dann wird die Essenszeit zu einem großen täglichen Kampf mit einem bekannten Ausgang: Das Baby wird gewinnen. Es gibt nicht viel, was man tun kann, um ein Kind dazu zu bringen, etwas zu sich zu nehmen, was es nicht will. Das gehört zu den frustrierendsten Erlebnissen im Leben frischgebackener Eltern.

Die Sache ist die, dass Kinder in der Regel sehr gute Gründe für ihr Verhalten haben, auch wenn sie noch gar nicht sprechen oder sich noch nicht sehr geschickt artikulieren können. Wenn sie uns doch nur früher in ihrem Leben sagen könnten: "Mama, Papa, ich hatte in der Kita einen Kartoffelbrei, gegen den Eurer wie Zement schmeckt. Bitte, füttert mich nicht mehr mit diesem Fraß, bis Ihr gelernt habt, Salz und Butter so zu lieben wie ich." Problem gelöst und Drama abgewendet, denn jetzt wissen wir genau, welche Realität unser Kind erlebt, welche Wirkungen diese ausübt und wie sie sein Denken und seine Perspektive beeinflusst hat. Das ist eine ganz wichtige Information. In einem einfachen Satz hat das Kind uns den Kontext und den Grund für seinen Hungerstreik genannt, was bedeutet, dass wir anfangen können, einen Weg zu finden, ihm einen Grund zum Essen zu geben.

Übrigens kommt diese Dynamik nicht nur bei Eltern-Kind-Konflikten vor. Alles, was wir tun, ob wir nun sechs Monate oder sechzig Jahre alt sind, wird von einem unsichtbaren Hintergrund von Ereignissen, Gefühlen und Vorurteilen beeinflusst, die sich auf die Art und Weise auswirken, in der wir die Welt wahrnehmen und auf andere reagieren. Sie alle tragen dazu bei, wie sich unser derzeitiger Zustand darstellt. Auch Deine Kunden haben einen gegenwärtigen Zustand, der alles umfasst, worüber wir bisher gesprochen haben – ihre Einstellung zu Veränderungen, ihre eigentlichen Motivationen, die Gegebenheiten ihres Geschäftes und die Umstände ihres Arbeitslebens. Ihr gegenwärtiger Zustand ist die Welt, in der sie leben, ihre erlebte Realität. Und wenn wir Vertriebsleute den gegenwärtigen Zustand unserer Kunden verstehen, sind wir in einer viel besseren Position, um effektiv zu kommunizieren, was uns wiederum in eine gute Lage versetzt, Lösungen für ihre Probleme zu finden.

DER GEGENWÄRTIGE ZUSTAND IST VON GRUNDLEGENDER WICHTIGKEIT

Für die Umsetzung der Regeln des Lösungsorientierten Verkaufens musst Du ein tiefes Verständnis für den gegenwärtigen Zustand Deiner Kunden und die damit verbundenen Möglichkeiten für einen besseren künftigen Zustand entwickeln. Es ist von entscheidender Bedeutung, zu verstehen, was in der Welt Deiner Interessenten heute vor sich geht. Der aktuelle Zustand ist der Ausgangspunkt für den Wunsch nach Veränderung. Der aktuelle Zustand dient als Anker bzw. als Antrieb für Veränderungen. Wenn wir hier von Veränderungen reden, Du kannst sie nur beeinflussen, sofern Du weißt, was in der Welt Deiner Kunden geschieht. Je mehr du über den aktuellen Zustand Deines Käufers in Erfahrung bringst, desto besser wirst Du die notwendigen Veränderungen begreifen, und desto mehr Informationen stehen Dir für den Abschluss des Geschäfts zur Verfügung. Es besteht ein direkter Zusammenhang zwischen dem Wissen eines Verkäufers über den aktuellen Zustand seines Kunden und der Wahrscheinlichkeit, dass er den Auftrag bekommt. Die meisten Informationen und Elemente, die Du brauchst, um den Verkauf zu beeinflussen, ergeben sich aus dem genauen Verständnis dessen, wo sich Dein Käufer heute befindet, womit er zu tun hat, wie er arbeitet, wer alles involviert ist, warum es passiert, welche Ergebnisse er gerade erfährt und vieles mehr – alles Teil des gegenwärtigen Zustands.

Erinnerst Du Dich an das Beispiel mit den Kopfschmerzen in Kapitel 1? Es wurden drei mögliche aktuelle Zustände beschrieben. Wenn ein Verkäufer nicht in der Lage ist, festzustellen, ob sein Kunde nur Kopfschmerzen hat, oder ob er Kopfschmerzen hat und in 12 Stunden ein Angebot im Wert von einer halben Million Euro ausarbeiten muss, oder ob er Kopfschmerzen hat, weil er an einem Gehirntumor erkrankt ist, wird er höchstwahrscheinlich jedem dieser Kunden das Gleiche verkaufen wollen, denn für ihn haben alle dasselbe Problem – Kopfschmerzen. Doch wie wir gesehen haben, ist dem nicht so. Anhand des derzeitigen Zustands können wir nicht nur das Problem, sondern auch die wirklichen Bedürfnisse des jeweiligen Käufers erkennen. Anhand des aktuellen Status lässt sich jeder Interessent in Deiner Verkaufskette genau bestimmen. Es kommt darauf an, zu Beginn eines jeden Verkaufs möglichst viele Informationen über den gegenwärtigen Zustand zu gewinnen. Diese Freilegung des gegenwärtigen Zustands wirst Du während Deiner Entdeckungsphase vornehmen (Einzelheiten folgen im 8. Kapitel). Der gegenwärtige Zustand ergibt sich aus fünf maßgebenden Elementen, die das Verständnis für die Welt Deiner Kunden so bilden, dass Du ihnen bei der Bewältigung der bevorstehenden Veränderungen behilflich sein kannst:

- die wesentlichen objektiven **Fakten** über Deinen Kunden

- seine **Probleme**

- die **Auswirkungen** dieser Probleme

- die **Hauptursachen** der Probleme

- welche Auswirkungen diese Probleme auf den **emotionalen**

Zustand Deines Kunden haben

Das ist es. Wie genau und umfassend Du diese fünf Elemente des gegenwärtigen Zustands Deiner Kunden aufdeckst, bestimmt, inwiefern Du Ihnen einen Nutzen bieten kannst.

DIE FAKTEN

Lösungsorientiertes Verkaufen verlangt Dir mehr Wissen und Verständnis über die Welt Deines Kunden ab, als Du es wahrscheinlich gewohnt bist. Es steckt weit mehr dahinter als das, was sie auf ihren Webseiten preisgeben. Dein Ziel muss es sein, so viel wie möglich über die Geschehnisse in ihrer Organisation zu erfahren, soweit sie einen Bezug zu dem haben, was Du verkaufst. Was passiert jeden Tag wirklich, konkret? Man muss dafür Informationen finden, an die man noch nie gedacht hat. Du wirst Dich auf eine echte Erkundungsmission begeben müssen. Allerdings solltest Du Dich bei Deiner Untersuchung auf diejenigen Bereiche des Unternehmens konzentrieren, auf die sich Dein Produkt oder Deine Dienstleistung tatsächlich auswirken könnte. Das Erforschen von Problemen, die Deine Lösung nicht beheben kann, ist eine Zeitverschwendung für Deinen Kunden und Dich selbst. Du solltest so viele spezifische, *relevante* Informationen wie möglich sammeln. Im 8. Kapitel, in dem wir uns ausführlich mit dem Entdeckungsprozess befassen, werden wir spezifische Fragetechniken besprechen. Natürlich ist es keine gute Idee, wenn Du etwa Projektmanagement-Software verkaufst, doch das Gespräch mit Deinem Kunden auf ihre Personalabteilung lenkst. Ebenso wenig braucht man etwas über ihre Konkurrenz, ihren Umsatz oder ihre Kunden zu wissen (es sei denn, die Unfähigkeit Deiner Käufer, Projekte richtig zu steuern, wirkt sich auf ihre Kunden aus. In diesem Falle werden ihre Kunden ebenfalls *interessant*).

Andererseits ist es für Dich als Verkäufer von Projektmanagement-Software *wichtig*, zu wissen, welche Arten von Projekten Deine Kunden haben, wie groß ihre Projekte sind, wie viele Projekte sie pro Jahr durchführen, in welchen funktionalen Gruppen die Projekte stattfinden, wie viele Personen in der Projektmanagement-Gruppe arbeiten, wie erfolgreich ihre Projekte sind, wie lange sie dauern, welche Arten von Projekten sie durchführen, wie der Output der Projekte aussieht, wie sie ihre Ressourcen verwalten, wie sie ihren Bestand verwalten, wie sie das Änderungsmanagement handhaben und wie sie Genehmigungen bewältigen. Puh! Das ist eine ganze Menge, nicht wahr? Aber das ist es, was Du unbedingt herausfinden musst, und in vielen Fällen wird es noch mehr zu erkunden geben. Je mehr Informationen Du über das Umfeld Deines Käufers hast, darüber, wie sie arbeiten, was dort vor sich geht, wie sie organisiert sind, welche Strategien sie anwenden und welche Methoden sie einsetzen, desto besser wirst Du darauf vorbereitet sein, den Abschluss im Laufe des Verkaufsprozesses voranzutreiben.

Jeder Kunde sieht sich bestimmten Herausforderungen ausgesetzt. Das Projektmanagementbüro eines Unternehmens beispielsweise ist überall verschieden. Sie haben jeweils unterschiedliche Prozesse, andere Maßnahmen, anders gestaltete Strukturen, unterschiedliches Personal, abweichende Problemstellungen, verschiedene Ergebnisse, und vieles mehr. Wenn Du jedoch die *besonderen* Bedingungen des aktuellen Umfelds und des aktuellen Zustands jedes Deiner Interessenten kennst, kannst Du spezifische, maßgeschneiderte Verkaufsstrategien für jeden einzelnen Kunden in Deiner Vertriebskette entwickeln. Kein Interessent ist wie der andere, und daher ist auch jeder Verkauf anders. Und das ist von erheblicher Bedeutung.

DIE PROBLEME

Die Leute kaufen keine Produkte – sie kaufen Lösungen für ihre Probleme. Wenn er nicht mindestens ein klar definiertes, messbares Problem erkennen kann, wird Dein Käufer letztlich nicht kaufen. Damit Du ihm also Dein Produkt oder Deine Dienstleistung verkaufen kannst, musst Du ein klares Problem oder gar eine Reihe von Problemen erkennen und aufzeigen. Und die Probleme sind da, eingebettet in jeden einzelnen der aktuellen Zustände Deiner Interessenten. Sie sind das Ergebnis der gegenwärtigen Prozesse, der gegenwärtigen Organisationsstrukturen, der gegenwärtigen Softwareanwendungen, der gegenwärtigen Mitarbeiter, der gegenwärtigen staatlichen Vorschriften, des gegenwärtigen Wirtschaftsklimas, der gegenwärtigen Führung, der gegenwärtigen Unternehmenskultur und so weiter. Es ist Deine Aufgabe als Verkäufer, sie zu finden und zu verstehen, welchen Einfluss sie auf Deine Interessenten haben.

DIE AUSWIRKUNGEN

Sämtliche Informationen, nach denen Du bei der Erkundung von Fakten und Problemen suchst, kulminieren oder äußern sich sowohl in guten als auch schlechten Aspekten. Vielleicht hast Du festgestellt, dass das Unternehmen, das Projektmanagement-Software anbietet, eine hervorragende Arbeit bei der Handhabung seiner Projekte leistet und dass der von ihm verwendete Prozess der beste der Branche ist und seinesgleichen sucht. Das ist ein guter gegenwärtiger Zustand. Vielleicht stellt sich aber auch heraus, dass die Art und Weise, wie sie Zeit und Änderungsaufträge managen, umständlich, unpräzise und anfällig für Fehler ist. Die Auswirkungen schwerfälliger, ungenauer und fehlerbehafteter Änderungsauftragsprozesse – das Problem – sind hohe Kostenüberschreitungen, die wiederum das Kapital des Unternehmens für zusätzliche Projekte verringern, was in der Folge die Fähigkeit des Unternehmens beeinträchtigt, in so viele neue Produkte zu investieren, wie es möchte, was wiederum die Fähigkeit einschränkt, neue Produkte schneller auf den Markt zu bringen, was schließlich die Fähigkeit des Unternehmens beeinträchtigt, mit seinem größten Mitbewerber zu konkurrieren und das gewünschte Wachstum zu erreichen. Das Problem ist einfach: hohe Kostenüberschreitungen. Das ist der Knackpunkt in diesem Beispiel. Doch der ganze Mist, den hohe Kostenüberschreitungen verursachen, sind die Auswirkungen, und das ist es, was den Verkauf antreibt. Dort liegt die eigentliche Motivation. Hohe Kostenüberschreitungen sind ätzend, aber nur so schlimm wie die Auswirkungen auf das Unternehmen. Wenn eine Budgetüberschreitung keine Auswirkungen auf den Rest des Unternehmens hat, könnte man argumentieren, dass sie kein Problem darstellt. Probleme sind nur dann Probleme, wenn die Auswirkungen negativ und belastend sind.

Es ist somit von entscheidender Bedeutung, das Problem zu kennen und seine Auswirkungen zu verstehen. Behalte dies stets im Hinterkopf: Du verkaufst niemals ein Produkt. Du verkaufst vielmehr die Auswirkungen, die Dein Produkt auf das gegenwärtige Umfeld Deines Käufers haben wird. Du verkaufst Veränderung.

DIE HAUPTURSACHE

Warum gibt es Probleme? Weil etwas nicht in Ordnung ist. Etwas schafft eine Situation, in der die Dinge schief laufen. In diesem "etwas" liegt die eigentliche Hauptursache, und sie wird durch Dein Produkt oder

Deine Dienstleistung beseitigt, wenn der Interessent Dein Produkt kauft. Wenn Dein Auto nicht anspringt (das Problem), könnte die Hauptursache dafür fehlendes Benzin, eine leere Batterie oder ein kaputter Anlasser sein. Ein Problem, drei mögliche Ursachen, die jeweils eine andere Lösung erfordern. Sobald Du weißt, welche Ursache der Übeltäter ist, kennst Du auch die passende Lösung.

Hinter jedem Problem, das Dein Kunde hat, stecken Hauptursachen, und Du musst erkennen, worin diese bestehen. Nehmen wir zum Beispiel an, Du hast festgestellt, dass das Hauptproblem Deines Kunden ein Mangel an Kundenkontakten ist. Was könnten die Ursachen sein? Es könnte sein, dass das Team nicht weiß, wie man akquiriert. Unzureichendes Marketing. Schlechte Marketingaussagen. Falscher Zielmarkt. Verwendung ineffektiver Marketing-Software. Es könnte jeder dieser Faktoren sein, aber auch etwas anderes. Es genügt nicht, zu verstehen, dass das Problem existiert. Du musst vielmehr erkennen, warum es besteht. So kannst Du aufzeigen, dass Du das Problem lösen kannst.

Stelle Dir das einmal so vor: Was ist das Einzige, was noch frustrierender und schmerzhafter sein könnte als häufiges Sodbrennen? Besuch bei fünf Ärzten, die fünf verschiedene Erklärungen für Deine Symptome anbieten und fünf verschiedene Medikamente verschreiben, von denen keines wirkt. Der Arzt, der schließlich ein Angiogramm bei Dir durchführt, welches bestätigt, dass Dein Sodbrennen ein Symptom für eine Arterienverstopfung ist, und der sodann die Angioplastie durchführt, die Deine Beschwerden dauerhaft lindert – also wer sich die Zeit nimmt, die Ursache des Problems herauszufinden und sie zu beseitigen – ist derjenige, der Deine Loyalität und Dein Vertrauen für immer gewinnen wird. Du solltest nicht wie diese anderen Ärzte sein, die nur Vermutungen anstellen und Lösungen anbieten, die nur eventuell funktionieren, vielleicht aber auch nicht. Du solltest Dich als der scharfsinnige, beruhigende Experte zeigen, der weiß, wie das Problem zu lösen ist, weil Du die Ursache des Problems kennst.

DER EMOTIONALE ZUSTAND

Und schließlich ist es wichtig, dass Du bei der Erkundung des gegenwärtigen Zustands Deiner Kunden und der Ermittlung der ihm innewohnenden Probleme und Chancen auch ihre emotionale Verfassung im Auge

behältst. Während des gesamten Prozesses ist es sehr wichtig, zu beacht-
en, aus welcher Lebenssituation Deine Kunden kommen und wie sie sich
fühlen, wenn sie ihren aktuellen Zustand beschreiben. Sind sie frustriert?
Verärgert? Verängstigt? Wenn Du den emotionalen Zustand Deines Kunden stets im Blick behältst, kannst Du nicht nur die bereits erwähnten
Angstauslöser vermeiden, sondern auch Deine Ratschläge und Lösungen
so vermitteln, dass Dein Kunde sie richtig verstehen und aufnehmen kann.

Indem Du lernst, den derzeitigen Zustand Deines Kunden zu
entschlüsseln und diese Informationen zu seinem Vorteil zu nutzen,
wirst Du Deinen Wert steigern und Dich von anderen Verkäufern abheben. Dieser Prozess erfordert Konzentration und Geduld, führt indes zu
einem außergewöhnlichen Nutzen für Deinen Kunden und Dich selbst.
Die Analyse der Faktoren, die den aktuellen Zustand Deines Kunden
bedingen, gibt Dir den Schlüssel, um herauszufinden, wie Dein Produkt
oder Deine Dienstleistung ihm helfen kann und ihn so zu dem besseren
künftigen Zustand bringt, den er erreichen möchte

VIERTES KAPITEL
DER KÜNFTIGE ZUSTAND –
WOHIN DER KUNDE WILL -

Wie gesagt, der künftige Zustand ist, wo Deine Kunden gerne sein möchten – ein glücklicher Ort, an dem Dein Produkt oder Deine Dienstleistung ihre Probleme gelöst haben wird und sie die Vorteile erleben. Der künftige Zustand ist der Anreiz, warum Dein Kunde an Veränderungen interessiert ist. Er ist die Perspektive, die Dein Käufer hat, wenn er sich vorstellt, dass seine aktuellen Probleme gelöst sind. Wenn es um Veränderungen geht, ist der gegenwärtige Zustand gewissermaßen der Schmerz und der künftige Zustand die Freude.

Der aktuelle Zustand Deines Kunden ist die Ausgangslage für seinen künftigen Zustand. Sobald Du die aktuellen Probleme Deines Kunden verstanden hast, kannst Du damit beginnen, gemeinsam mit ihm ein Bild davon zu zeichnen, wie der künftige Zustand aussehen könnte, wenn die aktuellen Probleme gelöst sind. So gelangst Du zu den nächsten Informationen, nach denen Du suchst – *den Möglichkeiten.*

Nehmen wir an, Du betrachtest den aktuellen Zustand eines Hotelmanagers, der Schwierigkeiten hat, Buchungen für Veranstaltungen und Konferenzen zu gewinnen (das Problem). Das beeinträchtigt die Fähigkeit des Unternehmens, die Umsatzzahlen zu erreichen (Auswirkung #1), und jetzt bekommt er auch noch Druck von der Unternehmensleitung (Auswirkung #2). Die Mitarbeiter sind unzufrieden und verlassen das Unternehmen (Auswirkung #3), wodurch der gute Ruf des Unternehmens für seine Gästebetreuung aufs Spiel gesetzt wird (Auswirkung #4).

Wie sieht der Wunschzustand dieses Managers für die Zukunft aus? Das kannst Du herausfinden, indem Du diese beiden Fragen stellst: **1.**

Was will der Kunde erreichen? und **2.** Was würde die Lösung dieser Probleme für die Organisation, ihre Mitarbeiter und für den Kunden selbst bedeuten? Der Schlüssel zur Beantwortung dieser Fragen ist ein Gespräch mit dem Kunden, das ihm dabei hilft, sich vorzustellen und zu formulieren, wie seine Welt aussähe, wenn alle seine aktuellen Probleme ausgeräumt wären. Auf diese Weise könnt Ihr beide herausfinden, wie sich die Verbesserung des aktuellen Zustands positiv auswirken könnte. Wenn Du die richtigen Fragen stellst, könnte der Hotelmanager zum Beispiel erwähnen, dass er einen effektiveren Weg braucht, um die Buchungen von Veranstaltungen und Konferenzen zu steigern (Lösung des Problems), um wieder ein Wachstum von 20 % zu erreichen (Folge der Problemlösung), um einen vorhersehbaren, zuverlässigen Buchungskalender für Firmenveranstaltungen mit einer 80 %-igen Auslastung der Konferenzräume zu haben (Auswirkung). Auf diese Weise könnte das Unternehmen sein Rentabilitätsziel von 22 % (Auswirkung) erreichen, das derzeit wegen des Mangels an Konferenzen und Veranstaltungen verfehlt wird.

Indem Du daran arbeitest, den gewünschten künftigen Zustand des Kunden zu verstehen, beginnst Du, die Lücke zu schließen. Der künftige Zustand fungiert als Kontrast zum aktuellen Zustand. Ohne den künftigen Zustand ist es schwierig, den Nutzen des Geschäfts zu beurteilen. Denke noch einmal an das Beispiel mit den Kopfschmerzen in Kapitel 1. Den Vorschlag durchbringen zu können und nach Abschluss des Geschäfts eine Provision von 50.000 Euro zu verdienen, ist der künftige Zustand. Die Heilung der Krebserkrankung und die Verlängerung des Lebens um 30 Jahre, die Trauung der Tochter und die Geburt von Enkelkindern sind der künftige Zustand. Es genügt keinesfalls, nur die Kopfschmerzen zu beseitigen. Was ist das gewünschte Ergebnis bei der Behandlung des Kopfschmerzes? Das ist der künftige Zustand. Und genau deshalb ist es so wichtig.

Vergiss nicht den emotionalen Zustand

Und wenn Du schon dabei bist, solltest Du auch berücksichtigen, wie sich Deine Kunden fühlen werden, wenn ihre Probleme gelöst sind. Weshalb? Wenn man die Menschen dazu bringt, sich ihre Gefühle in der Zukunft vorzustellen und ihre Träume und gewünschten Ergebnisse in den Mittelpunkt zu stellen, werden sie gedanklich bereits in dieser Zukunft ankommen. Schließlich werden sie sich dort viel wohler fühlen als in ihren jetzigen Umständen, nicht wahr? Dort können sie die Früchte ihrer Bemühungen sehen und alle Ziele, die sie sich für sich selbst oder ihr Unternehmen gesetzt haben, verwirklichen. Wir wollen ihnen einen Vorgeschmack auf das geben, was sein könnte, damit sie motiviert sind, die notwendigen Änderungen vorzunehmen, um diesen künftigen Zustand zu erreichen. Bei der Lösung von Problemen geht es nicht nur darum, zu beheben, was im Moment nicht in Ordnung ist, sondern den Menschen zu helfen, ihre langfristigen Träume zu verwirklichen. Je konkreter sich dieser künftige Zustand anfühlt, desto eher werden sie bereit sein, Dir zuzuhören, wenn Du ihnen zeigst, wie Deine Lösungen sie wirklich dorthin bringen können. Hier kommt Verkaufswahrheit Nr. 6 ins Spiel – Kunden sind für Veränderungen dann offen, wenn sie das Gefühl haben, dass sie die Kosten wert sind. Sobald Deine Kunden davon überzeugt sind, dass die Vorteile des künftigen Zustands die Kosten für den Weg dorthin überwiegen, ist das Geschäft so gut wie abgeschlossen.

Indem Du den gegenwärtigen Zustand (Schmerz) Deiner Kunden feststellst, während Du sie im künftigen Zustand (Freude) verankerst, wirst Du sie dazu bringen, offen und sogar begeistert zu sein, wenn Du sie dabei unterstützt, die Reise zu planen, die sie über die Kluft führen wird. Wenn Du ihnen dabei hilfst, die Kluft zu sehen, die sie überbrücken müssen, werden sie den Wert der Überwindung dieser Kluft erkennen. Ich kann Dir versichern, dass der Wert höher sein wird, wenn Du Deine Käufer dazu ermutigst, sich in diesen künftigen Zustand hineinzuversetzen, und zwar um Einiges höher, als wenn Du einfach nur die Probleme ihres derzeitigen Zustands aufdeckst und sie sich darin suhlen lässt. Das ist die besondere Kunst des Lösungsorientierten Verkaufens.

FÜNFTES KAPITEL
BEZIEHUNGEN SPIELEN KEINE ROLLE
(MEHR ODER WENIGER)

Okay, Leute, Ihr habt es schon während Eurer ganzen Karriere ständig gehört: Die Leute kaufen von Leuten, die sie mögen. Das ist doch Unsinn. Und wenn Dir mit Lösungsorientiertem Verkaufen ernst ist, wirst Du mir zustimmen. Es wird Dich vielleicht nicht sonderlich überraschen, zu erfahren, dass von allen kontroversen Dingen, die ich jemals in der Öffentlichkeit gesagt habe, diese Aussage den stärksten Widerspruch hervorgerufen hat. Dennoch stehe ich dazu. Bleib' hier. Im Laufe der nächsten Seiten wirst Du mir zustimmen.

Mach' dir keine Gedanken darüber, ob sie Dich mögen

Die Leute kaufen von Leuten, die sie mögen. Willy Loman, die Hauptfigur in Arthur Millers *Tod eines Handlungsreisenden*, war sich dessen sicher. "Es kommt nicht darauf an, was Du tust, sondern wen Du kennst und wie Du lächelst". [v] In Lomans Welt hat Sympathie Vorrang vor allen anderen menschlichen Eigenschaften. "Seid beliebt und es wird Euch nie an etwas fehlen", [vi] sagt er zu seinen Söhnen, die zu lange brauchen, um zu erkennen, wie schrecklich falsch er damit liegt. Er klammert sich an seine Überzeugungen, selbst als er gezwungen ist, sich der Realität zu stellen, dass er ein Versager und Betrüger ist, selbst als sein einziger Freund auf der Welt ihm versichert: "Wann wirst Du begreifen, dass diese Dinge nichts bedeuten? Das Einzige, was man in dieser Welt hat, ist das, was man verkaufen kann." [vii]

Willy Loman musste leider auf die harte Art lernen, dass Sympathie kein Ersatz für Talent oder Fachwissen ist. *Sympathie* bringt Dir einen

Händedruck, ein Lächeln und vielleicht ein angenehmes und freundliches Gefühl. *Kompetenz* verdient Geld für Dich. Denn weißt Du, bei wem die Leute kaufen? Bei denjenigen, die Nutzen bewirken. Ich mag Dich vielleicht als Person nicht besonders, doch wenn Du etwas verkaufst, das einen Wert hat, will ich es haben. Man denke nur an all die Buchliebhaber, die ihre örtlichen Buchhandlungen zugunsten von Amazon aufgegeben haben, oder an die Käufer, die mittlerweile ihre Lebensmittel in großen Supermärkten statt beim Metzger und Obsthändler um die Ecke einkaufen. Den Käufern ist dabei klar, dass sie einem Geschäft, das sie mochten, damit schaden, nichtsdestotrotz ist der Wert, den sie von den anderen, größeren Geschäften erhalten, zu gut, um darauf zu verzichten. Sie stellen Bequemlichkeit und niedrigere Preise über die persönliche Beziehung zu ihren lokalen Ladenbesitzern. Wir machen immer wieder Geschäfte mit Menschen, die wir nicht mögen. Wie die Menschen ihre Kaufentscheidungen begründen, zeigt das folgende Schaubild:

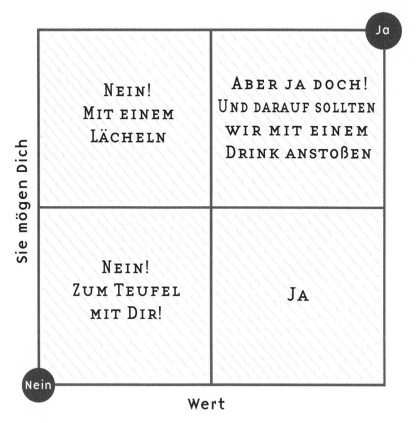

Nehmen wir an, Du bekommst eine SMS von Evan, Deinem ehemaligen Kollegen. Er verkauft ein zweites Ticket für das Konzert von Drake morgen Abend und hat dabei an Dich gedacht. Diese Grafik kann Deine Reaktion vorhersagen (nehmen wir an, der Preis passt Dir). Wenn du Evan für einen coolen Typen hältst und Drake magst, dann schlägst zu. Wenn Du Evan wirklich magst, aber kein großer Drake-Fan bist, bedankst Du Dich bei ihm, dass er an Dich gedacht hat und schlägst einen anderen gemeinsamen Freund vor. Wenn Evan Dich während Eurer gemeinsamen Arbeit in den Wahnsinn getrieben hat, Du aber auch verrückt nach Drake bist, ist es das wahrscheinlich wert, dass Du Evan erträgst, um bei diesem Konzert dabei zu sein. Und wenn Evan Dich total nervt *und* Drake Dir egal ist, sagst du Nein, sofern Du ihn überhaupt zurückrufst.

Es geht nicht darum, dass Beziehungen nicht wichtig wären. Sie sind es. Schließlich will niemand gern mit jemandem Geschäfte machen, den er nicht ausstehen kann. Allerdings ist das nicht der Grund, warum die Leute kaufen. Wenn alle Faktoren ausgeglichen sind, entscheiden Käufer sich für denjenigen, den sie mögen, doch es kommt nur selten vor, dass alle Faktoren wirklich ausgeglichen sind. Käufer schätzen und respektieren durchaus auch jemanden, den sie eigentlich nicht mögen. Käufer streben nach Nutzen, und den finden sie in Beziehungen zu Menschen, von denen sie annehmen, dass sie ihre Probleme lösen und ihre Welt verbessern können.

Was nun schafft die Art von Beziehungen, die Nutzen schaffen und Dich dem Verkauf näher bringen? Glaubwürdigkeit. Bei jedem Schritt, den Du im Prozess des Lösungsorientierten Verkaufens unternimmst, geht es darum, Glaubwürdigkeit aufzubauen und sich als vertrauenswürdiger Berater zu etablieren.

Zu Beginn meiner Laufbahn hatte ich einen Verkaufsleiter, der mir sagte, dass es zwei Arten von Vertriebsmitarbeitern gibt: diejenigen, die gut Kontakte knüpfen und Beziehungen aufbauen können, sowie diejenigen, die Glaubwürdigkeit entwickeln. Beide seien großartig in ihrem Job, doch Ersterer werde immer einen kleineren Anteil am Geschäft haben als der Zweitgenannte. Die Leute wollen mit ihren Freunden zum Eishockeyspiel gehen; sie wollen von Leuten *kaufen*, die sich verdammt nochmal auskennen.

Und ich hoffe, dass Du eines inzwischen bemerkt hast: Beim Lösungsorientierten Verkaufen kommt es darauf an, dass Du Dich mit Deinem

Mist auskennst. Und mit dem ganzen Mist Deiner Kunden übrigens auch. Ich habe schon immer gesagt, dass die besten Verkäufer jederzeit aus dem Verkauf aussteigen und ein Beratungsunternehmen gründen könnten, das sich auf dieses Geschäftsfeld spezialisiert. Und soviel solltest Du über das Geschäft Deiner Kunden wissen. Dein Fachwissen und Deine Glaubwürdigkeit sind für Deine Käufer sehr viel mehr wert als Deine Schlagfertigkeit, Dein freundliches Auftreten oder Eintrittskarten für ein Fußballspiel.

Ich werde oft kritisiert, weil ich dieses Verkaufsdogma in Frage stelle, aber es gibt eindeutige Argumente dafür, dass ich Recht habe. In einem Artikel für den *Harvard Business Review* fassen Matthew Dixon und Brent Adamson, die Autoren des Buches *The Challenger Sale* (Der herausfordernde Verkauf), eine 2009 vom Sales Executive Council (Rat der Vertriebsleiter) durchgeführte Studie zusammen, in welcher die Verkaufsproduktivität von 6.000 B2B-Vertriebsmitarbeitern in verschiedenen Branchen im ganzen Land untersucht wurde. Sie kamen zu dem Schluss, dass Verkäufer in fünf verschiedene Profile eingeteilt werden können: Beziehungsgestalter (die Menschenfreundlichen), Harte Arbeiter (die Schleifer), Einsame Wölfe (die John Wayne- und Clint Eastwood-Typen), Reaktive Problemlöser (die engagierten Feuerwehrmänner) und Herausforderer. Jede dieser verschiedenen Arten von Verkäufern hat ihre Talente und kann wirkungsvoll sein, doch am effektivsten waren durchweg die Herausforderer.

Herausforderer werden als Verkäufer definiert, die über die Branche und das Unternehmen ihrer Kunden so gut Bescheid wissen und deshalb so angesehen sind, dass sie so gut wie jederzeit ihre Meinung sagen und ihre Kunden sogar dazu bringen können, Ideen in Betracht zu ziehen, die ihnen vielleicht unangenehm sind. Sie sind also bereit, ihre Käufer zu hinterfragen, wenn dies in ihrem Interesse liegt, und ihre Käufer scheinen dies zu schätzen. Die Studie ergab, dass Herausforderer ganze 40 % der Top-Verkaufspositionen innehaben, mehr als jeder andere Verkäufertyp und vor allem mehr als Beziehungsgestalter, die nur 7 % der Leistungsträger ausmachen. Der offene und bestimmte Stil von Herausforderern scheint die Beziehungen zu ihren Kunden dabei nicht zu gefährden, sondern eher zu stärken.

Mittlerweile wissen wir alle, dass die Wirtschaft 2009 am Boden lag, und die Autoren der Studie fragten sich, ob Herausforderer vielleicht einfach die Art von Vertrieblern waren, die Käufer in schwierigen Zeiten brauchten, um sich über Wasser zu halten. Möglicherweise würden die Beziehungsgestalter, sobald sich die Wirtschaft erholt hat, wieder an die Spitze kommen und ihren Titel zurückerobern. Doch selbst als die Autoren als Kriterien eine höhere Komplexität und "lösungsorientierte Verkaufsumgebungen" berücksichtigten, dominierten die Herausforderer weiterhin. Dixon und Adamson betonen ebenso wie ich, dass die Ergebnisse nicht bedeuten, Beziehungen seien unwichtig. Sie weisen vielmehr darauf hin, dass es auf die *Art* der Beziehung ankommt. Käufer wünschen sich gewiss eine gute Beziehung mit ihren Verkäufern, doch hauptsächlich sind sie auf der Suche nach vertrauenswürdiger Beratung und Orientierungshilfe. Und wenn es drauf ankommt, selbst wenn sie eigentlich lieber ein Bier mit einem Beziehungsgestalter trinken würden, wissen sie, dass der Verkäufer, der in der Lage ist, ihnen die Wahrheit zu sagen, auch Dinge, die sie lieber nicht hören würden, ihnen wahrscheinlich die besseren Informationen und den wertvolleren Nutzen bietet.[viii]

Eine andere Studie von Dave Kurlan, dem Leiter der Objective Management Group, zeigt, dass Verkäufer, die ein starkes Bedürfnis nach Beliebtheit haben, in Wirklichkeit ihrer Verkaufseffizienz schaden. Zur Wiederholung: *Verkäufer, die viel Zeit darauf verwenden, sich beliebt zu machen — denn die Leute kaufen ja von Leuten, die sie mögen — schaden ihrer Verkaufseffizienz.* Das solltest Du einen Moment sacken lassen. Wenn Du nur darauf ausgerichtet bist, gemocht zu werden, weil die Leute von Leuten kaufen, die sie mögen, dann schadest Du Dir selbst. Du bist buchstäblich selbst der Grund dafür, dass Du keinen Erfolg hast. Kurlan zufolge gibt es sechs Kernkompetenzen in der Vertriebs-DNA, von denen die erste (und einzige, die für unsere Diskussion relevant ist) lautet: Braucht keine Anerkennung. Als er die Daten analysierte, stellte er fest, dass Verkäufer, die bei der ersten Stärke schlecht abschnitten (was bedeutet, dass sie ein *Bedürfnis nach Anerkennung* haben), durchweg zu den untersten 25 % der Verkäufer gehörten. Tatsächlich gaben 82 % der Verkäufer im untersten Viertel an, dass sie das Bedürfnis haben, gemocht zu werden.[ix]

In einem späteren Blogbeitrag verglich Kurlan das Bedürfnis von Verkäufern, gemocht zu werden, mit ihrer Überzeugung, dass Beziehungen wichtig sind. Von den Spitzenverkäufern in den top 5 % hatten 89 % nicht das Bedürfnis, gemocht zu werden, und nur 1 % glaubte, dass

Beziehungen der Schlüsselfaktor für den Geschäftsabschluss sind.[x] Wie findest Du das? Je weniger Du Dich darum sorgst, gemocht zu werden, und je emotionsloser und faktenbasierter Du bleibst, desto eher bist Du in der Lage, die Bedürfnisse Deiner Kunden objektiv einzuschätzen, kompetente Ratschläge zu geben und das Vertrauen der Kunden zu gewinnen, so dass sie in Dir die richtige Person sehen, um ihnen bei der Lösung ihrer Probleme zu helfen, das heißt, bei Dir zu kaufen.

Wenn Lösungsorientiertes Verkaufen also den Aufbau von Beziehungen auf der Grundlage von Glaubwürdigkeit und nicht von Sympathie in den Vordergrund stellt und wir mit dem abgegriffenen Motto "Beim Verkaufen geht es um Beziehungen" aufräumen, was könnten wir dann an seine Stelle setzen? Ich denke, das ist ziemlich einfach:

Du solltest ein Experte sein, nicht ein Freund.

SECHSTES KAPITEL
BESTIMMUNG DER LÜCKE

Es dürfte inzwischen ziemlich klar geworden sein, worin die Lücke besteht. Einfach gesagt, handelt es sich um den Bereich zwischen dem derzeitigen Zustand und dem künftigen Zustand. In der Lücke liegt der eigentliche Wert des Verkaufs. Je geringer der Abstand zwischen seinem derzeitigen Zustand und dem ist, den er erreichen könnte, desto kleiner ist die Lücke, desto weniger Wert hat eine Veränderung und desto weniger dringend ist es für den Kunden, das zu kaufen, was Du anbietest. Wenn Du unter leichten Kopfschmerzen leidest, die sich einfach mit einem billigen, rezeptfreien Medikament beseitigen lassen, gibt es keinen großen Unterschied zwischen Deinem aktuellen Zustand – Kopfschmerzen – und Deinem künftigen Zustand – frei von Kopfschmerz. Es gibt einfach keinen großen Grund, etwas zu ändern. Da ist wieder dieses Wort: Veränderung. Eine kleine Lücke stellt keinen großen Unterschied zum Status quo dar. Wenn Du jedoch plötzlich von einer lebensbedrohlichen Infektion betroffen bist, die Dich innerhalb von 24 Stunden töten könnte, klafft eine große Lücke zwischen Deinem jetzigen und Deinem künftigen Zustand, sofern Du in Deinem gewünschten künftigen Zustand erst in fünfzig Jahren umgeben von Kindern, Enkeln und Urenkeln sterben wirst.

Die Lücke ist Käufern anfangs jedoch nur selten bewusst. Der Erfolg hängt dann von Deiner Fähigkeit ab, die Lücke aufzuzeigen und zu füllen. Verkäufer können die Größe der Lücke beeinflussen, indem sie dem Käufer helfen, Dinge zu sehen, die er vorher nicht erkennen konnte. Der Kunde kann den Wert Deiner lebensrettenden Pille unmöglich begreifen, wenn er nicht weiß, dass er dem Tod nah ist. Deshalb solltest Du so viel Zeit darauf verwenden, seine derzeitige Situation zu ergründen und ihm dabei zu helfen, sich seine künftige Situation vorzustellen. Im Unterschied zu einem traditionellen Verkäufer wirst Du ihre Probleme nicht einfach für bare Münze nehmen und dann direkt eine Lösung anbieten. Stattdessen wirst Du Deinen Kunden helfen, das ganze Ausmaß ihrer Probleme zu verstehen, und sie selbst herausfinden lassen, was geschehen wird, wenn sie nichts dagegen unternehmen.

Hier ist eine Darstellung der Lücke in Funktion:

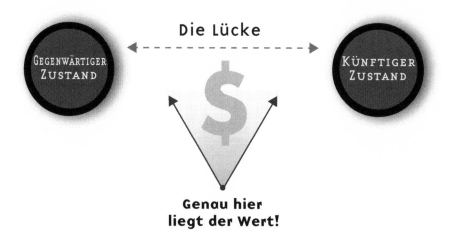

Du verkaufst eigentlich nicht, wenn Du Deinen Kunden Fragen zu ihrer aktuellen und zukünftigen Situation stellst. Was Du in Wirklichkeit tust, ist, ihre Wahrnehmung ihres Problems und das wahrgenommene Ergebnis der Lösung des Problems zu erweitern. Ein guter Verkäufer muss in der Lage sein, Fragen zu stellen, die auf subtile Weise den vom Kunden wahrgenommenen gegenwärtigen Zustand testen und in Frage stellen, um herauszufinden, ob die Lücke größer ist, als angenommen. Deine Aufgabe hierbei besteht darin, ihnen zu verdeutlichen, was auf dem Spiel steht, und sie zu dem Schluss zu bringen, dass der Verkäufer, der etwas besitzt, um diesen künftigen Zustand zu verwirklichen, etwas von echtem Wert verkauft.

Manchmal kann der Prozess auch andersherum laufen. Wenn Du bei der Erkundung des aktuellen Zustands Deiner Kunden feststellst, dass ihre Probleme eigentlich recht begrenzt sind und es nicht mehr weit ist, bis sie den gewünschten künftigen Zustand erreichen können, hast Du gerade die Lücke verkleinert. Wenn Du Deine Hausaufgaben gemacht hast und genau weißt, wie Dein Produkt oder Deine Dienstleistung die Probleme Deiner potenziellen Kunden lösen kann, weißt Du auch, was es *nicht*leisten kann. Falls Du eine kleine Lücke entdeckst, wirst Du vielleicht realisieren, dass Du wirklich nicht viel tun kannst, um zu helfen, oder dass Dein Kunde Dich letztendlich gar nicht braucht. Das ist schon in Ordnung. Es ist sogar sehr wertvoll. Wenn Du merkst, dass Du es mit einer kleinen Lücke zu tun hast, brauchst Du Deine Zeit nicht damit zu vergeuden, einem Verkauf hinterherzujagen, der nie zustande kommen wird (so hast Du mehr Zeit, Dich auf die Verkäufe zu konzentrieren, die tatsächlich zustande kommen werden), und Du kannst Deinem Kunden dienen, indem Du ihn an jemanden weiterleitest, der tatsächlich helfen kann.

Wenn Deine Kunden jedoch zu irgendeinem Zeitpunkt erkennen sollten, dass zwischen ihrem aktuellen und ihrem künftigen Zustand eine große Lücke klafft, sind sie natürlich geneigt, sich an Dich als denjenigen, der sie zu dieser Erkenntnis geführt hat, zu wenden, um den Kauf abzuschließen.

Folgst Du mir noch?

………

Falls Du nicht bereit bist, Dich auf diese Grundsätze einzulassen, brauchst Du nicht weiterzulesen, denn im nächsten Abschnitt erfährst Du alles, was Du wissen musst, um sämtliche oben bezeichneten Schritte methodisch und effektiv umzusetzen. Man muss den Ablauf des Prozesses akzeptieren und verstanden haben, wenn man mit Lösungsorientiertem Verkaufen erfolgreich sein will. Deine innere Bereitschaft ist entscheidend, sonst wird nichts von dem, was Du lernen wirst, richtig funktionieren.

Alles klar? Das ist gut.

Du musst die Spielregeln kennen, um zu gewinnen.

TEIL II

SO WIRD GESPIELT

TEIL II · SO WIRD GESPIELT

Teil I dieses Buches befasst sich mit der Beschreibung des Konzepts des Lösungsorientierten Verkaufens und hilft Dir dabei, Dich darauf einzustellen, um erfolgreich zu sein. Teil II zeigt die Ausführung mit allen für die Umsetzung des Konzepts erforderlichen Schritten und Techniken.

Das wäre ein guter Zeitpunkt, um zur Toilette zu gehen oder einen Red Bull bzw. eine Tasse Kaffee zu trinken. Wenn Du zurückkommst, blättere einfach um.

SIEBTES KAPITEL
BRINGE SIE DAZU, SICH VON DIR HELFEN ZU LASSEN

Nichts von dem, was wir in Teil I besprochen haben, kann geschehen, wenn Du Dir nicht diese entscheidende und grundlegende Prämisse zu Herzen nimmst: Deine wichtigste Aufgabe beim Verkauf ist es, den Kunden, Käufer oder Interessenten dazu zu bringen, sich von Dir helfen zu lassen.

Und wenn Du noch so viel Zeit damit verbringen magst, Deine potenziellen Kunden zu einem Anruf, einer Präsentation oder einem Treffen zu bewegen, ist es dennoch reine Zeitverschwendung, wenn Du es nicht so anstellst, dass sie davon überzeugt sind, Du hättest das Fachwissen und die Kompetenz, ihr Problem lösen zu können. Ganz gleich, was Du verkaufst, solange Du es nicht schaffst, dass Deine Kunden Dir so viel Vertrauen entgegenbringen, sich zu öffnen, Informationen preiszugeben, Dir Einblick in ihre aktuelle Situation zu gewähren und Dich ausdrücklich um Deine Hilfe zu *bitten*, wirst Du keine Fortschritte machen. Kunden müssen bereit sein, diese Verkaufsreise zu starten und sich darauf einzulassen, sonst wird nichts daraus.

Was ist mit Zufallsabschlüssen oder wenn sie anrufen? Natürlich kannst Du ihnen etwas verkaufen, ohne aktiv daran zu arbeiten, ihr Vertrauen zu gewinnen, aber das liegt in diesen Fällen daran, dass sie bereits herausgefunden haben, dass sie Hilfe brauchen. Sie irren sich unter Umständen völlig, was die Art der benötigten Hilfe angeht, doch immerhin wissen sie, dass sie Dich brauchen und wenden sich deshalb an Dich. Du solltest auch nicht vergessen, dass sie sich gar nicht erst an Dein Unternehmen gewandt hätten, wenn es nicht etwas gäbe, das sie vermuten läßt, dass Du die Antworten hast, die sie suchen. Irgendetwas im Text oder sonstwo auf der Webseite, oder etwas, das Dein Unternehmen in einem Interview, einem Artikel oder bei einem Vortrag geäußert hat, oder auch nur eine schlichte Google-Suche hat sie angesprochen. Vermutlich hat Dein Unternehmen also tatsächlich die Vorarbeit geleistet, Dir war nur noch nicht bewusst, dass es gewirkt und Dein Ziel erreicht hat. Unabhängig davon, wo oder wie der Kontakt zu Dir zustande gekommen ist (Anruf durch den Kunden oder seitens Deines Unternehmens), so muss der Interessent, sobald Du mit ihm in Kontakt trittst, jedenfalls bereit sein, sich von Dir helfen zu lassen.

Wie steht es mit Ausschreibungen? Nö. Eine Ausschreibung ist kein Verkauf, sondern die Teilnahme an einem Schönheitswettbewerb. Das Einzige, worauf ein Käufer achtet, der eine Ausschreibung einreicht, ist, welche Kästchen Du auf der Liste seiner Anforderungen ankreuzen kannst. Du hast keine Gelegenheit, nach dem Warum zu fragen, Du kannst nicht wissen, ob Du sein Problem verstehst, und Du kannst nicht sicherstellen, dass *er* sein Problem verstanden hat. Er lässt sich nicht von Dir helfen. Folglich kann Lösungsorientiertes Verkaufen Dir bei Ausschreibungen nicht weiterhelfen. Herkömmliche Ausschreibungen, die keine sorgfältige Erkundung oder Kontaktaufnahme zulassen, sind ungeeignet für die Strategie des Lösungsorientierten Verkaufens.

Verkaufen beginnt von Anfang an mit dem Aufbau von Vertrauen und Deiner Glaubwürdigkeit. Das ist das Einzige, was die Leute davon überzeugt, dass Du ihnen helfen können wirst. Du solltest Dir also jedes Mal, wenn Du mit Interessenten in Kontakt kommst, selbst die Frage stellen: Verkaufe ich an diese Personen oder erlauben sie mir, ihnen zu helfen?

Hier ist ein guter Test: Hörst Du sie "Ja" sagen? Ja, ich werde Ihnen meine Zahlen geben! Ja, ich möchte Sie in meine Probleme einweihen! Ja, ich werde Ihnen sagen, was mich beschäftigt! Ja, ich werde mich Ihnen anvertrauen! Wenn Du kein überzeugendes "Ja" hörst oder Dein Kunde keine Verhaltensweisen an den Tag legt, die Dir Anlass zu der Annahme geben, dass er in diese Richtung zu gehen bereit ist, solltest Du zu Start zurückkehren (schließlich ist dies ein Spiel). Du hast es einfach nicht geschafft, die erforderliche Glaubwürdigkeit zu entwickeln, um Deinen Kunden in den Kaufmodus zu versetzen. Er muss bereit sein, sich mit Dir auf diese Reise zu begeben, oder Du musst ansonsten eine Menge Zeit investieren, ohne etwas dafür zu bekommen. Beginne am besten ganz von vorn und rede mit dem Kunden. Ist er offen und freimütig? Versuchst Du auch, seinen derzeitigen und künftigen Zustand zu verstehen, oder bist Du eher im Begriff, etwas anzupreisen? Wenn Du anpreist, haben Interessenten geringere Bereitschaft, sich von Dir helfen zu lassen. Wenn der Interessent Dir nicht offen die Informationen gibt, welche Du haben möchtest, dann will er Dich nicht helfen lassen. Du musst das erst in Ordnung bringen, bevor Du weitermachst. Wenn Du den Käufer nicht dazu bringen kannst, sich von Dir helfen zu lassen, ist der Verkauf gescheitert.

Man wird Dich erst dann einladen, zu helfen, nachdem Du alle Register Deines Einfühlungsvermögens, Deiner Authentizität, Deiner Kompetenz und Deiner Glaubwürdigkeit gezogen hast. Du musst Deine Kunden davon überzeugen, dass Du ihre Welt und ihr Leid verstehst. Sie müssen spüren, dass Du für sie da bist und nicht für Dich selbst. Denke stets daran, dass sich niemand einen Dreck um Dich schert. Konzentriere Dich darauf, ihnen einen Nutzen zu bieten, und selbst wenn sie Dich nicht leiden können, werden sie trotzdem bei Dir kaufen.

Es geht nicht darum, Funktionen und Vorteile anzupreisen – das ist Verkaufen von gestern. Beim Lösungsorientierten Verkaufen geht es darum, Vertrauen aufzubauen und all das Wissen preiszugeben, das Du über das Umfeld Deines Kunden besitzt.

Wie bringt man also Menschen dazu, ihre Zurückhaltung aufzugeben, sich einzugestehen, dass sie Hilfe brauchen, und dann zuzulassen, dass man ihnen hilft?

Du bringst hierzu sämtliche Konzepte ins Spiel, die wir bereits besprochen haben.

ACHTES KAPITEL
ENTDECKUNG: VERSTEHE DEINE KUNDEN BESSER, ALS SIE SICH SELBST KENNEN

Hör' auf, Gelegenheiten mithilfe der B.A.N.T.-Methode zu bewerten. Wie alles andere beim Lösungsorientiertem Verkaufen, so unterscheidet sich auch die Entdeckungsphase völlig von einer herkömmlichen Entdeckung. Der erste große Unterschied, den Du bei diesem Prozess bemerken wirst, ist, dass er nicht mit B.A.N.T. beginnt, um zu bestimmen, ob ein Kontakt eine Chance darstellt oder nicht. B.A.N.T. ist Quatsch. Zur Auffrischung des Gedächtnisses oder für diejenigen unter Euch, die noch nicht davon gehört haben: B.A.N.T. ist ein englisches Akronym für Budget (Etat), Authority (Befugnis), Need (Bedarf) und Timing (Wahl des richtigen Zeitpunkts). Es handelt sich um eine taktische Verkaufstechnik, die Verkäufern beigebracht wird, um sie bei der Qualifizierung einer Verkaufschance zu unterstützen. Das Ziel von B.A.N.T. ist es, Verkäufer davon abzuhalten, Zeit mit Geschäften zu verbringen, die sich nicht zum Abschluss bringen lassen. Das Argument lautet: Wenn es keinen Etat gibt, wenn Du nicht mit jemandem sprichst, der Befugnis hat, wenn es keinen Bedarf für Dein Produkt gibt und der Zeitpunkt nicht richtig ist, dann stellt das auch keine Chance dar. B.A.N.T. ist ein perfektes Beispiel für die Art von taktischem Verkaufstraining, welches das Spiel des Verkaufens nicht verstanden hat und Verkäufer in eine ungünstige Position während des Verkaufs bringt. B.A.N.T. ist veraltet. Es ist egozentrisch. Es ist das totale Gegenteil zu allem, was ich Dir immer gesagt habe.

Sag' mir bitte eines, Herr Verkäufer: Warum sollte jemand auch nur eine einzige Minute damit verbringen müssen, *Dich* davon zu überzeugen, dass er Deiner Zeit wert ist? Dass er qualifiziert ist, bei Dir zu kaufen? Was für ein Scherz! Das ist komplett widersinnig.

Vielleicht glaubst Du, dass B.A.N.T. tatsächlich im Interesse des Käufers ist, weil es Euch beiden nutzt, wenn Du schon im Voraus abschätzen kannst, ob er ein guter Kandidat für Dein Produkt oder Deine Dienstleistung ist. Aber es fehlt Dir hier jegliches Verständnis für die menschliche Natur. Schauen wir uns das mal genauer an:

Etat: Das herkömmliche Qualifizierungsverfahren besagt, dass man sich vergewissern sollte, ob der Käufer das nötige Geld hat, bevor man ihn womöglich mit etwas in Versuchung führt, das er sich nicht leisten kann. Aber ich versichere Dir, wenn Interessenten einen ausreichenden Wert in dem sehen, was Du verkaufst, werden sie das nötige Kleingeld dafür aufbringen. Wenn man das Kundenpotenzial eines Menschen von seinem Etat abhängig macht, geht man davon aus, dass er weiß, dass er ein Problem hat und dass es eine Lösung gibt. In vielen Fällen ist ein Etat lediglich ein Ausgangspunkt. Der Versuch, ein Geschäft auf der Grundlage eines Etats zu beurteilen, bevor die Tiefe und Breite des Nutzwertes ermittelt sind, ist töricht, ja geradezu fatal. Für eine Pille, die Deine Kopfschmerzen verschwinden lässt, zahlst Du höchstens 5 Euro ... solange, bis Du herausfindest, dass die Kopfschmerzen durch einen Tumor verursacht werden und die Pille diesen Tumor beseitigt. Du hast die 5 Euro nicht eingeplant, doch jetzt, wo Du weißt, dass Du anderenfalls sterben wirst, zögerst Du nicht einen Moment, diese 5 Euro auf der Stelle auszugeben. Zum Teufel mit dem "Etat". Die Leute kriegen den Etat für große Lücken zusammen.

Befugnis: Wenn Du nicht gerade ein Produkt für 1.000 Euro oder weniger verkaufst, gibt es so etwas wie einen einzigen Entscheidungsträger heutzutage nicht mehr. Laut Gartner (früher CEB Global) gab es im Jahr 2014 mindestens 6,8 Entscheidungsträger pro B2B-Verkauf.[xi] Was also, wenn die Person, mit der Du gerade sprichst, überhaupt nicht die Person ist, die auf der gepunkteten Linie unterschreiben darf? Ob Dein Interessent die Befugnis hat, Entscheidungen zu treffen oder nicht, ist unerheblich, wenn Du Deine Argumente überzeugend darlegen kannst. Falls er der Überzeugung ist, dass Du ihm einen Nutzen bietest und er nicht in der Lage oder berechtigt ist, die Diskussion fortzusetzen, wird er Dich an die entsprechende Person weiterleiten. Ich meine, wenn wir zusammen abhängen und Du mir erzählst, dass Deine kluge, alleinstehende, skibegeisterte Schwester in meiner Stadt lebt, könnte ich Dich nach ihrer Nummer fragen. Ich spreche nicht direkt mit ihr, aber das Potenzial für etwas Gutes ist vorhanden. Ich wäre ein Narr, wenn ich die Spur nicht weiterverfolgen würde, um zu sehen, wohin sie führt.

Außerdem ist die Annahme, dass eine Person, die nicht der letztendliche Entscheidungsträger ist, nicht auch ein Einflussfaktor sein könnte, ebenso töricht. Heute liegt die Befugnis bei einem Kreis von Beeinflussern, Verfechtern, Mobilisierern und anderen Beteiligten. Du solltest bei Deinem Beurteilungsverfahren nicht nur auf eine Person abstellen.

Bedarf: Die Antwort auf diese Frage dürftest Du bereits kennen. Beim Lösungsorientierten Verkaufen orientieren wir uns nicht auf einen Bedarf hin, sondern es geht um Probleme. Nur weil Kunden *glauben*, dass sie nichts brauchen, heißt das nicht, dass sie tatsächlich nichts benötigen. Alles, was Du brauchst, ist die Möglichkeit zu zeigen, dass das Problem existiert; den Bedarf kannst Du später darlegen. Es ist Deine Aufgabe, auf ein Problem hinzuweisen und dem Käufer dann bei der Bestimmung zu helfen, wie groß oder klein es ist. Besonders erfolgreiche Verkäufer verlassen sich nicht lediglich darauf, dass sie auf einen Bedarf hin reagieren, d. h. etwas zu verkaufen, was der Kunde bereits kennt, oder an Unternehmen zu verkaufen, die bereits wissen, dass sie ein Problem haben. Stattdessen setzen sie darauf, Bedarf zu schaffen, indem sie latente Möglichkeiten aufspüren, bei denen die Kunden gar nicht wissen, dass sie Hilfe brauchen, bis jemand kommt und sie darauf hinweist, wie gefährdet ihr Unternehmen ist.

Bedarf entsteht, wenn man einen Ticketanbieter anruft und fragt, ob er schon einmal darüber nachgedacht hat, seine Ticket- und Kundenmanagement-Systeme zu einem einzigen zusammenzufassen.

Und sie sagen "Nö."

Und Du fragst nach *"Warum nicht?"*

Und sie sagen: "Das brauchen wir nicht. Wir verschicken E-Mails an unsere Kunden, damit sie über alle unsere Shows informiert sind, und unser Online-Ticketing-System funktioniert hervorragend".

Und Du sagst: *"Das ist großartig! "Eine Frage: Wenn jemand ein Ticket kauft, wie wird dann sein Name im Kundenmanagement-System registriert?"*

Und sie sagen:"Wir geben es ein."

Und Du fragst: *"Wie viele neue Leute kommen jedes Jahr zu den Veranstaltungen?"*

Und sie sagen: "Etwa 25 % unserer Kunden sind Erstkäufer."

Und Du fragst: *"Wie viele Tickets verkaufen Sie pro Jahr?"*

Und sie sagen: "Mehr als 100.000."

Und Du fragst: *"Sie geben also jedes Jahr 25.000 Personen manuell in Ihr Kundenmanagement-System ein?"*

Und sie sagen: "Genau."

Und Du fragst: *"Und Sie bezahlen jemanden dafür?"*

Und sie sagen: "Genau."

Und Du fragst: *"Woher weiß die Dateneingabekraft, dass sie den Namen eines erstmaligen Ticketkäufers eingibt?"*

Und sie sagen: "Zunächst gleicht sie die Daten mit unserer aktuellen Datenbank ab, um zu sehen, ob sie eine Veranstaltung besucht haben oder nicht. Wenn sie die Person nicht in der Datenbank findet, kreuzt sie auf dem Formular ein Kästchen an, in dem sie angibt, dass es sich um einen Erstkäufer handelt."

Und Du fragst: *"Hat sie schon einmal vergessen, das Kästchen anzukreuzen?"*

Und sie sagen: "Ja, ständig."

Und Du fragst: *"Und wie erreichen Sie diese Erstkäufer, damit sie zu einer weiteren Ausstellung wiederkommen?"*

Und sie sagen: "Unser Marketing-Mitarbeiter schickt ihnen eine E-Mail, in der er sich für ihre Teilnahme bedankt und kommende Veranstaltungen ankündigt. Wir verschicken auch Werbebriefe."

Und Du fragst: *"Was wäre, wenn ich Ihnen sagen würde, dass ich ein System entwickeln könnte, das Ihre Kunden automatisch in Ihrem Kundenbindungs-Management registriert, wenn sie ein Ticket gekauft haben, automatisch feststellt, dass es sich um Erstkäufer handelt, und diesen Erstkäufern automa-*

tisch eine Dankeschön-E-Mail schickt, in der ihnen ein Rabatt für zukünftige Veranstaltungen angeboten wird, um sie zum Wiederkommen zu bewegen? Würde das etwas an Ihrem Geschäft ändern?"

Und sie sagen: "Heiliger Strohsack. Das können Sie?"

Und Du sagst: *"Vielleicht sollten wir uns noch ein wenig mehr darüber unterhalten."*

Beim Lösungsorientiertem Verkaufen nimmt der Verkäufer seine potenziellen Kunden nie beim Wort, wenn es um ihre Bedürfnisse geht. Auf gar keinen Fall.

Timing: Der richtige Zeitpunkt ergibt sich von selbst. Das Timing ist variabel und kann sich aus einer Reihe von vertriebsbedingten Gründen kurzfristig ändern, z. B. wie gut Du Deine Lösung verkaufst und positionierst, die interne Dynamik und externe Faktoren wie etwa die Wirtschaft oder ein Schachzug der Konkurrenz. Aber auch hier gilt: Nur weil ein Interessent glaubt, dass jetzt kein guter Zeitpunkt für einen Kauf ist, muss er nicht recht haben. Wenn Du ihm dabei helfen kannst, zu erkennen, dass jeder Tag, an dem er ein Problem nicht behebt, es sich in Form von verlorenem Geld, verlorener Zeit, verlorener Effizienz, verlorenem Ansehen oder dem Verlust von etwas anderem Wichtigen nur verstärkt, wird er zu dem Schluss kommen, dass *jetzt* der richtige Zeitpunkt gekommen ist, um das Elend zu stoppen.

Alles, was die B.A.N.T.-Methode herauszufinden hilft, wird während des Entdeckungsverfahrens deutlich werden. Es gibt keinen Grund, sie zur Beurteilung Deines Interessenten zu verwenden.

Die B.A.N.T.-Methode ist ganz einfach unvereinbar mit der gesamten Philosophie des Lösungsorientierten Verkaufens, denn...

Beim Verkaufen geht es nicht um Dich!

und

Beim Verkaufen geht es um Deine Kunden und deren Bedürfnisse.

Wenn Du Deine Interessenten dazu bewegen kannst, sich von Dir helfen zu lassen, weißt Du, dass Du eine konkrete Chance hast. Nun gibt es Leute, die behaupten, es sei verrückt, sich auf den Versuch einzulassen, Interessenten dazu zu bringen, sich von Dir helfen zu lassen, wenn man sich nicht vorher vergewissert hat, ob sie auch tatsächlich geeignet sind oder nicht. Sie haben recht. *Ich sage nicht, dass Du Deine Interessenten nicht prüfen sollst!* Ich will damit sagen, dass Du es anders machen solltest als mit

B.A.N.T. oder irgendeinem anderen Ansatz. Ich meine damit, dass Du die in diesem Kapitel beschriebene Entdeckungsstrategie anwenden solltest, die gleichzeitig eine narrensichere Bewertungsmethode ist, denn es geht ausschließlich um den Kunden und nicht um Dich.

Der Abschluss erfolgt zu Beginn

Dein Produkt oder Deine Dienstleistung ist im Moment nicht wichtig. Absolut. Alles, was Du in dieser Phase des Spiels tust oder sagst, sollte sich voll und ganz auf Deine Kunden beziehen, auf das Verstehen ihrer gegenwärtigen Situation und darauf, herauszufinden, was sie bedrückt. Jeder Schritt des Verkaufs hängt davon ab, dass Du die richtigen Informationen im Rahmen des Entdeckungsverfahrens erlangst. Wie Du in diesem Moment vorgehst, stellt die Weichen für Erfolg oder Misserfolg. Das ist nicht übertrieben. Der Abschluss wird während der Entdeckung gewonnen oder verloren. Wenn Du nicht genügend Informationen bekommst, ein paar wichtige Punkte übersiehst, das Problem falsch diagnostizierst, das Problem falsch einschätzt, den gewünschten künftigen Zustand des Kunden nicht kennst, die Lücke falsch einschätzt – all das und noch einiges mehr vereitelt den Verkaufsabschluss unter Umständen. Der Abschluss wird zu Beginn gewonnen und nicht am Ende.

Erinnernst Du Dich ich an das alte Sprichwort: "Immer schön Abschließen"? ABC – ein bösartiger Alec Baldwin schreibt es auf eine Kreidetafel in der Filmversion von *Glengarry Glen Ross*, in der gleichen Szene, in der er den ehemaligen Verkäufer Jack Lemon anbrüllt: "Stell. Den Kaffee. Weg ... Kaffee ist nur für diejenigen, die abschließen." Naja, diese Szene ist ein Scherz. Im wirklichen Leben ist der Abschluss keine große Sache. Er ist nichts, was man am Ende des Verkaufs macht. Er ist nichts, was man mit einem Interessenten macht. Ich wiederhole es: Du schließt nicht mit Interessenten ab. Die bisherige Vorstellung, dass gute Abschließer auch gute Verkäufer sind, ist Unsinn, zumindest im herkömmlichen Sinne. Abschlusstechniken wie der annahmebasierte Abschluss, der Optionsabschluss, der Dringlichkeitsabschluss – all diese Abschlusstechniken sind reine Zeitverschwendung. Sie dienen nur dazu, sich selbst in den Vordergrund zu stellen, und sind nicht auf den Kunden oder Interessenten ausgerichtet. Und was noch schlimmer ist: Sie funktionieren nicht.

In seinem Blogbeitrag mit dem Titel *Abschlusstechniken im Vertrieb sind tot – hier ist der Grund* veröffentlichte Chris Orlob, Senior Direktor in Produkt-Marketing bei Gong.Io, die Ergebnisse einer Analyse, die sein Unternehmen bei mehr als einer Million Verkaufsgesprächen durchgeführt hat. Weißt Du, was sie festgestellt haben? Die Abschlussgespräche klangen im Wesentlichen gleich, unabhängig davon, ob der Verkäufer das Geschäft abschließen konnte oder es verlor. Die Entdeckungsanrufe wiesen jedoch enorme Unterschiede auf, vor allem in Bezug auf das so genannte "Verhältnis zwischen Reden und Zuhören." Bei den Erkundungsgesprächen, die zu Geschäftsabschlüssen führten, verbrachten die Verkäufer mehr als die Hälfte ihrer Zeit mit Zuhören, während ihre Kunden sprachen. Das Gegenteil war der Fall bei Erkundungsgesprächen, die zu nicht zustande gekommenen Geschäften führten. Bei diesen Gesprächen redeten die Käufer nur 28 % der Gesprächsdauer, während die Verkäufer fast 80 % der Zeit sprachen! Andere Daten zeigten, dass "zu Beginn des Verkaufszyklus eine lineare Beziehung zwischen der Anzahl der Fragen, die Verkäufer stellen, und der Wahrscheinlichkeit eines Geschäftsabschlusses besteht." [xii] Hast Du das verstanden? Je mehr Fragen Du zu Beginn des Verkaufszyklus stellst, desto größer ist die Chance, dass der Vertrag zustande kommt. Der Abschluss erfolgt insofern zu Beginn und *nicht* am Ende. Beim Lösungsorientierten Verkaufen geht es darum, Fragen zu stellen, um zu gegenwärtigen und künftigen Zuständen zu gelangen. Das lässt sich nicht einfach mit ganz wenigen Fragen bewerkstelligen. Verkäufer werden fast immer mehr Fragen beim Lösungsorientiertem Verkaufen stellen als solche Verkäufer, die herkömmliche Verkaufstechniken anwenden. Das müssen sie auch. Lösungsorientiertes Verkaufen erfordert dies, und die Daten belegen es.

Denke stets daran, dass es bei der Ermittlung des derzeitigen Zustands Deiner Interessenten darauf ankommt, dass Du Deine Fragen problemorientiert (und nicht produktorientiert) stellst und Deine Kunden so viel wie möglich zum Reden bringst. Du solltest Deine Kunden dazu animieren, sich mit Dir auszutauschen und über ihre Welt zu sprechen, nicht über Deine. Zeige ihnen, dass die Dir wurscht ist. Sie sollen die Tür öffnen, damit Du Deine erste Sondierungsarbeit leisten kannst. Sie müssen sich ohne Deckung zeigen. Bringe sie dazu, sich zu öffnen, damit sie Dir helfen können, ihnen zu helfen.

ERST DAS PROBLEM ERKENNEN, DANN ANSPRECHEN

Wie in Kapitel 3 erläutert, besteht Dein erster Schritt zur Ermittlung des aktuellen Zustands Deines Kunden darin, ein Diagramm zur Problemidentifizierung zu erstellen, in dem alle potenziellen Probleme, die Du lösen kannst, die verschiedenen Auswirkungen dieser Probleme auf das Geschäft Deines Kunden sowie ihre Ursachen aufgeführt sind. Du musst zunächst diese wichtige Vorarbeit leisten, bevor Du überhaupt daran denken kannst, einen Interessenten anzusprechen. Eine Reise ins Unbekannte würdest Du nicht ohne Karte antreten, oder zumindest nicht ohne ein aufgeladenes Handy, auf dem eine gute GPS-App installiert ist. Dieses Diagramm wird Dir auf Deiner Reise durch die Welt Deiner Kunden als Wegweiser dienen. Wenn Du alle möglichen Probleme, mit denen Deine Interessenten zu kämpfen haben könnten, bereits im Vorfeld identifiziert hast, weißt Du, worauf Du Deine Fragen richten musst. Indem Du diese Informationen aufschreibst, bevor Du sie brauchst, kannst Du vermeiden, ihnen vage Fragen zu stellen, und stellst sicher, dass Du Deine Kunden auf Probleme hinweist, bei deren Lösung Du ihnen tatsächlich helfen kannst, während Du daran arbeitest, ihren gegenwärtigen Zustand zu verstehen.

Mit Problemen, die Du nicht lösen kannst, vergeudest Du nur Deine Zeit. Glaubst Du denn wirklich, dass Unternehmensgründer, wenn sie in ihren gemieteten Garagen oder beim Gedankenaustausch an der Bar herumtüfteln, etwa die Details der Funktionen ihrer geplanten Produkte oder Dienstleistungen besprechen bzw. auf ihre Tafeln oder Cocktailservietten schreiben? Zum Teufel, nein. Sie maulen vielmehr über die Probleme, die sie so sehr nerven, und schreiben dann auf, wie sie sie lösen wollen. Du musst die Denkweise eines Firmengründers an den Tag legen, wenn Du darüber nachdenkst, warum jemand bei Dir kaufen sollte. Du musst in der Lage sein, die Lücke am Ende dieses Satzes zu füllen: "Der Grund, warum es mein Produkt oder meine Dienstleistung gibt, ist _____." Greife nicht zum Telefon oder schreibe keine E-Mail an einen Kunden, ohne Dir erst einmal diesen ganzen Mist aufzuschreiben.

Zuerst solltest Du eine Liste aller potenziellen Probleme erstellen, mit denen Deine Kunden möglicherweise konfrontiert sind und die Du lösen könntest. Als Beispiel möchte ich Dir eine Tabelle zur Problemerkennung vorstellen, die sich auf Verkaufsberatung konzentriert. Du kannst sie mit Deinen eigenen Kunden ausfüllen.

PROBLEM	AUSWIRKUNGEN AUF DIE ORGANISATION	WAS ICH ÜBER DAS PROBLEM WEISS
NIEDRIGE ABSCHLUSSRATEN		
UMSATZRÜCKGANG		
SCHWACHE GENERIERUNG VON KONTAKTEN UND NEUKUNDEN		

Als nächstes solltest Du die Spalte für die Auswirkungen ausfüllen. Welche möglichen Auswirkungen könnten all diese Probleme, die Du soeben aufgezählt hast, auf einen Kunden haben?

PROBLEM	AUSWIRKUNGEN AUF DIE ORGANISATION	WAS ICH ÜBER DAS PROBLEM WEISS
NIEDRIGE ABSCHLUSSRATEN	Hohe Verkaufskosten, langsames Umsatzwachstum, weniger Kunden, weniger Umsatz, geringere Rentabilität, erhöhter Druck auf die Basis, nutzlose Kontakte, verpasste Chancen Schwäche gegenüber Mitbewerbern, usw.	
UMSATZRÜCKGANG	Umsatzrückgang, niedrigere Gewinnspannen, Liquiditätsprobleme, mangelnde Investitionsfähigkeit in Produkt- oder anderen Bereichen Entlassungen, Anstieg der Verkaufskosten, erhöhter Wettbewerbsdruck, starke Abwanderung, usw.	
SCHWACHE GENERIERUNG VON KONTAKTEN UND NEUKUNDEN	Langsames Wachstum, nicht erreichte Verkaufsquoten schwache Vertriebskette, erhöhte Verkaufskosten, Druck auf das Marketing, Streit mit dem Marketing, starke Abhängigkeit von der Basis, einseitige Ausrichtung, erhöhter Druck in Bezug auf Geschäftsabschlüsse, Verbesserung der Abschlussquoten, usw.	

Schließlich listest Du die Ursachen für all diese Probleme auf. Denke daran, dass Du hier Deine Glaubwürdigkeit und Deine Kompetenz zeigen kannst. Wie wir festgestellt haben, wird die Hälfte Deiner Kunden wohl nicht einmal wissen, dass sie überhaupt ein Problem haben. Wenn Du sie also gleich zu Beginn auf ein wichtiges Thema stoßen kannst, werden sie beeindruckt sein und erwägen, Dir vielleicht doch zuzuhören. Doch Du solltest betonen, dass Du nicht nur das Problem identifizieren, sondern auch die Lösung finden und anbieten kannst. Jetzt hast Du Glaubwürdigkeit. Außerdem hast Du Dich sich selbst – und das Produkt oder die Dienstleistung, welche Du zu verkaufen versuchst – gerade als immens wertvolle Ressource positioniert.

PROBLEM	AUSWIRKUNGEN AUF DIE ORGANISATION	WAS ICH ÜBER DAS PROBLEM WEISS
NIEDRIGE ABSCHLUSSRATEN	Hohe Verkaufskosten, langsames Umsatzwachstum, weniger Kunden, weniger Umsatz, geringere Rentabilität, erhöhter Druck auf die Basis, nutzlose Kontakte, verpasste Chancen Schwäche gegenüber Mitbewerbern, usw.	Mögliche Ursachen sind ein schwaches Verkaufsteam, mangelnde Schulung, schlechte Vertriebsförderung, schlechte Geschäftsstrategien, schlechtes Verkaufsmanagement, Probleme beim Produkt, mangelndes Verständnis des Zielkunden, schlechtes Marketing, falsches Zielgruppenmarketing, usw.
UMSATZRÜCKGANG	Umsatzrückgang, niedrigere Gewinnspannen, Liquiditätsprobleme, mangelnde Investitionsfähigkeit in Produkt- oder anderen Bereichen Entlassungen, Anstieg der Verkaufskosten, erhöhter Wettbewerbsdruck, starke Abwanderung, usw.	Mögliche Ursachen sind ein schlechtes Vertriebsmanagement, mangelnde Schulung, ein falsches Produkt, ein falsches Vertriebsteam mit falschen Vertriebsfähigkeiten, Marktverschiebungen, fehlende Prozesse, schlechte Prognosen, falsch ausgerichtete Anreize und eine verfehlte Provisionsstruktur, eine schwache Unternehmenskultur, mangelnde Planung, usw.
SCHWACHE GENERIERUNG VON KONTAKTEN UND NEUKUNDEN	Langsames Wachstum, nicht erreichte Verkaufsquoten schwache Vertriebskette, erhöhte Verkaufskosten, Druck auf das Marketing, Streit mit dem Marketing, nicht genügend neue Marken, starke Abhängigkeit von der Basis, einseitige Ausrichtung, erhöhter Druck in Bezug auf Geschäftsabschlüsse, Verbesserung der Abschlussquoten, usw.	Dies ist das Ergebnis eines schwachen Vertriebsteams, der Unfähigkeit des Teams, das Problem zu diagnostizieren, des mangelnden Verständnisses von Lösungsansätzen und des Kundenumfelds, eines schlechten oder fehlenden Marketings, des mangelnden Marktverständnisses, eines schwachen Wertversprechens, einer falschen Struktur des Vertriebsteams (gleichzeitige Ausrichtung auf Bestand und Neugeschäft), einer ungünstigen Vergütungsstruktur, usw.

Glaube nicht, dass Du warten musst, bis Du mitten in einer Entdeckungsfragerunde steckst, um ein Gefühl des Vertrauens aufzubauen und zu beweisen, dass Du genauso viel über die Branche weißt wie Deine Kunden, wenn nicht sogar mehr. Fülle eine Problemerkennungstabelle aus, und schon hast Du damit begonnen, die nötigen Grundlagen im Vorfeld zu schaffen.

Jetzt kannst Du mit Deiner Entdeckung beginnen. Während des gesamten Prozesses wirst Du verschiedene Arten von Fragen stellen:

Sondierend: Dies sind offene Fragen, die auf bestimmte Details abzielen

Verfahrensbezogen: Dies sind offene Fragen, die nach dem "Wie?" fragen

Provozierend: Dies sind offene Fragen, die den Kunden sanft dazu bringen, seinen gegenwärtigen Zustand aus einer neuen Perspektive zu betrachten

Bewertend: Fragen, die nicht offen sind! Sie erlauben Dir, die gesammelten Informationen nochmals zu überprüfen, um sicherzugehen, dass Du alles richtig verstanden hast, was der Kunde Dir gesagt hat.

1. ENTDECKE DIE FAKTEN

Du fängst damit an, so viele **sondierende Fragen** wie möglich zu stellen, und während Du die Antworten notierst, drängst Du weiter auf all die Details, die Deine potenziellen Kunden von sich aus wahrscheinlich nicht preisgeben würden. Das Ziel in dieser Anfangsphase ist es, alle konkreten, physischen Fakten über das Unternehmen und Deinen Kunden zu erfassen. Wenn Dein Kunde Geschäftsführer eines Theaters ist und Du Software für den Kartenverkauf anbietest, könnte Deine Frage in etwa so lauten:

Wie viele Veranstaltungen finden bei Ihnen statt? Wie viele Säle betreiben Sie? Wie viele Sitzplätze hat jeder Veranstaltungsort? Wieviele insgesamt? Wie viele Tickets haben Sie durchschnittlich pro Jahr? Wie viele Mitgliedschaften führen Sie?

Wie hoch ist die durchschnittliche Spende für gemeinnützige Organisationen? Wie viele Mitarbeiter haben Sie im Marketing und an der Kasse? Können Sie den Unterschied zwischen Erstkäufern und regelmäßigen Besuchern erkennen? Steigt oder sinkt der Kartenverkauf? Sind alle Ihre Vorstellungen ausverkauft? Wie hoch ist die Besucherzahl bei Ihren Vorstellungen? Wer ist der durchschnittliche Besucher? Wie sieht die Altersstruktur aus?

Die Palette der möglichen Fragen ist nahezu unbegrenzt.

Das ist die Art von Informationen, die Du gerne hättest, aber Du wirst die Fragen so nicht stellen, es sei denn, Du willst wie ein Geheimdienstmitarbeiter beim Verhör klingen. Niemand wird gerne ins Kreuzverhör genommen. Stattdessen solltest Du "Wörter zur Schaffung eines Kontrollgefühls" verwenden, wie sie die Verkaufsberaterin und Autorin Deb Calvert nennt:

"Erzählen Sie mir etwas über die Veranstaltungen, die Sie organisieren."

"Helfen Sie mir zu verstehen ..."

"Könnten Sie bitte beschreiben ...?"

"Könnten Sie mir Folgendes näher erklären ...?

Anstatt zu fragen "Wie erreichen Sie Ihre Kunden?", könntest Du sagen: "Schildern Sie mir doch bitte, wie sie Erstkäufer von Eintrittskarten ansprechen." Oder "Helfen Sie mir, Ihre Ticketkäufer-Zielgruppe zu verstehen und wie Sie sie erfassen." Indem Du Fragen in dieser Art und Weise stellst, lädst Du zu viel tieferen und komplexeren Gesprächen ein, die sich nicht wie Verhöre anfühlen werden. Dies solltest Du in Erinnerung haben, wenn wir die Fragetechniken durchgehen. Jedes Mal, wenn Du nach Informationen fragst, sollte es sich wie ein freundliches Gespräch anfühlen. Mit diesen Formulierungen vermeidest Du, dass Deine Kunden das Gefühl haben, von Dir bedrängt zu werden, und gibst ihnen stattdessen ein Gefühl der Kontrolle. Das Buch *Discover Questions Get You Connected* (Entdeckende Fragen schaffen eine Verbindung) von Deb Calvert ist eine großartige Lektüre.

Neben sondierenden Fragen solltest Du **verfahrensbezogene Fragen** stellen, die versuchen, Informationen darüber zu erhalten, wie Deine Kunden das tun, was sie tun. Wenn Du Dich zum Beispiel an ein gemeinnütziges Theater wendest, das Theaterstücke und Tanzaufführungen anbietet, könntest Du sagen (natürlich unter Verwendung von Wörtern zur Schaffung eines Kontrollgefühls):

> *"Erzählen Sie mir von Ihrem Verfahren für den Kartenverkauf". "Erzählen Sie mir von Ihrem Verfahren für das Marketing gegenüber den derzeitigen Förderern." "Erläutern Sie, wie Sie Ihre größten und kleinsten Sponsoren ermitteln." "Helfen Sie mir, Ihr Berichtsverfahren zu verstehen."*

Denke daran, dass es bei Fragen zu Verfahren nicht nur um übergreifende Antworten geht, sondern auch um die konkreten Schritte, wie sie ausgeführt werden. Wenn Du beispielsweise einen Interessenten bittest, Dir zu erklären, wie sein Marketing für Erstkäufer von Eintrittskarten abläuft, wird er Dir vielleicht sagen, dass er ihnen nach der Vorstellung eine E-Mail schickt und dann ein Flugblatt per Post nachreicht. Das sind wertvolle Informationen, aber sie sind nicht auf der Verfahrensebene angesiedelt. Die Verfahrensebene erklärt die taktischen Details, etwa so:

> "Wir übernehmen die Namen manuell aus einer Excel-Tabelle und Martin lädt sie dann in eine Online-E-Mail-Anwendung. Dort kreuzen wir das Kästchen "Erstkäufer von Eintrittskarten" an und senden ihnen eine E-Mail. Wir drucken dann die Namen aus, und Jennifer versieht für jeden neuen Ticketkäufer eine Broschüre mit einem handschriftlichen Etikett. Dann ..."

Achte auf die Detailtiefe hier. Wenn Dein Produkt diesen Prozess vereinfacht, solltest Du jetzt schon beim Interessenten das Wasser im Munde zusammenlaufen lassen. Ohne diese Art von Verfahrensfragen zu stellen, können wir nicht herausfinden, wie und wo Du einen Nutzen erbringen kannst. Verfahrensfragen zu stellen, bringt den Entdeckungsprozess auf eine deutlich höhere Ebene der Erkenntnis.

2. Entdecke die Probleme

Nachdem Du sämtliche Fakten über die aktuelle Situation zusammengetragen hast und Dir vollkommen klar ist, was in der Organisation Deines potenziellen Kunden vor sich geht, sollten sich die Probleme zu zeigen beginnen.

So hat Deine Kundin zum Beispiel verraten, dass ihr Unternehmen auf vier Regionen verteilt ist, die jeweils von einem Geschäftsführer geleitet werden. Wenn Du diese Tatsache erfährst, könntest Du fragen, wie sie alle Daten aus den jeweiligen Regionen an einem Ort sammelt:

"Das können wir nicht. Zumindest nicht durchgehend." Da haben wir es. Problem Nr. 1 Jetzt solltest du weitere Fragen stellen, denn von hier an wird es nur noch besser.

"Wie schaffen Sie nun Konsistenz innerhalb des Verkaufsteams? Wie bekommen Sie einen Überblick über die Leistung des Teams?"

"Das können wir auch nicht." Problem Nr. 2

"Machen Sie sich Sorgen um das Erreichen Ihres 110-Millionen-Euro-Ziels, wenn Sie kein System zur Schaffung einer Umgebung haben, die sicherstellt, dass alle Ihre Teams auf dem gleichen Niveau arbeiten?"

"Genau."

Das ist wirklich groß: Problem Nr. 3 Mach' weiter.

"Sie sagten, dass Sie in Ihrem Verkaufsteam unterschiedliche Erfahrungsniveaus haben. Wie wirkt sich das auf Ihre Fähigkeit aus, die Quote zu erfüllen?"

"Manchmal schaffen wir es nicht." Problem Nr. 4

"Wie wirkt sich das auf Ihre Fähigkeit aus, zu planen?"

"Wir sind unglaublich unberechenbar." Problem Nr. 5

"Wenn Sie unberechenbar sind, wie können Sie dann planen?"

"Es ist wirklich schwierig." Problem Nr. 6

Oh, sieh nur, mit welchen Problemen dieser Verkaufsleiter konfrontiert ist! Ein Vertriebler, der diese Probleme beheben kann, sollte jetzt mit den Hufen scharren.

Im besten Fall kann diese Art der Befragung dazu führen, dass Du auf ein Problem hinweist, das Dein Kunde vielleicht noch gar nicht erkannt hat. Nehmen wir zum Beispiel an, Du führst ein Gespräch mit dem Fußballtrainer eines Gymnasiums, der immer wieder verliert, und bei Deiner Untersuchung findest Du heraus, dass er mit mehreren Problemen zu kämpfen hat: #Nr. 1: Die Kinder in seinem Team sind langsam, übergewichtig und klein; Nr. 2: Dies ist sein erstes Jahr als Fußballrainer, nachdem er zuvor Schwimmteams trainiert hatte; Nr. 3: Viele Kinder verletzen sich; Nr. 4: Sein Team verliert viele Spiele. All diese Informationen sind äußerst hilfreich. Aber dann merkst du, dass Du vergessen hast, nach einer wesentlichen Tatsache zu fragen:

"Wie viele Spieler gehören zu Ihrem Team?"

"Zwölf."

Mit diesen Informationen als Leitfaden würde es nicht lange dauern, um Problem Nr. 5 herauszufinden, das darin liegt, dass der Trainer nicht nur Spiele verliert, sondern oft aufgeben muss, weil er, wenn sich zwei Kinder verletzen – und die Kinder in seinem Team verletzen sich häufig –, nicht mehr die Mindestanzahl an Spielern hat, um das Spiel fortsetzen zu können. Was sonst verrät Dir die Anzahl der Kinder in der Mannschaft noch? Problem Nr. 6, der Trainer hat Schwierigkeiten bei der Spielergewinnung. Dann könntest Du eine abschließende Frage stellen:

"Wie viele Sportler entscheiden sich gegen Ihre Schule, weil die Fußballmannschaft so schlecht ist?"

Das ist etwas, woran der Trainer noch gar nicht gedacht hat, also überprüft er die Schülerzahlen und muss dabei feststellen, dass sie rückläufig sind. Und im Kommentarbereich der Formulare, in denen die Teilnehmer ihre Gründe für oder gegen einen Besuch der Schule angeben können, sieht er das Problem Nr. 7: Eine Reihe von Schülern gab an, dass ihre Entscheidung gegen die Schule durch den kläglichen Zustand der Leichtathletikabteilung beeinflusst wurde. Siehst Du, wie die Entdeckung eine Menge Probleme aufzeigen kann, und zwar auch Probleme, die der Trainer oder der Käufer selbst nicht gesehen hat?

Achte während des Entdeckungsprozesses auf Lücken, die auf potenziell schwache Geschäftsprozesse und verpasste Chancen hindeuten, damit Du später in der Lage bist, einige alternative, bessere Optionen vorzuschlagen. Nur wenn Du das Geschäft des Kunden von Grund auf verstehst, kannst Du ihm zeigen, dass Du Dich durch Dein Fachwissen und Deine Erfahrung mit anderen Kunden von allen anderen Verkäufern unterscheidest, an die er sich wenden könnte.

Achte besonders darauf, denn in 99 % der Fälle ist es die Fähigkeit Deines Produkts, diesen Prozess zu verbessern, die den Wettbewerbswert des Produkts ausmacht. Das Verständnis der Abläufe bei Deinen Kunden wird sich auch als äußerst hilfreich erweisen, wenn Du auf Einwände von Kunden stößt, was wir im 12. Kapitel ausführlich behandeln werden.

OFFENE ANTWORTEN VERBANNEN

Die Frage, wie Du Deinen Kunden oder Interessenten dazu bringen kannst, konkret zu werden, wird in traditionellen Verkaufstrainings allzu oft übersehen. Offene Antworten sind inakzeptabel. Offene Antworten sind unbestimmte Antworten. Unklare Antworten. Antworten, die Rätsel aufgeben. "Wir wachsen nicht schnell genug" ist einfach keine ausreichende Information, mit der Du beim Lösungsorientierten Verkaufen arbeiten kannst. Sie ist zu offen für Auslegungen. Was ist "schnell genug"? Deine Vorstellung von "schnell genug" und die Deines Interessenten sind vielleicht völlig unterschiedlich. Übe Dich darin, jedes Mal, wenn Du eine faule, vage, offene Antwort wie "Wir müssen mehr Mitarbeiter einstellen" oder "Ich möchte den Umsatz steigern" hörst, das Gespräch zu unterbrechen und den Interessenten zu veranlassen, präzise zu formulieren, was er meint. Du wirst ihm wahrscheinlich dabei helfen müssen, etwa so:

Einkäufer: Wir wachsen nicht schnell genug.

Du: *Definieren Sie das für mich? Was bedeutet "schnell genug" für Sie?*

Einkäufer: Wir wachsen nur um 22 %. Wir müssen 25 % erreichen.

Aha! Jetzt hast Du das Problem konkretisiert. "Genug" ist nicht genug. In diesem Fall entspricht "genug" 3 % mehr. Du musst die Leute dazu bringen, konkret zu werden, denn offene Antworten sagen nicht genug über das Problem aus, um eine Lösung entwickeln zu können.

Mit jeder Frage, die Du stellst, erhältst Du mehr Daten, die Dir eine weitere Möglichkeit bieten, die möglichen negativen Folgen für das Umfeld

Deiner Kunden zu extrapolieren, sofern sich die Dinge nicht ändern. Mit jeder Antwort vertieft sich Dein Verständnis des gegenwärtigen Zustands.

PROBLEME NICHT NUR FINDEN, SONDERN JAGEN

Wenn Du Dich mit einer Problemerkennungstabelle auf Deine Entdeckung vorbereitest, wirst Du bereits wissen, welche Probleme Dein Kunde wahrscheinlich hat, bevor Du Deine E-Mail schreibst oder zum Telefon greifst. Vielleicht liegt es am mangelnden Generieren von Kundenkontakten, an niedrigen Abschlussquoten oder an langen Verkaufszyklen. Das hier ist nicht schwer: mehr geplatzte Verkäufe, als ihnen lieb sein mag. Nimm Dir beim ersten Kontakt mit Deinem Kunden über E-Mails und Sprachnachrichten einen Moment Zeit, um diese potenziellen Probleme zu beschreiben, und bitte darum, ihm einige Ideen zu ihrer Lösung vorstellen zu dürfen. Wenn er damit einverstanden ist, das Gespräch fortzusetzen, weißt Du auf Anhieb, dass Du einen Nerv getroffen hast.

Nehmen wir einmal an, Du möchtest mit dem Hotelmanager sprechen, den wir im 4. Kapitel als Beispiel verwendet haben. Aufgrund Deiner Vorarbeit, in der Du die Probleme, Auswirkungen und Grundursachen aufgelistet hast, die wahrscheinlich den aktuellen Zustand Deines Kunden beeinflussen, weißt Du bereits im Voraus, welche Probleme im Hotelmanagement Du lösen kannst. Nehmen wir an, Du hast eine niedrige Hotelauslastung als das Problem ausgewählt, das am ehesten auf diesen bestimmten Käufer zutrifft. Fang' damit an. Wenn Du richtig liegst und es sich tatsächlich um ein Problem handelt, mit dem Dein Kunde zu tun hat, wird er gerne mit Dir reden wollen.

Wenn Du nun mit dem Manager ins Gespräch kommst und Deine Glaubwürdigkeit aufbaust, lädt er Dich ein, tiefer zu graben, wodurch Du erfährst, dass er zusätzliche Probleme hat, wie z. B. Schwierigkeiten, Konferenzbuchungen anzuziehen, Einnahmen zu erzielen, den Erwartungen des Unternehmens zu genügen, die Mitarbeiterbindung aufrechtzuerhalten und Kundendienststandards aufrechtzuerhalten. Du wirst sehen, dass Du fast alle diese Probleme ebenfalls beheben kannst. Klasse! Aber nicht zu stürmisch. Selbst wenn Du Dir ziemlich sicher bist, dass Du die Antwort auf die Träume Deines Käufers in Händen hältst, ist jetzt nicht der richtige Zeitpunkt für die große Enthüllung. Stattdessen solltest Du dieses Vertrauen weiter aufbauen und jede Gelegenheit nutzen, um zu demonstrieren, wie viel Du über das Geschäft Deines Kunden weißt. Geduld ist das A und O. Überstürze den Verkauf nicht. Es bleibt noch viel Zeit zum Verkaufen. Geh' tiefer.

3. ENTDECKE DIE AUSWIRKUNGEN

Als Nächstes solltest Du, immer noch ohne irgendeine Wertung vorzunehmen, weiterführende Fragen stellen, um den derzeitigen Zustand Deines Kunden zu ermitteln und herauszufinden, wie sich die von Dir erkannten Probleme auf sein Geschäft auswirken. Außerdem solltest du viele **provozierende Fragen** stellen, die Deinem Kunden helfen, über das Offensichtliche hinauszublicken, tiefer über das Problem nachzudenken oder aus seiner Routine herauszukommen. Provozierende Fragen sollen den Käufer nicht nur herausfordern, sondern ihn dazu bringen, über seine Probleme auf neue Weise nachzudenken. Einige provozierende Fragen, die Du ausprobieren könntest:

Was geschieht, wenn Sie ...?

Ist es schon einmal vorgekommen, dass ...?

Was glauben Sie, würde passieren, wenn Sie X täten?

Diese Fragen sollen Deine Kunden herausfordern, nicht nur zu bewerten, was passiert, sondern auch warum es passiert. Auf diese Weise regst Du den Käufer dazu an, über eine Situation nachzudenken, die vielleicht noch kein Problem darstellt, aber Teil seiner künftigen Situation werden könnte. Und anstatt zu riskieren, dass er das Gefühl hat, dass Du Deine Nase in seine Unwissenheit steckst, hast Du es so angestellt, dass er das Gefühl hat, die Ursache selbst entdeckt zu haben, wodurch er eher geneigt sein wird, das Problem beheben zu wollen.

Wenn Du Deine Kunden dazu anleitest, die Auswirkungen verschiedener Probleme auf ihr Geschäft zur Kenntnis zu nehmen, ist das nicht nur eine weitere Entdeckungstour, sondern zwingt sie dazu, die Dringlichkeit zu erkennen, mit der sie diese Probleme angehen sollten. Das ist sehr wichtig, denn Du kannst auf so viele Probleme hinweisen, wie Du willst, doch solange Kunden nicht sehen, wie sich das negativ auf ihr Geschäft auswirkt, ist es für sie einfach, die Probleme beiseite zu schieben und sich erst später damit zu befassen. Aus den Augen, aus dem Sinn, als seien sie ein gutartiger Tumor, der keine Gefahr für die Gesundheit darstellt. Wenn Du erreichen möchtest, dass die Käufer Deine Lösungen jetzt kaufen, musst Du ihnen die Augen über die Bösartigkeit öffnen. Das heißt, Du musst den Schaden aufzeigen, den die Probleme heute schon anrichten, und die schwerwiegenden Folgen, die folgen werden, wenn sie nicht bald beseitigt werden.

Panikmache kommt bei niemandem gut an, also erzähle Deinen Kunden lieber keine schlechten Nachrichten. Stattdessen solltest Du es ihnen überlassen, den Schaden selbst zu erkennen. Auch hier verwendest Du Wörter zur Schaffung eines Kontrollgefühls:

"Sagen Sie mir, wie sich dieses Problem auf Sie auswirkt." "Beschreiben Sie die Auswirkungen, die es auf Ihre Abteilung hat." "Welche Folgen hat es, wenn dieses Problem auftritt?"

Nehmen wir an, Du stellst bei Deinem Gespräch mit dem Leiter eines Ticketverkaufsunternehmens fest, dass das Unternehmen Schwierigkeiten hat, regelmäßig mit seinen Stammkunden zu kommunizieren. Du solltest nachfassen:

"Erzählen Sie mir, wie es sich ausgewirkt hat, dass Sie nicht regelmäßig mit Ihren Kunden kommunizieren konnten."

Dein Käufer antwortet: "Aber klar. Unsere Umsätze sind stark rückläufig."

Halt!

Das ist eine klassische Antwort mit offenem Ende, und wie wir bereits besprochen haben, sind beim Lösungsorientierten Verkaufen keine offenen Antworten akzeptiert. Was machst Du also? Du stellst eine klärende Frage.

"Hm. Was ist 'stark rückläufig' für Sie?"

"Nun, vor zwei Jahren hatten wir 4 Mio. Euro. Dieses Jahr werden wir kaum 3,5 Mio. Euro erzielen."

Da haben wir es. Das Problem ist die mangelnde Kommunikation mit den Kunden, was zu Umsatzeinbußen von einer halben Million

Euro führt. Das ist ein Problem, das jemand beheben wollen wird.

GESCHÄFTLICHE PROBLEME UND TECHNISCHE PROBLEME

Es gibt zwei Arten von Problemen: technische Probleme und geschäftliche Probleme. Technische Probleme beziehen sich auf die Technologie oder die zugrunde liegenden Prozesse, die das Unternehmen antreiben und seinen Betrieb unterstützen. Technische Probleme behindern einen effizienten Betrieb des Unternehmens: Eine Datenbank, die nicht genügend Informationen bereitstellt. Ein veraltetes Bestandsverwaltungssystem. Ineffektive Berichtssysteme. Bei diesen Fragen handelt es sich um technische Probleme. Die Auswirkungen von technischen Problemen auf das Unternehmen sind das Problem des Unternehmens. Eine Datenbank, die nicht genügend Informationen weitergibt (technisches Problem), zwingt das Unternehmen dazu, zusätzliche Mitarbeiter einzustellen, die jeden Monat manuell Berichte erstellen, was zusätzliche Kosten in Höhe von monatlich 20.000 Euro verursacht. Das ist ein geschäftliches Problem. Ein veraltetes Verwaltungssystem, das die Bestände an verschiedenen Standorten nur unzureichend erfasst (technisches Problem), führt dazu, dass das Unternehmen jährlich Millionen von Euro für verschwendete Bestände ausgibt und 3 Millionen Euro an entgangenen Umsätzen verzeichnet, weil es nicht die richtigen Produkte auf Lager hat. Das sind geschäftliche Probleme.

Das Problem ist, dass sich die meisten Verkäufer auf die Lösung technischer Probleme konzentrieren, obwohl es die geschäftlichen Probleme sind, welche die eigentliche Kaufmotivation des Kunden ausmachen und zu den größten Lücken führen. Dein Kunde stellt vielleicht fest, dass er über unterschiedliche Systeme verfügt, wodurch die gemeinsame Nutzung von Informationen innerhalb des Unternehmens erschwert wird (technisches Problem). Deine Software ist bekannt für ihre Fähigkeit, Informationen nahtlos im gesamten Unternehmen auszutauschen, daher ist es naheliegend, dass die meisten Deiner Interessenten dieses technische Problem haben. Das technische Problem ist nicht ausschlaggebend für den Verkauf; es ist der Einstieg in das Gespräch. Das geschäftliche Problem ist das, was den Verkauf vorantreiben wird, also solltest Du es verstehen und wissen, wie es sich im Unternehmen Deines Käufers konkret darstellt. Kein Interessent wird *jemals* das gleiche Problem wie ein anderer haben. Das ist unmöglich. Deine Interessenten mögen die gleichen technischen Probleme haben, aber niemals die gleichen geschäftlichen Probleme.

Stell' Dir vor, Du verkaufst eine Software zur öffentlichen Sicherheit an die Polizeibehörde einer Stadt. Ein wahrscheinliches technisches Problem wäre die unzuverlässige und unvollständige Kommunikation zwischen den verschiedenen Befehlsketten. Wenn Du indes die richtigen Fragen in der richtigen Reihenfolge stellst, könntest Du auch herausfinden, dass ernsthafte geschäftliche Probleme, die aus dem Mangel an Kommunikation resultieren, derzeit nicht nur die Polizei, sondern auch die Stadt als Ganzes betreffen – Probleme wie zunehmende Bandengewalt und eine sinkende Verurteilungsrate. Das technische Problem, nicht über verschiedene Befehlsketten hinweg kommunizieren zu können, ist lästig und frustrierend; die Schwere des geschäftlichen Problems – zunehmende Bandengewalt und sinkende Verurteilungsraten – ist gravierend und wird den Verkauf vorantreiben.

Das geschäftliche Problem liefert die Motivation für Veränderung. Du suchst nach einem Ergebnis der Kategorie "Heiliger Strohsack". Es ist nicht der Tumor, der die Menschen motiviert, alles zu unternehmen, um Heilung zu finden. Ein gutartiger Tumor ist belastend, möglicherweise schmerzhaft und auf jeden Fall beunruhigend. Aber ein bösartiger Tumor? Die meisten Menschen würden alles tun, um Heilung zu erlangen, denn die Auswirkungen – das geschäftliche Problem – könnten fatal sein. Und für viele ist nicht die Krankheit das größte Problem, sondern die Tatsache, dass sie ihren Ehepartner nie wiedersehen oder ihre Enkelkinder nicht mehr treffen werden. Dein Entdeckungsprozess muss Deinen Kunden die Tür zu dieser Art von "Oh mein Gott"-Erkenntnis öffnen. Wenn Du es richtig anstellst, solltest Du die große, unentdeckte Lücke zwischen dem aktuellen Zustand und dem gewünschten künftigen Zustand aufdecken können. So kommst Du zum Kaufabschluss.

4. Entdecke die Ursache

Die Probleme Deiner Kunden sind nicht einfach so aus dem Nichts entstanden. Jetzt, da Du die Probleme kennst und weißt, wie sie sich auf Deinen Kunden auswirken, musst Du sicherstellen, dass Du und Dein Kunde genau verstehen, warum sie auftreten – ihre Ursache. Häufig handelt es sich dabei um technische Probleme, jedoch nicht immer. Wenn Du von Deinem Kunden eine Erklärung suchst, warum sein Team Schwierigkeiten hat, mit Geldgebern in Kontakt zu treten, sagt er vielleicht, dass es zunehmend schwieriger wird, jemanden zu finden, der bereit ist, den Hörer abzunehmen. Und das könnte auch stimmen. Aber für den Fall, dass mehr dahintersteckt, solltest Du mit provozierenden Fragen nicht aufhören. Sie eignen sich hervorragend, um Kunden dabei zu helfen, ihren Blickwinkel zu erweitern. Du könntest etwa fragen:

"Warum denken Sie, dass dieses Problem auftritt?" "Wie wirken sich Ihrer Meinung nach Ihre derzeitigen Prozesse darauf aus?" "Wie hat sich die Einführung dieses Produkts auf Ihr Unternehmen ausgewirkt?"

Du solltest Deine Kunden stets dazu anregen, intensiv und kritisch darüber nachzudenken, was falsch gelaufen ist.

Zurück zu unserem strauchelnden Theaterunternehmen. Du bist auf ein Problem gestoßen: Das Theaterunternehmen sammelt nicht genug Spenden von Gönnern, weil die Technologie für die Öffentlichkeitsarbeit lächerlich veraltet und unzulänglich ist. Aber das ist noch nicht alles, denn Du solltest unbedingt jegliches Problem ausfindig machen, das Du lösen kannst. Du bohrst weiter und entdeckst, dass das Unternehmen zusätzlich zu diesem anfänglichen Problem kein System hat, mit dem es feststellen kann, wer seine Erstkäufer und seine Stammkunden sind, und dass es daher keine Möglichkeit gibt, sie gezielt zu bewerben. Das sollte zu provozierenden Fragen führen, die etwa so lauten könnten: "Was wäre, wenn Sie künftig sehen könnten, welche Kunden zum ersten Mal und welche zum wiederholten Mal kommen? Wie würde es sich auf Ihr Geschäft auswirken, wenn Sie Ihre Erstkunden dazu bringen könnten, zwei oder drei Mal pro Jahr wiederzukommen?"

Das technische Problem: Unausgereiftes Berichtswesen

Geschäftliches Problem: Es gelingt nicht, Menschen anzusprechen, um sie zu wiederholten Besuchen zu bewegen

Existenzielles Problem: Das Unternehmen wächst nicht und läuft Gefahr, zu scheitern

Ursache: Unterschiedliche Systeme, die manuelle Eingaben erfordern und nicht automatisch mit den Kunden kommunizieren, sobald sie einen Kauf tätigen

Du merkst, was ich meine, wenn ich sage, dass Du das Geschäft Deiner Kunden in- und auswendig kennen musst? Provozierende Fragen zeigen Dir neue Möglichkeiten auf, entwickeln das Gespräch und positionieren Dich als Experte. Diese Anerkennung Deiner Kompetenz ist entscheidend. Wenn Du ein Problem klar benennen kannst, einem Käufer zeigst, dass Du die Auswirkungen auf das Unternehmen verstanden hast, die Ursache des Problems intelligent und branchenbezogen formulierst und Dich als jemand anbietest, der eine perfekt zugeschnittene Lösung für dieses Problem entwickeln kann, dann bist Du auf dem besten Weg. Wenn Du ein gründliches Verständnis der Welt des Käufers sowie den neuesten Wissensstand hast, kannst Du ihm neue Möglichkeiten aufzeigen, von denen er vielleicht nicht wusste, dass sie überhaupt existieren.

Achte während dieses Entdeckungsprozesses darauf, das Gespräch mit vielen **bestätigenden Fragen** zu unterlegen. Validierung ist eine gängige Kommunikationsstrategie, die von Psychologen empfohlen wird, um persönliche Beziehungen zu stärken. Man könnte sagen, dass Du diese bestätigenden Validierungsfragen dazu verwendest, die Beziehung zu Deinem Kunden zu stärken, indem Du sicherstellst, dass er der Art und Weise, wie Du seine Antworten interpretierst, zustimmt. Zudem bewahren sie Dich davor, falsche Einschätzungen über die Probleme abzugeben. Eine bestätigende Frage könnte etwa lauten: *"Sie sagen also, dass Sie viel mehr Einnahmen erzielen könnten, wenn Sie einen Pool von mehr Leuten hätten, denen Sie Tickets verkaufen könnten."* (Andere bestätigende Fragen könnten lauten: *"Habe ich Sie richtig verstanden?"* oder *"Liege ich damit richtig?"*) Eine solche Frage gibt Deinen Kunden die Gewissheit, dass Du ihre Probleme und ihren Schmerz verstehst, und gibt ihnen die Möglichkeit, Korrekturen vorzunehmen, falls Du Dich irrst. Auf diese Weise hast Du die Gewissheit, dass Ihr beide auf dem gleichen Weg seid, und es ist wahrscheinlicher, dass Ihr Euch über die Lösung des Problems einig werdet. Allzu oft verlassen Vertriebler Besprechungen oder Diskussionen und stellen später fest, dass sie nicht verstanden haben, was der Käufer meinte. Bestätigende Fragen stellen sicher, dass Du und der Käufer das gleiche Verständnis habt und dass er das Gesagte auch so gemeint hat. Am besten verwendest Du in jedem Gespräch bestätigende Fragen, um sicherzugehen, dass Du auf derselben Wellenlänge bist, bevor Du zu einem neuen Thema übergehst.

GESPRÄCHSFÜHRUNG

Bis jetzt habe ich mich auf die Auswahl der richtigen Arten von entdeckenden Fragen konzentriert. Die Wahl der Worte ist zwar äußerst wichtig, aber ebenso wichtig für die Kommunikation ist, wie und wann man spricht. Die bewusste Entscheidung, wie Du Deine Stimme modulierst, wann Du sprichst und wann Du schweigst, ist genauso wichtig wie die Worte, die Du wählst. Aus diesem Grund möchte ich, dass Du auf zwei weitere Zutaten achtest, die für eine mordsmäßige Entdeckung notwendig sind:

1. TON

Der Tonfall ist für eine gute menschliche Kommunikation von grundlegender Bedeutung. Der richtige Ton ist nicht nur entscheidend dafür, dass Menschen Dir genug vertrauen, um Dir die gewünschten Informationen zu geben, sondern auch dafür, dass sie Dir überhaupt zuhören. Stell' Dir vor, Du sitzt an Deinem Schreibtisch und Deine Chefin kommt herein und sagt: "Hey, ich fand Deine Präsentation heute Morgen großartig".

Und Du antwortest: *"Wirklich?"*

Oder vielleicht antwortest Du: *"Wirklich?"*

Oder vielleicht sagst Du: *"Wirklich?"*

Gleiches Wort, jeweils gaaaanz unterschiedlicher Tonfall, was gaaaanz unterschiedliche Bedeutungen mit sich bringt. Der erste Tonfall, mit hündischem Eifer und einem leichten Quietschen am Ende vorgetragen, drückt die Freude über das Kompliment aus. Der zweite Tonfall beginnt und endet mit genau der gleichen Stimmlage und zeigt die totale Überraschung darüber, dass Dein Chef mit Deiner Arbeit zufrieden war. Der dritte Tonfall, mit einer Art schnippischem Fragezeichen am Ende, sagt, ohne es auszusprechen: "Das ist alles, was Du dazu zu sagen hast?"

Ich würde nicht empfehlen, den dritten Tonfall zu verwenden, wenn Du Deinem Chef antwortest.

Ich warne Dich nicht vor dem Tonfall, weil ich etwa glaube, dass Du Dich Deinen Kunden gegenüber wie ein Vollidiot aufführen würdest. Ich nehme an, dass Du in den meisten Fällen Dein Bestes tun wirst, um Deinen Tonfall während der Entdeckung sympathisch, warm und freundlich wirken zu lassen. Knifflig kann es allerdings werden, wenn es gilt, schwierige und sensible Fragen zu stellen. Wenn Dein Kunde für die Entwicklung und Implementierung des Systems verantwortlich ist, das eindeutig die Ursache für die Probleme des gesamten Unternehmens ist, musst Du äußerst behutsam vorgehen. Schon ein etwas zu selbstbewusster Ton könnte Dir zum Verhängnis werden. Diese Situation verlangt nach einem Ton von Demut, Offenheit und Wertschätzung. Das ist nicht jedem gegeben.

Den richtigen Ton in der richtigen Situation zu treffen, ist eine Kunst für sich. Falls Du häufig ins Straucheln gerätst, liegt das wahrscheinlich daran, dass Du nicht recht mit den Gefühlsregungen Deines Käufers in Einklang stehst. Verbessere Dein Einfühlungsvermögen, und es wird Dir leichter fallen, den richtigen Ton zu treffen, den Dein Kunde hören möchte.

2. Wahl des richtigen Zeitpunkts

Das Timing ist entscheidend. Nur weil Du eine Frage stellen kannst, heißt das noch lange nicht, dass Du es auch tun solltest. Denke daran, dass es bei der Entdeckungsreise weniger darum geht, Fragen zu stellen, als vielmehr darum, Informationen zu erhalten. Wenn Du also eine Frage stellst und Dein Käufer nicht bereit ist, sie zu beantworten oder Dir nur eine oberflächliche, schwache Antwort gibt, geht die Sache für Dich verloren. Du hast eine Frage vergeigt. Um besser verkaufen zu können, musst Du Dir Deine Fragen genau überlegen.

Wenn Du besser im Verkaufen werden willst, musst Du lernen, Fragen besser zu stellen. Lerne, einen Rhythmus und einen Fluss in Deinen Fragen zu schaffen, die Deinen Käufer auf eine Reise mitnehmen. Stelle die richtige Frage zur richtigen Zeit und im richtigen Ton, und Du wirst erstaunt sein, was Du alles über Deinen Kunden erfahren kannst. Wenn Du erst einmal gut darin bist, wird Dein Weg mit Informationen vergoldet sein.

Nur wenn Du die gegenwärtige Situation Deiner Kunden durch einen soliden Entdeckungsprozess genau versteht, kannst Du ihnen die Augen für Möglichkeiten öffnen, von deren Existenz sie nichts wussten, und ihnen effektiv etwas verkaufen.

DIE GELEGENHEIT: QUALIFIZIERT ODER NICHT?

Wenn Du diese vier Erkundungsschritte abgeschlossen hast – Du verstehst die Fakten über das Geschäft Deines Kunden, Du hast seine Probleme identifiziert, die Auswirkungen dieser Probleme auf das Geschäft eingeschätzt und die Grundursache der Probleme ausfindig gemacht – dann hast Du die Gelegenheit qualifiziert. Du wirst erkennen, dass sie qualifiziert ist, denn wenn Du die Entdeckung erfolgreich durchgeführt hast, wirst Du diese vier einfachen Fragen leicht mit "Ja" beantworten können:

1. **HAT DER INTERESSENT EIN PROBLEM, DAS DU LÖSEN KANNST?**

2. **IST DER INTERESSENT SELBST EBENFALLS DER ANSICHT, DASS ER EIN PROBLEM HAT?**

3. **MÖCHTE DER INTERESSENT DAS PROBLEM BEHEBEN?**

4. **WIRD SICH DER INTERESSENT MIT DIR AUF EINE REISE BEGEBEN, UM DAS PROBLEM ZU LÖSEN?**

Wenn Du diese Fragen bejahen kannst, hast Du eine qualifizierte Gelegenheit.

Dauert die Entdeckung beim Lösungsorientiertem Verkaufen länger als mit der B.A.N.T.-Methode? Vielleicht ein wenig. Aber am Ende wirst Du in einer viel stärkeren Position sein und dem Geschäftsabschluss viel näher kommen, als es mit B. A. N. T. in diesem Stadium des Spiels jemals möglich wäre. Mache Dir keine Gedanken über den Etat, den Bedarf, die Befugnis oder den richtigen Zeitpunkt. Diese Dinge werden sich im Laufe des Verkaufsprozesses von selbst erledigen.

KÜNFTIGER ZUSTAND: WO WILL DEIN KÄUFER HIN?

Mache Dich auf ein kleines Déjà-vu gefasst.

Während Du nach den Grundlagen des gegenwärtigen Zustands Deiner Kunden gräbst, wirst Du Dich außerdem darauf konzentrieren, ihren gewünschten künftigen Zustand zu entdecken – diesen wunderbaren Ort, der entstehen wird, sobald alle Probleme gelöst sind, die sie derzeit noch plagen. Dies geschieht, indem Du Fragen stellst. Wenn Dein Kunde ein Theaterunternehmen ist, könntest Du Folgendes fragen:

"Wie sollte dieses System Ihrer Meinung nach funktionieren?"

"Wie viel Zeit soll es Ihrer Meinung nach brauchen?"

"Wie viele Karten möchten Sie denn gerne verkaufen?"

"Wie viele Kundenkontakte möchten Sie gerne generieren?"

"Wie viel weniger Zeit sollten Ihre Mitarbeiter für dieses Thema aufwenden?"

"Wie viel mehr Ertrag würde das bedeuten?"

All diese Fragen zielen darauf ab, herauszufinden, wo Dein Kunde hin will. Du solltest den konkreten, tatsächlichen künftigen Zustand herausfinden, den Dein Kunde sich vorstellt, indem Du offene Fragen stellst und Dich weigerst, Antworten mit offenem Ende zu akzeptieren. Dann solltest Du herausfinden, wie sich dieser künftige Zustand auf das Unternehmen auswirken würde, und darauf drängen, dass der Kunde die Details formulieren kann. "Bessere Effizienz" ist keine spezifische Auswirkung, "Verringerung der Durchlaufzeiten um 20 % und Steigerung der Produktion um 50 %" hingegen schon.

Du solltest Dich nie mit der erstbesten Antwort zufrieden geben, die Du bekommst. Ohne weiter nachzuforschen und um Aufklärung zu bitten, wirst Du nicht in der Lage sein herauszufinden, dass die Kopfschmerzen eines Kunden tatsächlich durch einen Tumor und nicht durch einen Mangel an Koffein verursacht wurden. Das bedeutet, dass der künftige Zustand Deines Kunden nicht nur ein Ort ist, an dem die Kopfschmerzen verschwunden sind, sondern ein Ort, an dem er lebt, um seine Kinder aufwachsen zu sehen, Enkelkinder zu haben, sich am Strand zur Ruhe zu setzen und alles andere zu genießen, was zu einem langen, erfolgreichen und erfüllten Leben gehört. Falls Du versuchst, das falsche Problem zu lösen, kann es passieren, dass Du den Kunden in dem Glauben lässt, sein Problem sei gar nicht so schlimm.

Es dreht sich alles darum, Ergebnisse auszumalen. Wenn jedes Problem auf der Liste Deiner Kunden verschwände und Du perfekte Lösungen implementieren könntest, was wären die Auswirkungen? Hilf ihnen dabei, sich in diese Situation hineinzuversetzen und sich vorzustellen, wie eine solche Welt für sie aussehen und sich anfühlen würde – und betone, dass Du das Zeug dazu hast, sie Wirklichkeit werden zu lassen. Du musst Deine Kunden dazu bringen, es Dir abzukaufen. Sie werden Deine Einsichten, Deine Verbesserungsideen und Deine Lösungen für ihre Probleme zu schätzen wissen, doch wie der Philosoph David Hume sagte: "Die Vernunft allein kann niemals ein Motiv für irgendeine Willenshandlung sein".[xiii] Solange Deine Kunden den Wert der von Dir vorgeschlagenen Veränderung nicht zu schätzen wissen, werden sie dem Verkauf nicht näher treten.

Zu Beginn dieses Buches habe ich Dir versichert, dass was Du verkaufst, kein Produkt oder keine Dienstleistung ist. Ich möchte diesen Punkt noch einmal wiederholen. Wenn Du nicht in der Lage bist, das von Deinem Kunden gewünschte Ergebnis zu definieren, bist Du darauf beschränkt, ihm Deine Dienstleistung, wie beispielsweise eine Beratung, oder Dein Produkt, wie etwa SaaS-Anwendungssoftware oder Dating-Software, zu verkaufen. Sobald Du allerdings den künftigen Zustand kennst, verkaufst Du nicht mehr nur ein Produkt oder eine Dienstleistung, sondern ein gewünschtes Ergebnis. Du verkaufst Deinem Kunden die Möglichkeit, ein größeres Publikum zu erreichen und den Umsatz seines Unternehmens innerhalb von sechs Monaten statt zwei Jahren zu steigern. Du verkaufst Deinen Kunden die Möglichkeit, das Wachstum ihres Unternehmens zu beschleunigen, keine Verluste mehr zu machen, Kunden zu binden und profitabler zu werden. Du verkaufst Veränderung. Positive, spannende und gewünschte Veränderung.

GEDULDIG SEIN

Wenn es sich so anhört, als ob die Ermittlung des aktuellen und künftigen Zustands Deiner Kunden etwas zeitaufwändig ist, dann hast Du durchaus recht. Du solltest so viele dieser Informationen wie möglich während des ersten Telefongesprächs oder Treffens sammeln, obwohl es wahrscheinlich mehr als nur eine Interaktion braucht, um ein gutes Verständnis der gesamten gegenwärtigen und zukünftigen Situation des Kunden zu bekommen. Die Menschen sind sehr beschäftigt, Zeit ist kostbar, und Du hast vielleicht nicht den Luxus, alle diese Daten auf einmal zu erhalten. Außerdem wissen Käufer nicht immer gleich alle Antworten und brauchen vielleicht Zeit, um über die von Dir gestellten Fragen nachzudenken. Sich einen vollständigen Überblick über den derzeitigen und künftigen Zustand zu verschaffen, ist keine starre Angelegenheit, sondern kann im Laufe der Zeit durch verschiedene Interaktionen erfolgen. Das Wichtigste ist, während der Entdeckung und in der Anfangsphase des Verkaufsprozesses so viel wie möglich in Erfahrung zu bringen und dann im weiteren Verlauf des Verkaufsprozesses nach weiteren Informationen Ausschau zu halten. Nach jeder Besprechung solltest Du die Informationen aufzeichnen. Nutze Dein Kundenbindungs-Management – es wird Dein bester Freund sein. Für wie gut Du Dein Gedächtnis auch halten magst, so wirst Du nie in der Lage sein, Dich später an alle gesammelten Daten zu erinnern, wenn Du einen Lösungsorientierten Verkauf angemessen durchführst. Dokumentiere lieber alles in Deinem Kundenbindungs-Management.

Vergiss nicht, dass Du mit dem Entdecken nie wirklich fertig bist. Im Laufe der Zeit kann Dein Kunde andere Käufer ins Spiel bringen, und in diesem Fall musst Du diesen Prozess noch einmal von vorne beginnen. Glaube mir, Du solltest nicht davon ausgehen, dass der aktuelle und künftige Zustand eines weiteren Käufers mit dem aktuellen und künftigen Zustand Deines ursprünglichen Käufers übereinstimmt. Das habe ich selbst vor ein paar Jahren auf die harte Tour lernen müssen.

Ich hatte eine gründliche Analyse mit der Vertriebsleiterin eines Schulungsunternehmens für Veränderungsmanagement durchgeführt. Die Käuferin war sich über ihre derzeitige Situation sehr im Klaren: Das Unternehmen erreichte sein Wachstumsziel nicht, ihr Team war nicht in der Lage gewesen, die benötigten Mitarbeiter einzustellen, sie wollte einen besseren Weg finden, um Kunden von

Testläufen zu Investitionen in umfassende Kampagnen zu bewegen, ihr durchschnittlicher Auftragswert war viel zu gering, und sie wollte in der Lage sein, mehr große, hochwertige Unternehmenskunden zu gewinnen. Auf der Grundlage dieser Informationen hatte ich ihr nachgeplappert, was ich gehört hatte (der aktuelle Zustand), was ich für die Probleme hielt (die Probleme), welchen Effekt sie auf ihre Organisation hatten (die Auswirkungen) und warum ich glaubte, dass sie diese Probleme hatte (die Ursache). Ich habe dann angefangen, Vorschläge zur Lösung ihrer Probleme zu machen. Sie war begeistert davon. Und zwar war sie so begeistert, dass sie mich bat, das, was wir gemeinsam besprochen hatten, mit ihrer Kollegin, einer anderen Verkaufsleiterin aus einer anderen Gruppe, zu teilen.

Ausgehend von der Annahme, dass diese beiden Kolleginnen aus demselben Unternehmen in derselben Funktion dieselben Probleme haben und daher denselben Ist-Zustand und denselben Soll-Zustand für die Zukunft haben müssten, legte ich selbstbewusst meine Lösungen dar. Und *Bäng*! Der neue Käufer konnte damit nichts anfangen. Nichts von dem, was ich sagte, fand Anklang. Ich konnte die Diskrepanz spüren. Ich fühlte mich zunehmend unsicherer. Ich bekam nichts von dem positiven Feedback, dem Selbstvertrauen und der Begeisterung, die ich bei meinem früheren Gespräch mit ihrer Kollegin erhalten hatte. Die neue Vertriebsleiterin stellte mir Fragen, die nichts mit den in der ersten Sitzung besprochenen Themen zu tun hatten. Sie sah die Dinge *ganz anders* als ihre Kollegin. Für jede Lösung, die ich anbot, wies sie auf eine Lücke hin, die ich nicht gefüllt hatte. Ihr derzeitiger Zustand glich nicht dem des ersten Käufers, und sie stellte sich einen völlig anderen künftigen Zustand vor. Ihrer Ansicht nach passte meine Lösung nicht zum Unternehmen, und deshalb verlor ich an Glaubwürdigkeit. Als die erste Käuferin mir sagte, ich solle alles auf Eis legen, damit sie die Sache mit ihrer Kollegin besprechen könne, wusste ich, dass ich den Verkauf verloren hatte. Das war hart. Ich hatte eine Grundregel gebrochen: Gehe nie davon aus, dass Du weißt, was Deine Kunden erleben und was sie erreichen wollen. Letzten Endes verlor ich den Auftrag, und sie blieben beim Status quo, was bedauerlich war, weil es für beide offensichtlich nicht recht funktionierte.*

ÜBERPRÜFE DEINE ARBEIT MITTELS DER KUNDENBINDUNGS-MANAGEMENT-HERAUSFORDERUNG

Ich denke, es ist Dir mittlerweile ziemlich klar, dass Lösungsorientiertes Verkaufen erfordert, viel mehr Informationen von Kunden zu suchen, als Verkäufer traditionell verlangen. All diese Informationen zu erfassen, vom tatsächlichen und wirklichen Zustand Deines Kunden über seine individuellen Probleme bis hin zu den Auswirkungen dieser Probleme und vieles mehr, kann ziemlich überwältigend sein, wenn Du Dir nicht viele Notizen machst und sie in Deinem Kundenbindungs-Management speicherst. Um sicherzugehen, dass Du diesen Prozess korrekt durchführst und die geschäftlichen Probleme Deiner Kunden erfolgreich geklärt hast, habe ich die Kundenbindungs-Management-Herausforderung entwickelt, eine narrensichere Methode, um sicherzugehen, dass Du die Informationen bekommst, die Du brauchst, und dass diese Informationen robust genug sind, um Dich beim Verkaufen auf die Lücke hin zu unterstützen.

Die Idee, ein Kundenbindungs-Management zu verwenden, ist nicht neu, aber die meisten Vertriebsleute tauchen nicht tief genug in die Materie ein und geben in das Kundenbindungs-Management nur allgemeine Informationen ein, falls sie überhaupt etwas eintragen. Typische Einträge sind zum Beispiel: "Der Kunde ist mit dem aktuellen Produkt unzufrieden", "Der Kunde möchte stärker wachsen" oder "Der Kunde verliert an die Konkurrenz". Könnte man überhaupt noch unbestimmter sein? Wenn Dies Deine Kunden wären und ich diese Einträge laut vorläse, ohne Dir zu sagen, von welcher Gelegenheit ich sie entnommen habe, würdest Du sie zuordnen können? Für die meisten von Euch lautet die Antwort Nein, und das ist ein Problem. Bei der Kundenbindungs-Management-Herausforderung geht es vor allem darum, so viele identifizierbare Informationen über die Probleme Deiner Kunden zu sammeln und zu dokumentieren, dass aus Deinen Entdeckungsnotizen glasklar hervorgeht, um welche Gelegenheit es sich handelt, ohne dass Du Dir jemals identifizierende Daten oder gar die Branche ansehen musst.

KANNST DU DIE KUNDENBINDUNGS-MANAGEMENT-HERAUSFORDERUNG BESTEHEN?

Bitte Deinen Vertriebsleiter oder einen Deiner Vertriebskollegen, in Deine

Vertriebskette zu schauen und wahllos eine Gelegenheit auszuwählen, an der Du gerade arbeitest. Bitte sie, Dir die Notizen vorzulesen, ohne den Namen des Kontos, des Käufers oder andere identifizierende Informationen zu nennen. Kannst Du ihnen sagen, auf welche Gelegenheit sie sich beziehen? Gelingt Dir das für alle Deine Gelegenheiten? Wenn Du diesen Test nicht schaffst, weißt Du nicht genug, um im Lösungsorientierten Verkauf erfolgreich zu sein, und Du hast Dir Deine Arbeit sehr viel schwieriger gemacht. Jetzt bist du in der Klemme. Deine Kunden machen mit dem Verkauf weiter, doch jetzt musst Du nochmal zurückgehen und alle wichtigen Details aus ihnen herausholen, um sicherzustellen, dass Du weißt, was hinter dem Verkauf steckt, warum sie kaufen wollen und was ihre eigentliche Motivation ist, wodurch sich die Dynamik des Verkaufsprozesses verlangsamt. Das ist zwar unangenehm, aber notwendig, denn wenn Du nicht weißt, was Deinem Kunden wichtig ist, wie willst Du dann den Vertrag abschließen? Wie willst Du den Kunden dazu bringen, Deine Lösung als die geeignete Lösung zu erkennen? Ohne zurückzugehen, um diese Informationen einzuholen, wirst Du es nicht schaffen. Ein Versagen bei der Kundenbindungs-Management--Herausforderung ist ein deutliches Zeichen dafür, dass Du im Begriff bist, ein Produkt zu verkaufen anstatt des gewünschten Ergebnisses.

Die Kundenbindungs-Management-Herausforderung stellt sicher, dass Du bei Deiner Entdeckung richtig vorgehst und dass Du alle notwendigen Informationen erhältst, um das Geschäft optimal durch den Verkaufsprozess zu führen. Wenn Du Deine Fragen richtig gestellt hast, werden die über die Verkaufschance gesammelten Daten eindeutig sein; es wird nur eine Möglichkeit geben, wer es sein könnte. Kein Unternehmen hat das gleiche Problem oder die gleichen Auswirkungen wie ein anderes. "Nicht schnell genug wachsen" hat für jeden eine andere Bedeutung. Tatsächlich führen die meisten Leute eine Entdeckung zu oberflächlich durch, so dass sie ihren Kunden nicht wirklich kennen, wenn sie damit fertig sind. Sie wissen nicht genug über den gegenwärtigen Zustand und können ihn nicht präzise genug definieren, um eine maßgeschneiderte Lösung entwickeln zu können. Eine Entdeckung im Rahmen von Lösungsorientiertem Verkaufen versetzt Dich dazu in die Lage.

Ich werde oft nach einer Liste mit todsicheren Fragen gefragt, die man stellen kann, um die richtigen Informationen aus den Kunden herauszubekommen. Die Wahrheit ist, dass ich Dir keine einzige nennen kann. Ich kann den Zweck von sondierenden-, verfahrensbezogenen, provozierenden- und bestätigenden Fragen erklären, aber es gibt kein Skript für Entdeckungen beim Lösungsorientierten Verkaufen. Jeder Verkäufer ist anders, und jede Situation ist anders. Das Wichtigste beim Erlernen, wie man eine gute Entdeckung macht, ist jedoch, dass es nicht Dein Ziel ist, bestimmte Fragen zu stellen. Es geht darum, bestimmte Informationen zu erhalten. Für dieses Buch musste ich die Schritte der Entdeckung in einer linearen Weise skizzieren, doch in der realen Welt ist es alles andere als ein linearer Prozess. Du darfst auf keinen Fall so klingen, als würdest Du beim Gespräch mit Deinem Kunden eine Checkliste durchgehen. Das ist eine Unterhaltung. Ich wiederhole es noch einmal: Du führst ein Gespräch, kein Verhör, und wie bei allen Gesprächen wird es sich vorwärts und rückwärts bewegen und im Kreis drehen, und manchmal werden sich Deine Fragen und Antworten auch etwas überschneiden. Das ist schon in Ordnung. Du wirst die Informationen nicht immer in einer schönen, ordentlichen Reihenfolge bekommen. Der Schlüssel ist zu fragen, dann zuzuhören, dann zu fragen, zuzuhören, zu fragen, zuzuhören.

Wenn Du diesen Teil richtig hinbekommst, werden Deine Kunden mit Dir zusammenarbeiten, weil sie davon überzeugt sind, dass es für sie von Vorteil ist, Dir alle nur möglichen Informationen zu geben, und das ist genau das, was Du von ihnen willst. Du solltest nie jemanden durch einen Verkauf schleifen. Dein Käufer sollte Dein Partner sein. Der Prozess des Entdeckens beim Lösungsorientiertem Verkaufen verändert das herkömmliche Verhältnis untereinander völlig. Früher herrschte ein fast kontradiktorisches Verhältnis: Du gegen den Kunden. Die Beziehung beim Lösungsorientierten Verkaufen ist partnerschaftlich orientiert. Das Schöne daran ist, dass es für Dich nie einen Grund gibt, einen Kunden zum Kauf zu drängen, denn wenn Du mit der Entdeckung fertig bist, wird er sich seiner Probleme so bewusst sein, dass er um Deine Hilfe betteln wird.

NEUNTES KAPITEL
LOHNT SICH DIE LÜCKE?

O Sobald Du die derzeitige und künftige Situation Deines Kunden kennst, kannst Du es Dir ausrechnen.

Künftiger Zustand – derzeitiger Zustand = die Lücke

Hier zeigt sich, warum es so wichtig ist, konkrete Angaben von Deinen Kunden zu erlangen.

Die Kundin strebt ein Wachstum von 20 % an. Sie liegt derzeit bei einem Wachstum von 10 %.
Die Lücke beläuft sich auf 10 %*und*

110 Mio. Euro Umsatz – 100 Mio. Euro Umsatz = 10 Mio. Euro Lücke *und*

Abschlussquote von 35 % – Abschlussquote von 30 % = eine Lücke von 5 %*und*

Durchschnittliche Auftragsgröße von 65.000 Euro – 50.000 Euro = eine Lücke von 15.000 Euro

Siehst du das? Du verkaufst nicht etwa Beratung im Servicepaket, sondern Du verkaufst 10 Millionen Euro an zusätzlichen Einnahmen! Du verkaufst nicht einen kürzeren Verkaufszyklus, sondern das, was eine 5 %-ige Steigerung der Abschlussrate für Deinen Kunden bedeutet.

Wenn Du einmal verstanden hast, was Du verkaufst, musst Du Dich nur noch fragen: "Ist diese Lücke groß genug, um die Kosten zu rechtfertigen, die es meinem Kunden verursachen wird, die Änderung herbeizuführen, damit er seinen gewünschten künftigen Zustand erreicht?" Du stellst sicher, dass das Ergebnis es wert ist, sich von der heutigen Situation zu derjenigen zu bewegen, die er morgen erreichen möchte.

Würdest Du 100.000 Euro für zusätzliche 10 Mio. Euro bezahlen? (Die Lücke: 9,9 Mio. Euro)

Verdammt richtig, das würdest Du tun, und in den meisten Fällen

Deine Käufer auch.

Würdest Du 100.000 Euro für zusätzliche 1 Mio. Euro bezahlen? (Die Lücke: 900.000 Euro)

Hier ist die Sache weniger klar. Die Lücke ist nicht so groß. Zusätzliche Kosten, die Zeit für die Umsetzung und Prozessänderungen, die Bequemlichkeit mit dem Status quo, die Ungewissheit, ob das neue Produkt die Erwartungen erfüllen kann, die Politik oder eine beliebige Anzahl von Aspekten können dazu führen, dass eine Lücke von 900.000 Euro möglicherweise nicht groß genug erscheint, um eine Änderung der bisherigen Vorgehensweise zu rechtfertigen.

Und weißt du was? Selbst wenn nicht, ist das natürlich doch gut zu wissen. Du solltest versuchen, die Lücke zu weiten. Kannst Du noch mehr herausfinden? Kannst Du eventuell weitere Fragen stellen, um zusätzliche Auswirkungen von Veränderungen aufzudecken? Oft ist es möglich, die Lücke zu vergrößern, und Du solltest jede Gelegenheit dazu nutzen, aber wenn dies nicht gelingt, ist das ein Zeichen dafür, dass Du aussteigen und dem Kunden sagen solltest, dass Du wohl nicht die richtige Person zur Lösung seiner Probleme bist. Häufig finden die Kunden es selbst heraus, aber im Idealfall erkennst Du die Inkompatibilität, bevor sie es tun. Mit all den Daten, die Du erhoben hast, Deinem Einblick und Deinem Wissen über die gewünschten Ergebnisse solltest Du eine genaue Vorstellung davon haben, ob Deine Lösung bei Deinem Kunden funktionieren wird oder nicht. Wenn Du absehen kannst, dass dies nicht der Fall ist, dann solltest Du zum Punkt kommen. Sag' ihm, dass Du zu dem Schluss gekommen bist, dass es bessere Möglichkeiten für ihn gibt, und dann tue was in Deiner Macht steht, um ihn an jemanden zu vermitteln, der wirklich helfen kann. Du solltest nicht versuchen, den Verkauf zu erzwingen, wenn Du merkst, dass es nicht die richtige Lösung für Deinen Kunden ist. Vergeude keine Zeit mit einem Geschäft, das wahrscheinlich nicht zustande kommen wird, während Du Deine Aufmerksamkeit und Deine Bemühungen auf Geschäfte richten könntest, die zustande kommen werden.

Wenn Du die ganze Arbeit des Sammelns von Informationen erledigt hast, ist der Verkauf auf die bestehende Lücke hin ein Kinderspiel. Das Problem vieler Vertriebler ist jedoch, dass ihnen diese Vorarbeit zu viel erscheint. Sie wollen das Geschäft möglichst schnell abschließen und gehen direkt zu den Abschlussfragen über. Das funktioniert nicht und bedeutet, dass Du dem Käufer zu weit voraus bist. Ich habe Hunderte von Rollenspielen mit Verkäufern durchgeführt, und meist stürzen sie sich regelrecht auf den Abschluss. Sie stellen ein paar allgemeine Fragen zum Umfeld des Interessenten, zum aktuellen Produkt des Käufers oder zur Lösung seines Problems, und dann *geht es los*! Sie legen mit Abschlussfragen los, wie beispielsweise "Wenn wir diese Probleme lösen könnten, würden Sie dann kaufen?" Es ist schon erstaunlich, wie sehr wir Verkäufer darauf trainiert wurden, uns zu beeilen und zum Abschluss zu kommen. Tu' das besser nicht. Sei geduldig. Lass' es langsamer gehen. Konzentriere Dich darauf, so viele Informationen wie möglich über die Welt zu sammeln, mit der Dein Kunde zu kämpfen hat, und darüber, warum er etwas ändern möchte. Denke daran, dass es bei dem ganzen Spiel um Veränderungen geht.

Gute Verkäufer sind geduldig – sie haben zudem nicht nur Geduld für die Arbeit, sondern sie gehen in ihr auf. Sie wissen, dass der Erfolg oder Misserfolg des Verkaufs davon abhängt, so viele Informationen wie möglich zu erhalten, um die Lücke klar erfassen zu können. Um gut verkaufen zu können, muss man sich wie ein Besessener der Arbeit widmen und sie ordentlich machen.

Mache Deine Arbeit, achte auf die Details und konzentriere Dich auf die Bedürfnisse des Kunden anstatt auf Deine eigenen. Gehe so weit in die Tiefe, dass Du genug über das Unternehmen Deines Kunden erfährst, um vertrauensvoll und glaubwürdig nahezu unwiderlegbare Ratschläge, Einblicke und Orientierung bieten zu können. Das ist die zuverlässigste Formel für den Verkaufserfolg. Wenn Deine Kunden Dich als Berater für ihr Unternehmen in Betracht ziehen würden, weil Du so viel darüber weißt, was sie tun, wie sie es tun und was sich auf ihre Ergebnisse auswirkt, dann weißt Du, dass Du Deine Technik perfektioniert hast.

ZEHNTES KAPITEL

ERKENNE DIE BEWEGGRÜNDE
DEINER KUNDEN

Manny betrachtete sich im Spiegel, als er auf dem Weg zur Haustür daran vorbeikam, und war zufrieden. Er hatte nicht nur daran gedacht, seinen Smoking aus der Reinigung abzuholen, sondern er passte auch noch, obwohl er ihn zuletzt vor acht Jahren bei der Hochzeit seines jüngsten Sohnes getragen hatte. Er konnte es nicht abstreiten – zwar vermisste er immer noch die nächtlichen Eiscreme-Sandwiches und das wöchentliche Sixpack Bier, das seine Frau ihn vor sechs Monaten aufzugeben gedrängt hatte, doch die Entbehrungen hatten unbestreitbar positive Auswirkungen auf seinen Bauchumfang. Er schloss hinter sich ab und ging zu seinem nagelneuen Range Rover, der in der Einfahrt geparkt war, und dankte ihr in Gedanken zähneknirschend dafür, dass sie ihn nicht aufgegeben hatte.

Er glitt auf den Fahrersitz seines Wagens und fuhr vom Haus weg, wobei er die Tankanzeige überprüfte, um sicherzugehen, dass er noch genug Benzin im Tank hatte, um bis Washington D.C. zu kommen, wo seine Frau auf ihn wartete. Heute würde der größte Abend seines Lebens werden. Denn heute Abend gingen sie zum Abendessen mit dem Präsidenten der Vereinigten Staaten. Er konnte es immer noch nicht so recht glauben. Er hatte sein Unternehmen nach der Großen Rezession nicht mit dem Streben nach Reichtum oder Ruhm gegründet, sondern weil er die Arbeit als wichtig und erfüllend empfand. In den Jahren seither sind mehrere der von seinem Unternehmen produzierten Innovationen für Gesellschaften auf der ganzen Welt unverzichtbar geworden. Er war selbst nicht besonders bekannt, aber seine Produkte waren es umso mehr, ebenso wie seine wohltätige Stiftung. Und nun würden seine Frau und er bald im Weißen Haus zu Abend essen. Nicht schlecht für jemanden, dessen Schulklasse ihn seinerzeit mit dem Prädikat "am ehesten für den Zirkus geeignet" bedacht hatte.

Er hatte etwa ein Drittel der Strecke zurückgelegt, als er einen lauten Knall hörte und spürte, wie das Auto ins Schlingern geriet. Er hielt das Lenkrad mit beiden Händen fest umklammert und kämpfte gegen die Versuchung an, auf die Bremse zu treten. Stattdessen ließ er das Auto ausrollen, als es auf den unbefestigten Seitenstreifen der Straße wechselte und noch ein paar Meter weiterrollte, bevor es schließlich zum Stehen kam.

Nachdem er sich ein paar Minuten Zeit genommen hatte, um zu Atem zu kommen und dem Schicksal für den glimpflichen Ausgang zu danken, stieg Manny aus dem Wagen aus. Als er um das Auto herumging, stellte Manny fest, dass sein linker Vorderreifen geplatzt war. Der schmutzige silberfarbene Felgenrand des Rades saß auf dem öligen, nassen Asphalt auf, der noch dunkel vom jüngsten Regen war. Fluchend begann Manny wie wild auf und ab zu laufen und griff sich in sein schütteres Haar. Er hatte alles, was er brauchte, um den Reifen zu reparieren, aber es war unmöglich, diese Arbeit zu erledigen, ohne sich dabei schmutzig zu machen. Selbst wenn er sein Hemd auszöge, wäre seine Hose ruiniert. So könnte er auf gar keinen Fall zum Abendessen im Weißen Haus auftauchen! Sein Smoking fühlte sich plötzlich wie eine Zwangsjacke an, und er riss sich das Jackett vom Leib. Erst in letzter Sekunde konnte er sich beherrschen, es auf den nassen Boden zu knallen und aus Frust darauf herumzutrampeln. Er holte sein Handy aus der Tasche und rief schnell seine Mitfahrgelegenheit auf, in der Hoffnung, dass sie schneller auf seine heftigen Hiebe reagieren würde. Sein Herz wurde schwer. Alle Fahrzeuge waren mindestens 50 Kilometer entfernt. Er würde es nicht mehr rechtzeitig schaffen.

Dann tauchte wie in einem Traum plötzlich ein Abschleppwagen aus der Dunkelheit auf. Manny rannte gefährlich nahe an den Straßenrand und wedelte verzweifelt mit beiden Händen über dem Kopf wie ein Ertrinkender. Mit einem Quietschen hielt der Abschleppwagen an und kam zum Stehen. Ein bärtiger, kräftiger Mann mit einer Baseballmütze kletterte aus dem Wagen und ging auf Manny zu, der ihn mit großen Augen anstarrte, wobei sein Smoking gefährlich nahe von seiner Hand herunterbaumelte und beinahe den Schmutz der Straße berührte, während er zu geschockt war von dem Wunder, um zu sprechen.

"Liegengeblieben?" fragte der Fahrer.

Manny nickte und fand endlich seine Stimme wieder. "Können Sie mir helfen? Ich soll heute Abend mit dem Präsidenten zu Abend essen. Im Ernst. Der Präsident! Der USA! In etwa 40 Minuten. Dies ist die beste Nacht meines Lebens. Ich darf es nicht wegen eines geplatzten Reifens verpassen. Die Mitfahrzentrale ist nutzlos, alle Autos sind zu weit weg. Ich kann mein Auto nicht am Straßenrand stehen lassen. Können Sie mich abschleppen? Bitte? Sie sind meine letzte Chance."

"Oh Mann, das ist hart", sagte der Fahrer. Er machte ein freundliches Gesicht. Er sah zum Range Rover hinüber, dann wieder zu Manny. "Ja, ich kann Sie hinbringen."

Mannys Seufzer der Erleichterung blies dem Fahrer fast die Mütze vom Kopf. "Gott sei Dank! Oh, Gott sei's gedankt."

"Aber das kostet Sie einen Tausender."

Manny verdrehte die Augen. "Entschuldigung, wie bitte?"

"Eintausend. Das macht tausend Dollar. Für das Abschleppen und die Fahrt".

"Machen Sie Witze?

"Tut mir leid, aber nein."

"Aber das ist doch nicht zu fassen!"

"Ich verstehe, warum Sie so denken, aber ich bin auf dem Weg zu einem anderen Einsatz. Rechnen Sie den Einkommensverlust und die zusätzliche Zeit, die ich brauche, um Sie in die Stadt zu bringen, sowie die Reparaturkosten ein, und das ist es, was es mich kosten wird, Ihr Auto von der Straße zu holen und Sie zu Ihrem Abendessen zu bringen."

Manny lehnte seinen Kopf zurück und blickte in den dunklen, bewölkten Himmel, denn er wusste, dass jede Sekunde, die er länger zögerte, die Wahrscheinlichkeit verringerte, sein Ziel noch rechtzeitig zu erreichen. Die Luft war schwer und feucht. Es sollte noch mehr regnen.

Er senkte den Kopf, um den Fahrer anzusehen, und fragte dann mit vorgerecktem Kinn in Richtung des Abschleppwagens: "Wie schnell können Sie mit dem Ding fahren?"

DER WERT EINES GEWÜNSCHTEN ERGEBNISSES

Unter normalen Umständen war in Mannys Welt ein Abschleppwagen ein Abschleppwagen und nichts anderes als ein Abschleppwagen, und zu jeder anderen Zeit, wenn er am Straßenrand liegengeblieben wäre, hätte er wahrscheinlich auf das günstigste Angebot gewartet, das sein Auto von der Straße geholt und ihn sicher nach Hause gebracht hätte. Noch wahrscheinlicher ist, dass er das Rad sogar einfach selbst gewechselt hätte, denn das war alles, was er wollte – sich und sein Auto sicher nach Hause bringen. Wenn es zwanzig Minuten dauerte, na gut! Wenn es länger bräuchte, auch nicht schlimm. Und genau da liegt der Haken: Wenn es beim Verkauf etwas gibt, das keine große Sache ist, hat es der Verkäufer (in diesem Fall ein Abschleppwagenfahrer) mit einer kleinen Lücke zu tun, was bedeutet, dass jeder andere sie füllen kann.

An diesem Tag hingegen, an dem der Präsident der Vereinigten Staaten, ganz zu schweigen von Mannys Frau, im Weißen Haus auf ihn wartete, waren nicht alle Abschleppwagen gleich. An diesem Tag kam es nämlich darauf an, sein Auto sicher in fremde Hände geben und in weniger als vierzig Minuten mit einem sauberen Smoking zu einem Abendessen erscheinen. Zwischen Mannys gegenwärtigem und dem gewünschten künftigen Zustand klaffte eine große Lücke, und diese Lücke brachte einen Preisaufschlag auf eine normalerweise relativ einfache, nicht besonders teure und alltägliche Dienstleistung.

So wirkt sich das gewünschte Ergebnis auf den künftigen Zustand und den Wert der Lücke aus.

Mannys Wunsch, seine persönliche Abhängigkeit vom Ergebnis des künftigen Zustands, war der emotionale Kern des Verkaufs. Der Verkauf beruhte nicht mehr darauf, ob die angebotene Dienstleistung oder das Produkt besser war als andere, sondern auf der Fähigkeit des Verkäufers, das gewünschte Ergebnis zu erzielen. Schau' genau hin: *Der Verkauf basierte nicht mehr darauf, ob die angebotene Dienstleistung oder das Produkt besser war als andere, sondern auf der Fähigkeit des Verkäufers, das von Manny gewünschte Ergebnis zu erzielen.* Sobald der Abschleppwagenfahrer wusste, was es für Manny bedeutete, sauber und pünktlich zum Abendessen im Weißen Haus zu erscheinen – d.h. Mannys eigentliche Motivation – war der Verkauf quasi eine ausgemachte Sache. Das ist die Position, die jeder Verkäufer anstreben sollte, unabhängig davon, wie gewöhnlich oder offensichtlich der Verkauf auf den ersten Blick aussieht. Als Verkäufer sollte man nie den Nutzen seiner Dienstleistung oder seines Produkts für einen Interessenten unterschätzen. Wenn Du davon ausgehst, dass Du zu teuer bist, wirst Du jeden Auftrag verlieren, denn diese Annahme hält Dich davon ab, die Fragen zu stellen, die Deinem Kunden den wahren Wert Deines Produkts verdeutlichen könnten. Niemand würde jemals tausend Dollar für einen Abschleppen bezahlen ... bis er in eine Situation gerät, in der er nicht anders kann.

So kommt man zum Kern der Sache

Bei Deiner Entdeckung geht es darum, den derzeitigen und künftigen Zustand Deiner Interessenten zu quantifizieren. Du suchst nach definierbaren, objektiven Zielen – zum Beispiel eine Steigerung auf 20 % Wachstum, ausgehend von einem aktuellen Zuwachs von 10 %. Sobald Du dieses Ziel kennst, musst Du Dich allerdings fragen, warum nicht ein anderes Ziel? Warum ein Wachstum von 20 %? Weshalb nicht 30 % oder gar 50 %? Warum nicht 5 %? Dieser subjektive Grund, diese innere Motivation, steht hinter jedem künftigen Zustand. Kann es sein, dass ein Kunde, der eine Wachstumsrate von 20 % anstrebt, diese Zahl einfach aus der Luft gegriffen hat, weil er sie für ein einigermaßen erreichbares Ziel hält? Na klar. Wahrscheinlicher ist jedoch, dass es einen strategischen Grund für die Wahl dieser Zahl gibt, wie z. B. das Erreichen einer Wachstumsrate von 20 %, um die Verpflichtungen an der Wall Street zu erfüllen oder um das Unternehmen besser veräußern zu können.

Mein Interesse, mehr über innere Motivation zu erfahren, hat mir geholfen, mich gegen einige der bekanntesten Verkaufsberater der Branche durchzusetzen und meinen späteren Lieblingskunden zu gewinnen. Mein Kunde und inzwischen guter Freund Darren Gloster ist Geschäftsführer und Direktor von ARMS Reliability, einer Vermögensverwaltungsgesellschaft. Das ist eine elegante Umschreibung dafür, dass sie großen, von Anlagen abhängigen Unternehmen wie Versorgungsbetrieben oder Öl- und Gasunternehmen helfen, die Maschinen, Anlagen und Software proaktiv zu warten und zu verwalten, damit sie mit minimalen Kosten, Ausfällen und Unterbrechungen arbeiten können und gleichzeitig kontinuierlich möglichst viel verläßlich produktive Zeit haben. Darren ist für die weltweiten Aktivitäten des Unternehmens in Nordamerika, Europa, Australien und Lateinamerika verantwortlich. Als ich ihn kennenlernte, befand sich das Unternehmen gerade im dritten Jahr eines Fünfjahresplans, der eine erhebliche Steigerung des Wachstums vorsah. Leider lieferten ihre Verkaufsstrategien nicht die zum Erreichen ihrer Ziele benötigten Ergebnisse. Sie hatten zwar Wachstum, doch nicht so schnell, wie gewünscht, und Darren war besorgt, dass sich ihr Wachstum sogar verlangsamen könnte. Wie er es audrückte: "Ich hatte das Gefühl, dass wir an unsere Wachstumsgrenze stoßen würden, also mussten wir die Fähigkeiten und Fertigkeiten des bestehenden Vertriebsteams weiter ausbauen. Wir konnten die gewünschten Verkaufsergebnisse nicht erzielen, wenn wir das Team nicht weiterentwickeln und mit denselben Strategien weitermachen würden, obwohl wir ein besseres Ergebnis erwarteten. Also suchte Darren nach jemandem, der ihm dabei helfen konnte, seine Vertriebsmanagementstrategien zu verbessern und ihm zu zeigen, wie er sein Team besser führen und die Planungsgenauigkeit sowie die Vertriebsleistung aller verbessern konnte. Er entschied sich, vier Berater zu sichten, von denen er drei durch ihre Bestseller-Verkaufsbücher fand. Ich war der letzte in der Reihe. Darren brachte mich ins Spiel, weil er mich auf einer Konferenz hatte sprechen sehen, und obwohl sich der Vortrag mehr um Persönlichkeitsbildung und Marketing drehte – der Schwerpunkt meines ersten Buches 'Not Taught' – und nicht um den Verkauf, gefielen ihm mein pragmatischer Inhalt und mein unterhaltsamer Vortragsstil. Er dachte, es könne nicht schaden, mit mir zu reden und zu sehen, was ich zu sagen hätte.

Darren war verblüfft, wie sehr sich unser Gespräch von demjenigen mit den anderen Beratern unterschied. Da Darren sein Problem zu kennen glaubte, ließen sich die anderen drei gerne von ihm über seine Probleme und deren Behebung berichten. Doch das Vorgehen mit meinem Lösungsorientierten Verkaufen war so anders, dass es ihn, wie Darren es ausdrückt, "irgendwie vom Hocker gehauen hat".

Als Gruppe von Aktionären ging es uns gut. Doch es gab diesen Fünfjahresplan, von dem wir abgewichen waren. Zwar hatten wir intern versucht, das Geschäft mit neuer Software und neuen Gebieten umzugestalten, doch der Fortschritt war langsamer als gewünscht. Keenan ist der Erste und Einzige, der sich mit der Frage beschäftigt hat: "Wie weit bist Du von Deinem Ziel entfernt?"

Ich kannte die Zahl. Sie war erheblich, und wir lagen 29 % unter unserem Plan. Aber ich hatte nie wirklich innegehalten und gedacht: "Heiliger Strohsack, das ist eine Menge Geld! Vielleicht sind wir nicht so gut, wie wir glauben."

Und dann hat Keenan großartige Arbeit geleistet, indem er alle Probleme untersuchte, von ihnen zu den Geschäftsproblemen sprang und dann von den Geschäftsproblemen zu den von ihnen verursachten Auswirkungen, zu den Ursachen und zurück. Er war völlig aufgedreht, auf eine positive Art und Weise. Man merkte ihm an, dass er versuchte, herauszufinden, was in unserer Organisation vor sich ging, warum es geschah und wie es sich auf unsere Fähigkeit auswirkte, unseren Fünfjahresplan zu erfüllen. Es schien ihm fast egal zu sein, was wir tatsächlich taten. Es ging etwa so: Es ist mir eigentlich egal, welches Produkt oder welche Dienstleistung Du anbietest, denn Verkaufen ist für ihn Verkaufen – Du kannst die Methodik oder die Prinzipien auf alles anwenden.

Ein anderer wichtiger Punkt ist, dass Keenan auf drei Dinge hingewiesen hat, die ich nicht als potenzielle Probleme oder Hindernisse für uns gesehen hatte. Er war der Meinung, dass unsere Organisationsstruktur – die Art und Weise, wie das Team insgesamt berichtete – eines der Haupthindernisse für unseren künftigen Erfolg und unser künftiges Wachstum darstellte. Das hatte ich überhaupt nicht auf dem Radar. Er hat sich eingehend mit unserem Schulungsprozess befasst. Und schließlich kam er zu der Einschätzung, dass einige Mitarbeiter des Teams möglicherweise nicht in der Lage sind, sich den Erfordernissen entsprechend zu entwickeln. Wir müssten neue Fähigkeiten, Training und Unterstützung durch Mentoren anbieten sowie die Art und Weise, wie wir bisher gearbeitet haben, überdenken, um einen neuen Rahmen zu schaffen, in dem wir erfolgreich arbeiten könnten.

Ich war sehr darauf konzentriert, was meiner Meinung nach die Probleme waren und was ich für die Lösungen hielt. Die Tatsache, dass er diese Dinge einbrachte und sie als Probleme ausmachte, während die anderen Berater das nicht getan hatten ... das war eine Art Aha-Erlebnis.

Die anderen stürzten sich auf das, was ich als die Probleme bezeichnet hatte. Keenan hingegen setzte sich neben mich und gab mir das Gefühl, einen Co-Piloten zu haben, der dafür sorgt, dass wir das Flugzeug sicher landen. Er hat mein Bewusstsein für meine eigene Vertriebsorganisation erweitert. Er hat ein erstaunliches Maß an Glaubwürdigkeit geschaffen. Ich hatte überhaupt nicht das Gefühl, in einem Verkaufsgespräch zu sein. Es fühlte sich an, als hätten wir ihn bereits eingestellt und würden gemeinsam meine Probleme lösen. Gegenüber den Gesprächen, die ich mit den anderen Beratern geführt hatte, war das ein Unterschied wie Tag und Nacht.

Er bot mir an, die Auswirkungen des Lösungsorientierten Verkaufens aus der Sicht des Käufers zu schildern und zu erläutern, warum er sich für mich (A Sales Growth Company) entschieden hat. Auf der nächsten Seite steht, was Darren gesagt hat:

Darren hatte ein Ziel, doch er konnte den Weg dorthin nicht mehr erkennen. Lösungsorientiertes Verkaufen ermöglichte es mir, alle Ablenkungen beiseite zu schieben und ihm genau aufzuzeigen, wo die Dinge schief liefen und wohin er sich bewegte, wenn er nicht einige Veränderungen vornehmen würde. (Da ist es wieder, das Wort "Veränderung".) Sobald Du den gewünschten künftigen Zustand und die eigentlichen Beweggründe Deiner Kunden kennst, musst Du nur noch dafür sorgen, dass sie nicht nur daran glauben, dass dieser künftige Zustand erreicht werden kann, sondern auch, dass Du ihn besser als jeder andere realisieren kannst.

Wie kommt man dieser Motivation auf die Spur? Nach der Zusammenfassung all dessen, was Deine Kunden Dir über ihren aktuellen Zustand und ihre Wünsche für die Zukunft erzählt haben, solltest Du Folgendes sagen:

"Erzählen Sie mir ein wenig über die Gründe für diese Veränderung."

Wenn Du bis zu diesem Punkt getreu dem Lösungsorientierten Verkaufen vorgegangen bist, werden Deine Kunden ehrlich zu Dir sein. Die Antwort, die Du erhältst, verschafft Dir einen deutlichen und wichtigen Vorteil gegenüber der Konkurrenz, da sie Dir das letzte Detail liefert, das Du noch brauchst, um Deinen Verkauf perfekt anpassen und optimieren zu können. Sie weist einen Weg zum Ziel, den niemand sonst erkennen kann.

Von diesem Moment an wirst Du Deinen Verkauf auf die innere Motivation Deiner Kunden ausrichten, denn das ist alles, woran sie denken werden, wenn sie sich entscheiden. Du könntest sogar überlegen, Dir den künftigen Zustand Deiner Kunden als eine Einheit aus drei Elementen vorzustellen. Zum Beispiel gibt es einen technischen künftigen Zustand: Eine neue Software könnte die Zahl der Verkäufe erhöhen und es einem Unternehmen leichter zu machen, mit seinen Kunden in Kontakt zu treten, den Kaufprozess zu vereinfachen und zu rationalisieren sowie die Erstellung von Berichten zu erleichtern. Dann gibt es noch einen geschäftlichen künftigen Zustand: All diese technischen Verbesserungen werden die Kundenzufriedenheit erhöhen, die Zahl der Aufträge wird steigen und die Mundpropaganda zunehmen. Und schließlich ist da noch der Kern des künftigen Zustands: Mit all diesen Verbesserungen werden wir in der Lage sein, die Konkurrenz zu schlagen. Unser Aktienkurs wird steigen. Der Vorstand wird zufrieden sein. Jeder Schritt des Entdeckungsprozesses ist gleichermaßen wichtig, um Dich zu diesem Moment zu führen: Wenn Du herausfinden kannst, warum Dein Kunde kaufen möchte, kommst Du zum Kern des Verkaufs.

TROMMELWIRBEL BITTE ...

Du kennst den aktuellen Zustand, den künftigen Zustand und die innere Motivation Deiner Kunden. Jetzt darfst Du über Dein Produkt oder Deine Dienstleistung sprechen! Richtig, Du darfst endlich werben. Du kannst damit beginnen, Informationen über die Eigenschaften Deines Produkts herauszugeben. Du kannst darlegen, warum Deine Dienstleistung besser ist als die jedes anderen Wettbewerbers auf dem Markt.

Mit anderen Worten: Du kannst anfangen, zu verkaufen!

Verrückt, nicht wahr, wie viel später im Prozess man tatsächlich zu verkaufen beginnt, wenn man auf die Lücke hin verkauft? Sieh mal, Leute, die dem traditionellen Verkaufskonzept folgen, beginnen normalerweise hier. Und genau deshalb scheitern sie. Wenn Du zu früh mit dem Verkauf beginnst, verpasst Du die wichtige Entwicklungsarbeit, die Lösungsorientiertes Verkaufen zu einer so erfolgreichen Strategie macht. Du leitest den Verkauf ohne Plan ein. Du kennst den aktuellen Zustand Deiner Kunden nicht. Du bist blind für ihren künftigen Zustand. Du hast keinen blassen Schimmer von ihren inneren Beweggründen. Du verfügst nicht über die notwendigen Informationen, um Dich richtig zu orientieren. Denke daran, dass Menschen nicht kaufen, wenn sie nicht zu einer Veränderung bewogen sind. Menschen werden zu Veränderungen veranlasst, indem sie ihren gegenwärtigen Zustand mit einem möglichen oder gewünschten künftigen Zustand vergleichen. So treffen wir halt unsere Entscheidungen. Daher werden wir als Verkäufer weitaus erfolgreicher sein, wenn wir die Arbeit für den Kunden erledigen können, um den Verkauf zu beeinflussen. Indem wir dafür sorgen, dass unsere Kunden einen kristallklaren Überblick über ihren aktuellen und künftigen Zustand haben, erleichtern wir den Prozess und erhöhen die Wahrscheinlichkeit, dass sie etwas verändern möchten oder, wie man in der Verkaufssprache sagt, dass sie kaufen.

Wenn Du dieses Buch auf der Stelle zuklapptest, würdest Du eine Menge verpassen, aber zumindest würdest Du dieses entscheidende Wissen mitnehmen: Wenn Du schon einmal Probleme hattest, ein Geschäft abzuschließen, oder wenn Du einen Kunden verloren hast, oder wenn Du dachtest, Du hättest das Geschäft abgeschlossen und es plötzlich an jemand anderen verloren hast, dann ist es fast sicher, dass es daran lag, dass Du erst bei einem Drittel des Verkaufsprozesses angefangen hast, anstatt am Anfang. Du hast versucht, in der Mitte der Landebahn zu starten, was Dir nicht mehr genug Platz ließ, um die zum Abheben für den Flug erforderliche Geschwindigkeit zu erreichen. Nimm keine Abkürzungen, sie führen nur zu Sturzflügen.

ELFTES KAPITEL
SO GELINGT EINE ÜBERZEUGENDE PRÄSENTATION

Für viele Verkäufer ist eine Produktdemonstration heute das Lebenselixier des Verkaufs. Wenn die Demo schief geht, ist es fast unmöglich, sich davon zu erholen. Doch viel zu oft sehe ich mit Schrecken, wie Verkäufer ihre Präsentation vermasseln. Der Käufer verschwindet unweigerlich auf Nimmerwiedersehen. Das muss aber nicht sein. Die Präsentation kann für einen Verkäufer die Gelegenheit sein, zu glänzen und seine Aussichten auf den Verkauf zu verbessern. Aber dazu musst du die Präsentation unbedingt durchziehen. Lösungsorientiertes Verkaufen wird dafür sorgen, dass Du das schaffst.

Es gibt vier Elemente, die eine gelungene Präsentation ausmachen. Du musst sie richtig hinbekommen.

1. Keine Entdeckung, keine Präsentation

Da eine Entdeckug beim Lösungsorientierten Verkaufen sehr in die Tiefe geht, hast Du vielleicht schon herausgefunden, dass Du niemals eine Entdeckung mit einer Präsentation kombinieren solltest. Für diejenigen unter Euch, die noch nicht so weit sind, wiederhole ich es hier: Man sollte niemals eine Entdeckung und eine Präsentation miteinander kombinieren. Um es klar zu sagen, ich meine, dass Du zwei Zeitfenster an zwei verschiedenen Tagen einplanen musst. Und nein, eine etwaige Aufteilung der Demo in zwei Abschnitte, dreißig Minuten für die Entdeckung und dreißig Minuten für die Demo, stellt *keine* separate Entdeckung dar. Die beiden dienen völlig unterschiedlichen Zwecken und müssen auch so behandelt werden. Darüber hinaus hängt eine solide Präsentation gänzlich von einer gründlichen Entdeckung ab. Du kannst keine richtige

Präsentation durchführen, wenn Du nicht all diese offenen, sondierenden, verfahrensbezogenen und provozierenden Fragen gestellt hast, mit denen Du dem gegenwärtigen und dem künftigen Zustand Deines Kunden auf den Grund gehst. Du kannst Deine Präsentation nicht maßgeschneidert gestalten, wenn Dir nicht klar ist, welche Probleme Du zu lösen versuchst. Denke daran, dass eine Entdeckung die folgenden Fragen beantworten sollte:

1. **Hat der Interessent ein Problem, das Du lösen kannst?**

2. **Ist der Interessent selbst ebenfalls der Ansicht, dass er ein Problem hat?**

3. **Möchte der Interessent das Problem beheben?**

4. **Wird sich der Interessent mit Dir auf eine Reise begeben, um das Problem zu lösen?**

Das bedeutet, dass Du manchmal ablehnen musst, eine Präsentation zu machen, selbst wenn der Kunde unbedingt mehr über Dein Produkt oder Deine Dienstleistung erfahren möchte. Das mag verrückt klingen, aber es ist wirklich wichtig. Du solltest auch nicht versuchen, diese Regel zu umgehen und eine Entdeckung in die ersten zehn Minuten Deiner Präsentation zu quetschen – dadurch kämen sie beide zu kurz. Wenn ein Kunde eine Entdeckung nicht will, solltest Du ihm stattdessen erklären, dass die Präsentation eigentlich ein zweistufiger Prozess ist und dass es ohne eine Entdeckung unmöglich ist, eine angemessene, individuelle Präsentation durchzuführen. Und das ist wirklich so! Beim Lösungsorientierten Verkaufen ist eine Präsentation nicht nur eine Möglichkeit, Deine Produkte zu präsentieren. Sie ist Deine Chance, dem Käufer zu zeigen, wie Dein Produkt oder Deine Dienstleistung in seine Abteilung oder sein Unternehmen passt und seinen künftigen Zustand besser macht als den jetzigen.

Eine Möglichkeit, die Zurückhaltung des Käufers zu umgehen, besteht darin, die Entdeckung und die Demo so zu planen, als wären sie eine einzige Veranstaltung, die über einen Zeitraum von zwei Tagen stattfindet. Nimm Dir zwischen dem Kennenlerngespräch und der Präsentation auf jeden Fall genügend Zeit (vielleicht drei bis vier Tage), um alle Informationen aus dem Gespräch zu verarbeiten, damit Du Dir wirklich Gedanken über die spezifischen Empfehlungen machen kannst, die Du Deinem Kunden anbieten wirst, und um die Präsentation entsprechend auszuarbeiten.

2. OHNE JEGLICHES WENN

Wenn Du eine gründliche Entdeckung durchgeführt hast, wirst Du mit großer Sicherheit wissen, mit welchen Problemen Dein Kunde zu kämpfen hat. Das bedeutet, dass es nie einen Grund geben wird, das Wort "wenn" zu verwenden, wie z. B. "Wenn Sie dieses Problem haben, dann ..." oder "Wenn Sie jemals Probleme haben mit...". Während einer Präsentation gibt es kein "wenn", denn *das solltest Du bereits wissen!* Falls Du zu diesem Zeitpunkt immer noch rätselst, was Deinen Kunden beunruhigen könnte, und versuchst, Funktionen vorzuführen, von denen Du glaubst, dass sie ihm gefallen oder für ihn wertvoll sein könnten, hast Du zuvor Deine Entdeckung miserabel durchgeführt. Es wäre besser, sich alle erforderlichen Informationen zu besorgen, bevor Du mit der Arbeit beginnst, denn wenn Du jetzt mit einer Präsentation weitermachst, wirst Du den Verkauf nicht bekommen.

Aber was ist, wenn Du das Potenzial Deines Produkts kennst und gesehen hast, was es für ein Unternehmen tun kann, und Du möchtest, dass Dein Kunde weiß, dass es ihm in vielerlei Hinsicht helfen kann? Dann ist "Wenn" okay?

Nein! Du konzentrierst Dich nicht auf das, was für den Kunden wirklich wichtig ist, wenn Du für alle Eventualitäten, die in seinem Unternehmen auftreten können, präsentierst. Du wirkst dann eher ungezielt, und Dein Kunde wird sich überfordert fühlen. Wahrscheinlich auch gelangweilt. Vielleicht sogar irritiert. Das ist so, als würde man einem Teenager zwei Cargo-Shorts, einen Badeanzug und einen Wollpullover geben, wenn sie in Dein Geschäft kommt und etwas für den Abschlussball sucht. Natürlich wird sie diese Artikel eines Tages brauchen – schließlich kommen Sommer und Winter –, aber Deine Kundin ist gerade nicht im Badeanzugmodus, und ehrlich gesagt wäre es ablenkend und lästig, an Badeanzüge denken zu müssen, wenn es ihr nur darum geht, bis 17.00 Uhr das perfekte Kleid zu finden. Samstagabend.

> **Demo-Herausforderung: Versuche, Deine gesamte 45-60-minütige Präsentation zu halten, ohne das Wort "wenn" zu sagen. Wenn das gelingt, hast Du eine gute Präsentation durchgeführt.**

3. BESCHRÄNKE DICH AUF SECHS ELEMENTE

Wusstest Du, dass Du Dein iPhone als Wasserwaage verwenden kannst, um sicherzustellen, dass Oberflächen eben sind? Dass Du Deinen Kontakten individuelle Benachrichtigungstöne zuweisen kannst, damit Du erkennen kannst, wer Dir eine SMS geschickt hat, ohne hinsehen zu müssen? Wie wäre es, wenn Du ein Foto machen könntest, ohne Dein Handy zu berühren, indem Du den Lautstärkeregler eines angeschlossenen Kopfhörers antippst? Und selbst wenn, hat eine dieser Funktionen Deine Kaufentscheidung für das Telefon bewirkt oder verhindert? Wahrscheinlich nicht, denn Du bist genau wie jeder andere Käufer auf der Welt. Ein Produkt kann noch so viele Funktionen haben, die potenziellen Kunden kaufen es trotzdem nur wegen einiger weniger.

Der Sinn Deiner Präsentation besteht nicht darin, sämtliche Merkmale und Funktionen Deines Produkts zu enthüllen. Es geht darum, zu zeigen, wie geeignet Dein Produkt zur Lösung der spezifischen Probleme Deines Käufers ist. Während Kunden die unterschiedlichsten Wünsche und Bedürfnisse haben, gibt es in der Regel nur eine Handvoll ernsthafter geschäftlicher Probleme, die für sie wirklich wichtig sind. Und da eine Präsentation nur maximal eine Stunde lang sein sollte, empfiehlt es sich, darauf achten, jedem einzelnen dieser Probleme die gebührende Aufmerksamkeit zu widmen. Falls Du versuchst, mehr als sechs Elemente in Deine Präsentation zu packen, ist es unmöglich, angemessene Zeit für die Darstellung jedes einzelnen zu finden. Es ist stets besser, viel Zeit konzentriert darauf zu verwenden, den geschäftlichen Wert einer Funktion hervorzuheben, als wenig Zeit darauf zu verwenden, eine ganze Reihe von Funktionen vorzustellen, die für die Lösung der Probleme des Kunden möglicherweise nicht einmal relevant sind. Denke in erster Linie an Qualität, nicht an Quantität.

4. VERANKERE DEINEN KUNDEN

Anchoring (Verankerung) ist ein Begriff aus der Psychologie, der eine kognitive Voreingenommenheit beschreibt, die Menschen bei ihren Entscheidungen zeigen. Wenn Deinem Großvater bei der Vorstellung, 5,25 Dollar für einen Starbucks Venti-Karamell-Mokka-Frappuccino auszugeben, die Augen aus dem Kopf fallen, dann liegt das daran, dass sein Bezugspunkt – sein Anker – ein 10-Cent-Becher Kaffee ist.

Schwarz. Kein Zucker. Und was zum Teufel ist überhaupt ein Venti? [in der Starbucks-Terminologie ein großer Kaffee] Ihr jungen Leute ...

Opa verlässt sich zu sehr auf die erste Information, die er je erhalten hat – den Preis einer Tasse Kaffee in den 1940er Jahren –, um den Wert einer Tasse Kaffee heute zu bestimmen. Das ist sein Anker. Es gibt noch andere Anhaltspunkte, auf die sich die meisten Menschen verlassen, wie beispielsweise den ursprünglichen Preis eines verbilligten Artikels (der uns sagt, ob wir ein gutes Geschäft machen oder nicht) oder den Kaufpreis unseres Eigenheims (der uns sagt, welchen Preis wir für unser Haus später erzielen können sollten). Der Mensch neigt dazu, auf der Grundlage der ersten Information, die er bekommt, zu urteilen. Manchmal hat man diese Informationen schon vor Jahren aufgeschnappt, so wie Großvater, und manchmal bemerkt man die höheren Zahlen halt erst auf einem Preisschild. Wie auch immer, wenn Du Deinem Gehirn die Aufgabe stellst, eine Entscheidung zu treffen, wird es sich an diese Information klammern und ihre Wichtigkeit erhöhen, möglicherweise auf Kosten anderer Informationen, die von größerer Bedeutung sein könnten (wie die Tatsache, dass der Preis des Artikels immer noch 25 % höher ist als der, den Du anderswo zahlen würdest).

Alle Menschen machen das. Das Ziel Deiner Präsentation sollte also sein, dass Deine Interessenten Deine Lösung als die erste und beste Lösung für ihr Problem ansehen, so dass sie jede andere Lösung daran messen können. Du solltest Deine Lösung zu ihrem Anker machen. Hierzu lenkst Du ihre Aufmerksamkeit auf den künftigen Zustand. Und so geht's:

Stelle Deinem Interessenten während der gesamten Präsentation und nach jedem vorgestellten Merkmal bestätigende Fragen, etwa so:

"Können Sie erkennen, wie diese Funktion Ihre Kundenabwanderungsrate verbessern wird?"

"Sehen Sie, wie dies die Dateneingabe verkürzt?"

"Können Sie sich vorstellen, wie dies Ihre Abschlussquoten erhöhen wird?"

Ausnahmsweise können sie mit Ja oder Nein antworten! Indem Du Deinen Kunden dazu bringst, den Wert jedes von Dir vorgestellten Merkmals zu bestätigen, verankerst Du ihn in Deiner Lösung und ihrer Wirkung auf die Gestaltung seiner zukünftigen Situation. Sorge dafür, dass Deine Kunden die gleiche Vision von der Zukunft vor Augen haben wie Du.

Es gibt noch einen weiteren Vorteil, der sich aus dem Stellen von bestätigenden Fragen oder dem Ankern ergibt: Es bestätigt, dass Du im Begriff bist, Dein Ziel zu erreichen. Eine gute Entdeckung sollte ausreichen, um sicherzustellen, dass Du die richtigen Probleme ansprichst und Lösungen anbietest, die der Kunde wertvoll findet. Doch seien wir ehrlich, mitunter scheitern wir auch. Vielleicht waren die Probleme des Kunden sehr kompliziert, oder wir haben eine wichtige Frage übersehen. Sowas kommt vor. Das Stellen von bestätigenden Fragen hilft Dir dabei, Deine Fehler zu erkennen und gibt Dir die Möglichkeit, zu beurteilen, wie gut Du mit Deinem Kunden zurechtkommst. Wenn Du einen Kunden fragst, ob er sich vorstellen könne, dass sich Deine Lösung positiv auf sein Geschäft auswirkt, und er mit "Nein" antwortet, dann weißt Du, dass Du ein Problem hast. Brich die Präsentation sofort ab und fange an, nach weiteren Informationen zu suchen, damit Du wieder auf Kurs kommen kannst. Bestätigende Fragen zu stellen, gibt Dir die Gewissheit, dass alle von Dir gesammelten Informationen korrekt und realistisch sind. Sie können Dir Wochen und Monate an Zeit ersparen, wenn Du versuchst, einen Verkauf abzuschließen, der, ohne es zu wissen, in der Mitte Deiner Präsentation aus dem Ruder gelaufen ist.

BEGINNE MIT DEINER PRÄSENTATIONS-KARTE

Erinnerst Du Dich an die Problemerkennungstabelle? Du solltest Dir das nochmal anschauen. Überprüfe die Liste der ausgemachten Probleme daraufhin, ob Deine Lösung sie beheben kann, und ordne sie in der Reihenfolge der möglichen Auswirkungen auf das Unternehmen Deines Kunden, vom größten zum kleinsten. Große Probleme schaffen starke Motivationen für Veränderungen. Kleinere Probleme tun das hingegen nicht. Vergeude Deine Zeit nicht mit kleinen Problemen.

Diese Liste soll als Präsentations-Karte dienen. Wenn eine Frage oder ein Problem nicht auf der Liste steht, dann sprich es nicht an. Auf diese Weise erhalten Deine Kunden eine maßgeschneiderte Präsentation, die optimal auf ihre Bedürfnisse zugeschnitten ist und es ihnen genau zeigt, wie sie mit Deinem Produkt oder Deiner Dienstleistung die gewünschten Ergebnisse erzielen können. Wie ein Spiegel in einem Ankleideraum sollte Deine Präsentation den Kunden genau zeigen, wie Dein Produkt an ihnen wirkt.

Es geht *immer noch nicht* um Dich!

Verabschiede Dich von dem Gedanken, dass der Zweck Deiner Präsentation darin besteht, den ganzen Schnickschnack Deines Produkts vorzuführen oder sämtliche coolen Funktionen zu präsentieren. Wie bei allem anderen, was mit Lösungsorientiertem Verkaufen zu tun hat, geht es bei der Präsentation nicht um Dich oder Dein Produkt. Den Kunden ist es egal, dass Dein Produkt eine Boolesche Suche schneller als die meisten anderen durchführen kann, oder dass es mehrere Anrufer oder Stimmen aufzeichnen und in einzelne Segmente unterteilen kann, oder dass Dein Produkt in der Lage ist, Blei in Gold zu verwandeln.

Deine Kunden kümmern sich einen Dreck um Dein Produkt. Was ist ihnen wichtig?

Ihnen geht es darum, wie Dein Produkt ihre Probleme lösen wird. Das ist es. Nur *das*!

Wenn also die Boolesche Suche, die Aufzeichnung von Anrufen oder das "Blei-zu-Gold"-Verfahren nicht dazu beitragen, das Problem zu lösen, mit dem der Kunde zu kämpfen hat, solltest Du weder seine noch Deine Zeit damit verschwenden, darüber zu sprechen oder etwas anderes zu erzählen, das nicht zur Lösung der angegebenen Probleme beiträgt.

Kunden kaufen, was sie wertschätzen. Je mehr Wert Du durch Deine Präsentation schaffen kannst, desto größer ist die Wahrscheinlichkeit, dass Du das Geschäft zum Abschluss bringen wirst.

ZWÖLFTES KAPITEL
BRINGE DEINE GESCHÄFTE DURCH
DIE VERTRIEBSKETTE

Vorhersehbarkeit ist eines der wichtigsten Anliegen von B2B-Verkäufern. Das ist es, was Dich beruhigt, wenn Du dreißig Gelegenheiten in der Vertriebskette hast und Dein Manager von Dir wissen will, wann jede einzelne davon zum Abschluss kommen wird. Wenn Du ein berechenbares System entwickelt hast, brauchst Du Dir keine Sorgen zu machen, denn Du weißt genau, wann jede dieser Gelegenheiten zum Abschluss kommen wird. Wenn Du keine Ahnung hast oder nur Vermutungen anstellst, kannst Du Dich allerdings auf Chaos und Ärger gefasst machen. Die nächsten drei Schritte sollen Dir dabei helfen, alle notwendigen Informationen zu gewinnen, um Vorhersehbarkeit zu schaffen, damit Du im Voraus planen kannst, Deine Chancen auf Kurs hältst und alle Deine Geschäfte auch abschließen kannst.

1. BESTIMME DIE ENTSCHEIDUNGSKRITERIEN

Eine Sache, die Du in diesem Buch wahrscheinlich schon bemerkt haben wirst, ist, dass wir beim Verkaufen die meiste Zeit checken, ob unsere Kunden wirklich das wollen, was sie zu wollen glauben. Es liegt nicht daran, dass sie dumm oder nicht gut in ihrem Job sind, sondern daran, dass sie meistens zu nah am Problem dran sind. Deshalb ist es für einen guten Verkäufer so wichtig, ein Branchenexperte zu sein. Je länger Du in der Praxis tätig bist, je mehr Menschen Du triffst und je mehr Probleme Du zu lösen hilfst, desto besser kannst Du Fallstricke und unbeabsichtigte Folgen rasch aufdecken und beurteilen, wie gut Dein Produkt oder Deine Dienstleistung tatsächlich die Ergebnisse liefert, die sich Deine Kunden für ihren künftigen Zustand vorstellen. Wenn Du diese Phase des Verkaufs erreicht hast, kennst Du den aktuellen Zustand, den künftigen Zustand und die innere Motivation des Kunden. Mit anderen Worten: Du weißt, was sie wollen und warum. Aber wenn Du Deine Interessenten in der Vertriebskette halten und in die nächste Phase bringen willst, musst Du auch wissen, wie sie es anstellen wollen.

Als Nächstes wirst Du also ihre Entscheidungskriterien ermitteln. Die Entscheidungskriterien sind die Informationen und Details, die der Kunde heranzieht, um zu entscheiden, welche Lösung er wählen wird. Wenn Du die Entscheidungskriterien Deines Käufers im Voraus verstehst, erhältst Du einen erstaunlichen Einblick, was nötig ist, um das Geschäft zu gewinnen und wie der Käufer sein Problem und seinen künftigen Zustand sieht. Die Entscheidungskriterien sind wie ein Spickzettel, und in Verbindung mit einer ordnungsgemäß durchgeführten Entdeckung sind sie Gold wert.

Tipp: Die Entscheidungskriterien sollten mit dem übereinstimmen, was Du bei der Recherche herausgefunden hast. Wenn zu den Entscheidungskriterien eines Kunden beispielsweise die Integration der Software mit SAP gehört, Du aber bei Deiner Recherche keinen Bedarf für eine SAP-Integration entdeckt hast, wirst Du etwas übersehen haben und solltest Dich unverzüglich darum kümmern. Die Frage nach den Entscheidungskriterien des Käufers ist von entscheidender Bedeutung und eröffnet einen enormen Einblick.

Die Entscheidungskriterien herauszufinden, ist normalerweise nicht besonders schwierig. Frage einfach: "Wie wollen Sie entscheiden, was die beste Lösung für Sie ist? Was werden für Ihre Entscheidung die wichtigsten Kriterien sein?"

Wenn Du eine Software zur Gesprächsaufzeichnung verkaufst, die es Vertriebsleitern ermöglicht, Verkaufsgespräche zu überwachen und aufzuzeichnen, damit sie ihre Teams richtig coachen und schulen können, könnte Dein Kunde Folgendes ankreuzen:

1. PREIS

2. WIE EINFACH ES IST, EINEN AUSSCHNITT AUS EINEM LÄNGEREN GESPRÄCH HERAUSZUSCHNEIDEN UND IHN ELEKTRONISCH WEITERZUGEBEN

3. WIE GUT DIE KOMMENTAROPTION FUNKTIONIERT

4. BENUTZERFREUNDLICHKEIT

Mit diesen Antworten teilt der Kunde Dir mit, was seiner Meinung nach wichtig ist. Aber wir erinnern uns, dass sie Dir zuvor auch etwas anderes verraten haben – ihren Wunschzustand für die Zukunft. Nun solltest Du die Faktoren, die sie für ihre Entscheidung heranziehen werden, mit diesem gewünschten künftigen Zustand vergleichen. Passen sie zusammen?

Vergiss nicht: Bei dieser Übung geht es nicht darum, zu bestätigen, dass Dein Produkt oder Deine Dienstleistung die Dinge kann, die Dein Kunde am meisten wünscht. Vielmehr geht es darum, sich zu vergewissern, dass die Kriterien, auf die sie am meisten Wert legen und die sie für ihre Entscheidung heranziehen, auch tatsächlich zu dem gewünschten Ergebnis führen. Die Leiterin eines Theaters könnte Dir zum Beispiel sagen, dass sie bei ihrer Entscheidung vor allem darauf achtet, ob die Software ihren Mitgliedern (Dauerkarteninhabern) die Möglichkeit bietet, für jede einzelne Vorstellung einen eigenen Sitzplatz auszuwählen, anstatt für jede Vorstellung den gleichen Platz zu haben. Falls sie Dir zuvor jedoch mitgeteilt hat, dass das Geschäftsproblem, das sie zu lösen versucht, darin besteht, die Zahl der Erstkäufer von Eintrittskarten zu erhöhen, und dass ihr Ziel für die Zukunft darin besteht, die Einnahmen durch Erstkäufer von Eintrittskarten zu steigern, unabhängig davon, ob diese Mitglied werden oder nicht, warum ist dann eine Funktion, die es ihnen ermöglicht, ihre eigenen Plätze für jede Vorstellung auszuwählen, für diese Entscheidung relevant? Das musst Du herausfinden.

Du könntest Folgendes sagen:

"Ich bin etwas irritiert. Sie sagten, dass die Steigerung der Einnahmen durch die Erhöhung der Zahl der Erstkäufer von Eintrittskarten Ihre wichtigste Priorität sei, aber einige der Kriterien, die Sie bei der Entscheidung über den Kauf anwenden wollen, haben keine Auswirkungen auf die Erhöhung der Zahl der Erstkäufer von Eintrittskarten. Habe ich etwa missverstanden, was Sie zu erreichen versuchen? Können Sie erklären, warum diese Kriterien für Sie so wichtig sind?"

Du weist Deinen Kunden nicht zurück – Du bist dabei, ihn schützen. Kunden können ihren zukünftigen Zustand völlig unterminieren, wenn sie ihre Entscheidungen auf die falschen Kriterien stützen. Nehmen wir an, dass gute Manieren für Manny, unseren gestrandeten Dinnergast im Weißen Haus, normalerweise ein wichtiges Kriterium sind, und nehmen wir an, dass er es statt mit einem höflichen Abschleppwagenfahrer mit einem echten Idioten zu tun hat. Wenn er in seinem künftigen Zustand Roastbeef mit Meerrettichsauce im Speisesaal der First Family isst, sollten die Manieren seines Fahrers nicht einmal eine Rolle spielen, wenn er abwägt, ob er dem Abschleppwagenfahrer, der verspricht, sein Auto von der Straße zu holen und ihn rechtzeitig zum Abendessen in die Stadt zu bringen, tausend Dollar zahlen soll. Denke mal darüber nach. Seine anderen Möglichkeiten sind: 1. auf einen billigeren Abschleppdienst oder eine Mitfahrgelegenheit zu warten, der/die ihn zu spät zum Abendessen bringt, oder 2. den Reifen selbst zu reparieren, was ihn allerdings schmutzig *und* zu spät ankommen läßt. Es gibt keinen Wettbewerb. Er kann auf einen höflichen Abschleppwagenfahrer warten, wenn er das nächste Mal Pannenhilfe braucht; heute indes muss er schnell ans Ziel kommen.

Tue Dir und Deinen Kunden einen Gefallen und vergewissere Dich, dass die Entscheidungskriterien Deiner Kunden mit ihren eigenen gewünschten Ergebnissen und Zielen übereinstimmen. Andernfalls musst Du bereit sein, sie in Frage zu stellen, um sicherzugehen, dass ihre Argumentation stichhaltig ist, oder sie gegebenenfalls neu ausrichten – allerdings nicht, weil sie etwa in eine andere als die von Dir für richtig gehaltene Richtung gehen. Das ist wichtig: Dein Ziel sollte es nicht sein, sie dorthin zu lenken, wo Du die besten Chancen siehst, das Geschäft abzuschließen, sondern sicherzustellen, dass sie durchdacht haben, warum sie das wollen, von dem sie sagen, dass sie es wollen. Weise ihnen die Verantwortung für ihre Entscheidungen zu.

MEINE FÜNF LIEBLINGSWÖRTER

Es gibt einen Grund, warum ich vorschlage, Deinen Käufer herauszufordern, indem Du mit den Worten beginnst "Ich bin irritiert. Sie sagten ..." Diese fünf Wörter, in dieser Reihenfolge, gehören zu meinen Lieblingsbegriffen. Sie sind *kraftvoll*. Ich liebe es, mit ihnen Käufer und Interessenten herauszufordern. Das ist genau das, was man tun muss, wenn man Unstimmigkeiten zwischen den Wünschen von Käufern und den Methoden, Ansätzen und Entscheidungskriterien feststellt, mit denen sie ihr Ziel erreichen wollen. Deine Fähigkeit, diese Ungereimtheiten zu erkennen, zu benennen oder zu beseitigen, ist ein Maß für den Mehrwert, den Du als Verkäufer einbringst. Du musst gut darin werden.

Das ist nicht immer ganz einfach. Wenn Du Deine Kunden ohne Takt, Diplomatie oder Anstand herausforderst, könnten sie sich überfordert, unbeachtet oder verunsichert fühlen, was der kooperativen, enthusiastischen Einstellung, die Du Deinen Kunden beim Lösungsorientierten Verkaufen vermitteln möchtest, nicht zuträglich ist. Niemand mag es, für seine Fehler gerügt zu werden, aber manchmal muss man es tun. Ein Arzt würde niemals mit unwirksamen Behandlungen fortfahren, nur weil es peinlich wäre, den Patienten mitzuteilen zu müssen, dass sie nicht funktionieren. Das gilt auch hier.

Indem Du Deiner Infragestellung den Satz "Ich bin irritiert, Sie sagten ..." voranstellst, gibst Du dem Käufer eine Möglichkeit, sein Gesicht zu wahren. Mit diesen Wörtern möchtest Du eine Diskussion anregen und den Käufer nicht etwa anklagen oder angreifen, weil er falsch liegt. "Ich bin irritiert" (oder "Ich hatte den Eindruck" oder "Ich dachte, ...") lässt die Möglichkeit zu, dass der Fehler bei Dir liegt. Dies gibt Dir Spielraum, um Selbstreflexion statt Abwehrhaltung zu fördern und eine Diskussion anstatt einer Debatte einzugehen. Das Erkennen von Widersprüchen zwischen den Wünschen der Käufer und den von ihnen getroffenen Entscheidungen ist entscheidend beim Problemlösenden Verkaufen und um den Abschluss voranzutreiben. Mit "Ich bin irritiert, Sie sagten ..." zu beginnen, bevor Du die Ungereimtheiten oder Diskrepanzen aufzählst, die Dich verwirren, ist eine der besten Möglichkeiten, Deinen Interessenten zu entwaffnen, zu einer Diskussion einzuladen und Probleme zu lösen, bevor sie entstehen.

2. DEN KAUFPROZESS VERSTEHEN

Die nächste Frage, die Du stellen solltest, um zu verstehen, wie Du den Verkauf vorantreiben kannst, ist: "Können Sie mir etwas über den Kaufprozess in Ihrem Unternehmen erzählen?"

Hierbei geht es nicht darum, herauszufinden, welche Faktoren sie bei ihrer Entscheidung für oder gegen einen Kauf heranziehen. Hier geht es um die Entscheidungskriterien, die wir gerade besprochen haben, und die Du ja bereits kennen dürftest. Bei dieser Frage geht es buchstäblich darum, alle Schritte zu kennen, die Deine Kunden durchlaufen müssen, bevor sie zu einer Kaufentscheidung kommen. Das Standardverfahren könnte zum Beispiel darin bestehen, alle Bewerber um eine Ausschreibung zu bitten, die drei besten auszuwählen, diese potenziellen Anbieter zu bitten, ins Büro zu kommen und sich vor einem Ausschuss zu präsentieren, den Gewinner unter diesen drei auszuwählen, einen Vertrag auszuhandeln und den Vertrag dann dem Firmenchef zur Unterschrift vorzulegen. In einem anderen Unternehmen ist möglicherweise Rücksprache mit der Personalabteilung erforderlich. Jemand anderes sagt Dir womöglich, dass er zwei Partner hat und sie die Angelegenheit erst gemeinsam besprechen müssen, bevor sie fortfahren können. Jedes Szenario gibt Dir einen völlig anderen Zeitrahmen vor, wie lange Du brauchen wirst, um den Verkauf abzuschließen, und jedes Szenario sagt Dir zudem, wen Du letztendlich beeinflussen musst. Kombiniere Dein Wissen über 1. die Entscheidungskriterien mit 2. den Schritten des Kaufprozesses, um Deine Geschäftsstrategie richtig zu entwickeln. Vielleicht bist Du Dir schon sicher, dass Du kein Angebot für eine Ausschreibung abgeben wirst und ziehst Dich deshalb sofort aus dem Verkauf zurück. Oder vielleicht kannst Du Dich jetzt, da Du weißt, dass die Personalabteilung involviert sein wird, darauf vorbereiten, den aktuellen und künftigen Zustand der Personalabteilung herauszufinden, wenn sich die Chance dazu ergibt. Vielleicht könntest Du auch um ein Treffen mit den Partnern bitten, die Du noch nicht kennengelernt hast.

Die Kenntnis des Kaufprozesses Deiner Kunden ist als bekäme man eine Landkarte an die Hand. So wusstest bereits, in welche Richtung Du gehen möchtest, aber jetzt kannst Du auch erkennen, wo Du auf ein steiles Tal, einen Hügel oder einen Fluss stoßen könntest. So bist Du auf alle möglichen Situationen vorbereitet.

Viele Vertriebsleute unterschätzen, wie wichtig es ist, die Kaufprozesse ihrer Kunden zu verstehen. Doch nichts, und ich meine wirklich nichts, kann die Vorhersehbarkeit von Verkaufsvorgängen mehr beeinträchtigen als ein mangelndes Verständnis des Kaufprozesses und der beteiligten Personen. Laut Gartner, der neben *The Challenger Sale* (Der herausfordernde Verkauf) auch das Erfolgsbuch *The Challenger Customer* (Der herausfordernde Kunde) geschrieben hat, gibt es heute 6,8 Käufer in jedem Verkaufsprozess. [xiv]Tatsächlich sind an einem durchschnittlichen Entscheidungsprozess auf Käuferseite 6,8 Personen beteiligt! Kannst Du Dir nun vorstellen, welche Risiken und Unwägbarkeiten Du auf Dich nimmst, wenn Du den Kaufprozess Deiner Kunden und die beteiligten Akteure nicht kennst? Du solltest Dir nicht Deine eigenen Probleme bereiten. Wenn Du mehr Zeit darauf verwendest, alles über die am Verkauf beteiligten Akteure und den Prozess zu erfahren, den Deine Kunden durchlaufen, um zu entscheiden, ob sie kaufen wollen oder nicht, kannst Du abschätzen, wie lange der Verkauf dauern wird, Risiken minimieren und vor allem herausfinden, mit wem Du in Kontakt treten musst, um das Geschäft zu machen.

3. Konzentration auf das nächste Ja

Wenn Du bereits lange genug im Verkauf tätig bist, weißt Du, dass ein Verkaufszyklus aus einer Reihe von Phasen besteht, die es uns und unseren Organisationen ermöglichen, unsere Chancen angemessen zu verfolgen und die Wahrscheinlichkeit eines Abschlusses abzuschätzen. Leider hat man den meisten von uns die Vorstellung eines linearen Verlaufs von Verkaufszyklen eingetrichtert. Das ist jedoch falsch. Ein Fehler, der viele Verkäufer unnötig erschöpft und manchmal gar völlig aus der Bahn wirft.

Einen Verkaufszyklus sollte man sich eigentlich eher wie eine ansteigende Treppe denn eine horizontale Gerade vorstellen.

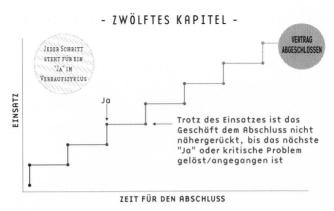

In einem typischen Diagramm stellt die y-Achse eines Verkaufszyklus dar, wie viel Mühe ein Verkäufer in den Verkauf investiert; die x-Achse markiert die bis zum Abschluss benötigte Zeit. Das Problem ist, dass in vielen Fällen die einzige Person, deren Linie auf der Y-Achse ansteigt, die des Verkäufers ist, während die Bemühungen des potenziellen Kunden ziemlich flach bleiben, so wie hier:

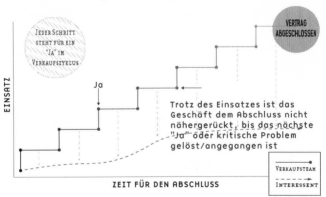

Verkäufer neigen zu der Annahme, dass sie den Verkauf mit übermenschlichem Einsatz vorantreiben müssen. Bedauerlicherweise verschieben sie nur die Linie nach oben.

Was treibt denn einen Verkauf voran? Das Wort "Ja." Kannst Du Dich noch daran erinnern, wie wir besprochen haben, dass Du Dir eine Einladung verdienen musst, um dem Kunden zu helfen? Jedes einzelne Ja, das Du vom Kunden hörst, ist eine erneute Zustimmung zur Zusammenarbeit mit Dir. Solange Du kein "Ja" hörst, kommst Du dem Abschluss nicht näher. Vergiss nicht, dass jedes Ja, das Du hörst, eine Art kleiner Verkauf ist. Tatsächlich setzt sich ein Verkauf aus Hunderten von kleinen Einzelverkäufen zusammen, die im Laufe des Verkaufszyklus getätigt werden. Zunächst sollte der Kunde anerkennen, dass es ein Problem gibt und dass er bereit ist, zu dessen Lösung mit Dir zusammenzuarbeiten. Sobald Du eine Lösung vorschlägst, möchtest Du hören, dass sie tatsächlich für das Unternehmen geeignet sein könnte. Später, wenn Du weißt, dass der Entscheidungsprozess ein Treffen mit dem Firmenchef beinhaltet, wirst Du hören wollen: Ja, wir vereinbaren gerne ein Treffen mit dem Firmenchef für Dich. Wenn Du absehen kannst, dass Du den Verkauf nicht abschließen kannst, ohne die Produktspezifikationen zu sehen, solltest Du alles tun, damit Dein Kunde bereit ist zu sagen: Ja, wir schicken sie Dir zu. Bei jedem Schritt im Verkaufszyklus sollten Du und Deine Kunden gemeinsam auf das hinarbeiten, was nach Meinung Deiner Kunden passieren muss, bevor sie kaufen können. Beim Lösungsorientierten Verkaufen sollten sie genauso in den Prozess einbezogen sein wie Du selbst. Grafisch dargestellt würde ein Lösungsorientierter Verkauf folgendermaßen aussehen:

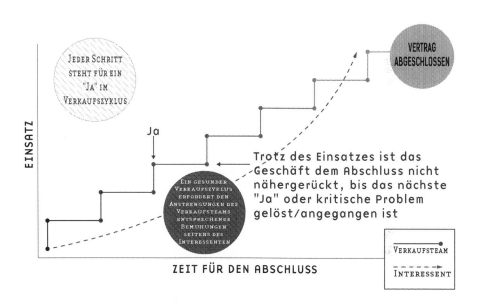

Man beachte, dass sich beide Teilnehmer, während sie sich über die X-Achse bewegen, gleichzeitig auf der Y-Achse nach oben bewegen. Je näher Kunden sich auf den Kauf zubewegen, desto engagierter sind sie und desto eher sind sie bereit, die für den Abschluss notwendige Arbeit zu leisten. Wenn Du ein Autoverkäufer bist, ist es schön und gut, wenn Kunden anrufen, um über Autos zu sprechen, die sie online gesehen haben, aber solange sie nicht zu einer Probefahrt kommen, drehst Du Dich im Kreis und bringst den Verkauf nicht voran. In diesem Fall sollte Dein Hauptaugenmerk nicht auf dem Verkauf des Autos liegen, sondern auf dem Verkauf der Probefahrt, denn ohne diese kannst Du keinen Abschluss erzielen. Du musst immer ein Auge auf den nächsten kleinen Verkauf haben und sicherstellen, dass Du genug Wert lieferst, um Deinen Kunden zum "Ja" zu bewegen. Wenn Dein Kunde sich sträubt, ist es an der Zeit, zu Deiner Entdeckung zurückzukehren und herauszufinden, welchen Teil seines aktuellen Zustands, seines künftigen Zustands oder seiner eigentlichen Motivation Du noch nicht kennst.

Vorhin haben wir darüber gesprochen, dass es zu unseren Aufgaben als Verkäufer gehört, unsere Kunden davor zu bewahren, sich für Änderungen und Lösungen zu entscheiden, die ihre Probleme nicht wirklich lösen, sondern sie möglicherweise verschlimmern oder unbeabsichtigt neue verursachen. Dies geschieht zumeist, weil die Menschen zu sehr mit dem Problem beschäftigt sind und das Gesamtbild nicht überschauen können. Verkäufer können leicht in eine umgekehrte Version dieser Falle tappen, indem sie ihren Blick zu sehr auf den bevorstehenden Abschluss richten und darüber vergessen, woraufhin gerichtet sie im Moment verkaufen. Einige dieser Leute halten sich für gute Abschlusskünstler, aber das ist nichts, um sich damit zu brüsten. Diejenigen, die gut im Abschluss sind, machen nur schlechte Verkäufer aus. Ihr ganzer Fokus liegt auf dem abschließenden großen Ja. Sie werben für ihre Botschaft, stellen ihre Produkte vor und versuchen dann, wenn der Verkauf sich dem Ende nähert, den Kunden zu einer Entscheidung zu bewegen. Aber dadurch, dass sie auf einen einzigen großen Verkauf fixiert sind, schließen sie nicht all die kleinen Verkäufe ab, die nötig sind, damit der große Verkauf zustande kommt. Gute Abschließer verlieren viele kleine Geschäfte während des Verkaufsprozesses. Ähnlich wie beim Schachspiel hilft der Blick in die Zukunft, Muster zu erkennen und sich auf Eventualitäten vorzubereiten, aber man muss immer noch darauf achten, was direkt vor der Nase passiert und sich darauf einstellen. Jedes kleine Ja bringt Dich dem Verkauf näher.

Durch das Umsetzen dieser drei Schritte – das Festlegen der Entscheidungskriterien, die Kenntnis des Kaufprozesses und die Konzentration darauf, die nächsten Ja zu erhalten (auch bekannt als der Miniverkauf innerhalb eines Verkaufs) – kannst Du Dein Geschäft besser reibungslos durch die Vertriebskette bringen. Aber es gibt noch eine Sache, die Du bedenken solltest.

DU BIST NICHT DER SKLAVE DES KUNDEN

Es ist wichtig, die Vertriebskette in Bewegung zu halten, aber lass' mich eines klarstellen: Ein guter Verkäufer ist ein Berater, ein Mitarbeiter, ein Partner – kein Diener. Du weißt, was das bedeutet, nicht wahr? Der Kunde hat nicht immer Recht. In der Tat können Kunden manchmal ihre eigenen ärgsten Feinde sein. Das erfolgreiche Lösen von Problemen erfordert grundsätzlich Partnerschaft und Informationsaustausch. Es ist das Ergebnis von zwei oder mehreren Personen oder Einheiten, die sich die Arbeit teilen und für ein bestimmtes Ergebnis einsetzen. Deshalb zeigt ein ausgewogener Verkaufszyklus, dass sowohl die Linie des Kunden als auch die des Verkäufers entlang der Y-Achse ansteigt, je weiter der Verkauf voranschreitet.

Es ist nicht so, dass Du Dich nicht anstrengen müsstest, um den Verkauf zu schaffen. Um im richtigen Moment zu verkaufen, braucht man Aufmerksamkeit, Geduld und geistige Beweglichkeit. Es kann schwierig und zeitaufwändig sein. Zu viele Vertriebsleute glauben, dass der einzige Weg, einen Verkauf in der Vertriebskette voranzutreiben, darin besteht, auf jeden Wunsch oder jede Laune des Kunden einzugehen, oder sie interpretieren die Zurückhaltung des Kunden, Informationen preiszugeben, als ein Zeichen, ihre Bemühungen zu verdoppeln. Dies ist falsch. So wie Investoren ihren ROI (Return on Investment), also ihre Kapitalrendite, abwägen müssen, wenn sie entscheiden, wo sie ihr Geld investieren, müssen Verkäufer ihren ROSE (Return on Sales Effort), das heißt die Rentabilität des Verkaufsaufwands, bei der Entscheidung berücksichtigen, wo sie ihre Energie und Zeit einsetzen. Das bedeutet oftmals, dass man lernen muss, auch Nein zu sagen.

Je mehr Du dich selbst schätzt, Dein Wissen über den Bereich, in dem Du verkaufst, und Dein Verständnis für die Probleme Deiner Kunden, desto mehr werden Deine Kunden Dich wertschätzen. Ein guter Verkäufer ist kein Laufbursche oder Diener. Ein guter Verkäufer ist ein kompetenter Berater und ein wertvolles Aktivum. Und Du solltest Dich auch wie ein solcher verhalten.

Wir machen den Test:

- Wenn Dein Kunde sagt, "spring", und Du fragst: "Wie hoch?"

- Wenn der Kunde um einen Kostenvoranschlag bittet und Du ihn abgibst, ohne zu fragen, warum

- Wenn der Kunde um einen kostenlosen Testzeitraum bittet, aber seine Ergebnisse nicht mitteilen will

- Wenn Du alle Anforderungen Deiner Kunden erfüllst, sie aber nicht auf Deine eingehen wollen

- Wenn der Kunde von Dir erwartet, dass Du Dein Geschäftsmodell änderst, um seine Bedürfnisse zu erfüllen, und Du tust es

- Wenn der Kunde Dich nur mag, wenn Du ihm den Preis gibst, den er will

- Wenn der Kunde ständig um etwas bittet, aber nichts zurückgeben will

... dann bist Du der Sklave des Kunden. Und damit muss Schluss sein!

Allerdings:

- Wenn Du deutlich machst, dass Du genauso viel über Branchentrends weißt wie Dein Kunde, oder gar mehr

- Wenn Du die Nuancen der Lösung der wichtigsten Probleme im Zusammenhang mit Deinen Produkten oder Dienstleistungen kennst und erläutern kannst

- Wenn Du genauso gut wie Dein Kunde (oder sogar besser) weißt, was die Konkurrenz macht

- Wenn Du kontinuierlich wertvolle Erkenntnisse für Deine Kunden lieferst

- Wenn der Kunde sich auf Dich verlassen kann, wenn es um Orientierung und Beratung geht

- Wenn Du Produkte, Dienstleistungen oder Merkmale und Vorteile nicht anpreist

- Wenn Du aufgrund Deiner geteilten Inhalte eine starke soziale Gefolgschaft hast

- Wenn Du eine verlässliche Ressource in LinkedIn-Gruppen oder Quora bist

- Wenn Kunden wissen, dass Du die zur Lösung komplexer geschäftlicher Herausforderungen benötigten Antworten hast

... dann bist Du eine Bereicherung und ein entscheidendes Element für den Erfolg Deines Kunden. Und nicht sein Sklave.

Dies ist nicht nur eine Frage der Selbstachtung, sondern eine Einstellung, mit der Du besser verkaufen wirst. Die Rolle eines geschickten Verkäufers im Lösungsorientierten Verkaufen besteht zwar darin, dem Kunden das Gefühl zu geben, dass er sich wohlfühlt und die Kontrolle innehat, aber dennoch solltest Du nie die Führung über den Verkauf verlieren. Und genau das würdest Du tun, wenn Du ein unterwürfiger Lakai wärst. Wenn Du nur das tust, was der Kunde Dir sagt, kannst Du ihm nicht das Fachwissen, den professionellen Einblick und die Anleitung bieten, die er von Dir braucht. Lasse nicht zu, dass Deine Angst, den Verkauf zu verlieren, die Qualität Deiner Arbeit beeinträchtigt. Genau das würde Dich zum Sklaven des Kunden machen. Lasse stattdessen die Angst ein Anhaltspunkt sein. Wenn Du Angst hast, das Geschäft zu verlieren, ist das wahrscheinlich ein Zeichen dafür, dass Du die Führung verloren hast. Wenn Du Dich ängstlich fühlst, dann zeigt dies, dass Du nicht lösungsorientiert verkaufst. Wenn Du Angst hast, bedeutet dies, dass Du nicht weisst, wo der Kunde steht. Das bedeutet, dass Du nicht über die notwendigen Informationen verfügst, um Deinen Käufer zu beeinflussen. Dadurch bist Du von der Gnade Deines Kunden abhängig, und das ist der Anfang vom Ende. Weshalb? Weil, wenn Du Deinem Käufer ausgeliefert bist, er sich nicht mehr von Dir helfen lässt. Es handelt sich nicht mehr um einen kooperativen Verkauf, und diese Art von Geschäften kommt nur selten zum Abschluss. Du solltest Ängste nicht in die Gleichung einfließen lassen. Sei ein kompetenter Ansprechpartner und werde nicht zum Sklaven des Kunden.

Das Gleichgewicht der Kräfte verschiebt sich während eines Verkaufs. Am Anfang, wenn Du erstmals versuchst, die Aufmerksamkeit eines Interessenten zu erlangen, ist es völlig asymmetrisch. Du hast weder Einfluss noch Respekt verdient. Es liegt an Dir, diese zu verdienen. Schließlich bist Du derjenige, der den Tag des Käufers mit einer Bitte um Aufmerksamkeit unterbricht, es sei denn, der Käufer hat Dich zuerst angerufen oder eine E-Mail geschickt, also solltest Du lieber darauf vorbereitet sein, zu zeigen, dass Du es verdient hast. Wenn Du alle bisher in diesem Buch behandelten Techniken des Lösungsorientierten Verkaufens anwendest, sollte es kein Problem sein, Deinen Wert unter Beweis zu stellen.

Sobald Dein Kunde jedoch zustimmt, sich mit Dir auf diese Verkaufsreise zu begeben – sobald er anfängt, regelmäßig "Ja" zu sagen – sollte die Verkaufssituation in ein partnerschaftliches Verhältnis übergehen. Und in Partnerschaften gibt nicht eine Person alles, während die andere alles nimmt. In einer Partnerschaft gibt jeder dem anderen das, was er braucht, um sein Bestes erreichen zu können. Sie unterstützen sich gegenseitig auf dem Weg zum Erfolg. Wenn Du also ein Dokument oder eine Information benötigst, die Dir hilft, Deine Arbeit für Deinen Kunden besser zu machen, und er sich verweigert, solltest Du Dich nicht einfach abwenden und versuchen, ohne sie auszukommen. Du solltest Dich durchsetzen und ihm zu verstehen geben, warum es in seinem Interesse ist – warum es für ihn nützlich ist –, Dir zu helfen. Und wenn er etwa unangemessene Forderungen an Dich stellt, bist Du nicht verpflichtet, sie zu erfüllen, es sei denn, Du weißt, dass Du im Gegenzug etwas Nützliches bekommst.

Nehmen wir zum Beispiel an, Du verkaufst Software und Du hast die Entdeckung erfolgreich hinter Dich gebracht. Dann, mitten in der Lösungsphase, teilt Dir Deine Kundin mit, dass sie definitiv an Deinem Produkt interessiert ist, aber bevor sie sich festlege, brauche sie eine Testzeit von 90 Tagen. Du weist darauf hin, dass Dein Unternehmen keine Testperioden anbietet und diese Forderung ohnehin unangemessen ist. Du fängst an, Fragen zu stellen: Was hofft sie mit der Testperiode zu erreichen? Wie kann sie durch eine Testperiode zu ihrem gewünschten Ergebnis gelangen? Sie ist nicht daran interessiert, sich zu erklären, und zieht sich zurück. So läuft das in ihrem Unternehmen ab. Keine Testperiode, kein Kauf.

Aber Du bist nicht der Sklave des Kunden. Du hast nun zwei Möglichkeiten: 1. Du kannst Nein sagen. Sicher, das könnte den Verkauf sofort zunichte machen, aber zumindest wärst Du nicht drei Monate lang in der Zwickmühle, um sicherzustellen, dass Du das Loch in Deinen Umsatzprognosen füllen kannst, falls sie abspringt. Oder, 2. Du kannst Bedingungen festlegen. Du könntest einer 90-tägigen Probezeit zustimmen, *wenn*:

- Die Kundin eine Installationsgebühr zahlt

- Die Kundin klare und messbare Erfolgskriterien benennt, so dass Du weißt, welche Art von Indikatoren Du zu erfüllen versuchst

- Die Kundin sich verpflichtet, die Software zu kaufen, wenn Du diese Erfolgskriterien erfüllst

Auf diese Weise wird die Beziehung neu justiert, um sicherzustellen, dass beide Parteien gleichermaßen an Risiko und Verantwortung beteiligt sind. Du erkennst eine unangemessene Forderung an und machst sie dann zu einer angemessenen Forderung.

Es mag überraschen, doch die Kunden willigen in diesen Fällen häufig ein. So wie höhere Preise oft Qualität und Wert widerspiegeln, ist es genauso wichtig, hinter seinem Produkt und seinen Prinzipien zu stehen. Es kann Deinen wahrgenommenen Wert bekräftigen und den Kunden dazu bringen, mit Dir weiter zusammenarbeiten zu wollen. Nun kann es vorkommen, dass sich der Kunde weigert. In diesem Fall solltest Du ihm sagen, dass er das vergessen kann. Doch solltest Du stark genug sein, um zu erklären: "Ich verstehe, warum Sie diesen Prozess wollen, aber nur weil Sie ihn wollen, muss ich ihn nicht gewähren. Wir müssen zusammenarbeiten, und wenn Sie sich nicht auf halbem Weg mit mir treffen können, sind wir nicht die Richtigen für einander."

Eine Verkaufsbeziehung ist wie eine Ehe. Du und Dein Kunde müssen gleichberechtigt geben und nehmen und dabei die gleichen Ziele verfolgen, sonst funktioniert es nicht.

Dieser Ratschlag gilt übrigens nicht nur, wenn der Kunde unangemessene Forderungen stellt. Kennst Du zum Beispiel die Momente, in denen Du mit Kunden Kontakt aufnimmst und sie Dich bitten, ihnen Deine Preise zu schicken, bevor Du die Möglichkeit hattest, etwas über sie zu erfahren oder sie viel über Dich lernen konnten? Du hast noch nie mit ihnen gesprochen, sie haben Dich noch nie getroffen, sie wollen kein Treffen vereinbaren oder einen Folgeanruf tätigen, um zu erklären, warum sie glauben, dass sie Dein Produkt oder Deine Dienstleistung brauchen könnten, sondern sie wollen nur sehen, was es kostet. Du kannst und solltest Nein sagen. Beim Lösungsorientierten Verkaufen kommt es darauf an, Beziehungen aufzubauen und Probleme zu bewältigen. Du kannst Deine Arbeit nicht richtig machen, wenn du Dich darauf einlässt, dass sie Deinen Wert für sie nur auf der Grundlage des Preises bestimmen. Du bist nicht McDonald's und servierst jedem Kunden, der hereinkommt, genau das gleiche.

Wenn so etwas das nächste Mal vorkommt, solltest Du erklären, dass Du erst dann einen Preis nennen kannst, wenn Du das Unternehmen des Kunden verstanden hast, welche Probleme er zu lösen versucht und was er zu erreichen hofft. Du würdest ihn nie bitten, seine Kunden zu kurz kommen zu lassen; Du wiederum kannst nicht etwas zustimmen, was Deine Kunden zu kurz kommen ließe. Darüber hinaus kann der Wert eines Produkts oder einer Dienstleistung stark schwanken, je nachdem, wie dringend der jeweilige Kunde seinen aktuellen Zustand ändern oder die gewünschten Ergebnisse erzielen möchte. Wenn wir eines aus Mannys Geschichte etwas gelernt haben, dann, dass ein Preis, der einem Kunden in einem Moment exorbitant erscheint, im nächsten Moment wie Kleingeld aussehen mag. Es hängt alles davon ab, wie sich die Kosten im Verhältnis zum gewünschten Ergebnis des Kunden verhalten. Im nächsten Kapitel werden wir erörtern, wie sich Preisstreitigkeiten und andere potenzielle Hindernisse in der Vertriebskette ausräumen lassen.

DREIZEHNTES KAPITEL
PROBLEMLÖSUNG

Deine Entdeckung verlief großartig, Du bist auf dem besten Weg zum Verkauf, Du bist total sympathisch mit Deinem Kunden, Du bist zuversichtlich, dass er begeistert sein wird, wenn er sieht, wie gut Dein Produkt funktioniert und wie viel besser es sein Arbeitsleben macht, und Du hast Deinem Chef gesagt, dass Du davon ausgehst, den Verkauf bis zum Ende des Monats abzuschließen, und dann *peng*! Du bist so hart gegen die sprichwörtliche Wand geprallt, dass Dein Gesicht von Ziegelstein-Abdrücken gezeichnet ist.

Wenn Kunden kurz davor sind, sich endgültig zu entschließen und sich für Dein Produkt oder Deine Dienstleistung zu entscheiden, können sie zu zweifeln beginnen, kalte Füße bekommen, beschäftigt sein oder ihren Gedankengang noch einmal gründlich überdenken, um sicherzugehen, dass sie keine Komplikationen übersehen oder eventuelle Nachteile übersehen haben. Wenn es jemals einen Zeitpunkt im Verkauf gibt, an dem sich zeigt, wie gut Du Deine Entdeckung gemacht hast und wie genau Du den aktuellen Zustand und den gewünschten künftigen Zustand eingeschätzt hast, dann ist es jetzt.

WENN EIN INTERESSENT SICH ZURÜCKZIEHT

Als Du zuletzt mit Deiner potenziellen Interessentin gesprochen hast, war sie begeistert von den Möglichkeiten, die Dein Produkt für ihre Abteilung bietet, und erzählte Dir, dass sie ihrem Chef ein Angebot unterbreiten werde und zuversichtlich sei, die Genehmigung für den Kauf noch vor Monatsende zu bekommen. Du hast mit einem guten Gefühl aufgelegt, Dir eine Notiz im Kundenbindungs-Management gemacht und einen Termin im Planer eingetragen, um Dich zwei Wochen später mit ihr zu treffen und die nächsten Schritte zu vereinbaren. Schneller Vorlauf um zwei Wochen, und Deine Termin-Erinnerung erscheint. Du rufst an und hinterlässt eine Sprachnachricht, die Deine Interessentin nicht beantwortet. Du notierst Dir, dass Du in zwei Tagen wieder anrufst, falls sie sich bis dahin nicht meldet. Die zwei Tage vergehen, und Du versuchst es erneut. Immer noch keine Antwort. Es wird schon alles in Ordnung sein, und Du hinterlässt eine weitere Nachricht. Außerdem sendest Du eine kurze E-Mail. Zwei weitere Tage vergehen, und noch immer keine Spur von Deiner Interessentin. Du wirst ein wenig unruhig. Was war geschehen? Das Geschäft war doch im Sack! Wie willst Du das Deinem Manager erklären? Du hattest dieses Geschäft eingerechnet, um Deine Zahlen in diesem Quartal zu erreichen. Du schickst eine weitere E-Mail und hinterlässt eine weitere Sprachnachricht. Es herrscht Funkstille. Jetzt bist Du verzweifelt. Du bist auch aufgeschmissen. Du hast die Kontrolle über den Verkauf verloren.

Mache Dir nichts vor – Deine E-Mails sind nicht im All verloren gegangen, und Deine Sprachnachrichten sind nicht verschwunden. Interessenten wissen genau, wann sie Dir eine Antwort schulden. Und die meiste Zeit fühlen sie sich schlecht, weil sie sich nicht gemeldet haben. Wenn sie zuvor so weit gegangen sind, Dir Ihr Interesse an einem weiteren Fortgang des Geschäft zu zeigen, und nun verschwunden sind, kannst Du darauf wetten, dass sie nicht absichtlich versuchen, unhöflich zu sein, Es ist vielmehr etwas bei ihnen vorgefallen, womit sie nicht gerechnet haben. Doch wenn Du sie in Deiner Verzweiflung anflehst, mit Dir zu reden, indem Du Dich "einfach mal meldest", wird das sie nicht dazu bringen, sich zu erklären. Wenn Dir das mal wieder passiert – und das wird es bestimmt– dann solltest Du nicht verzweifeln. Sei stattdessen direkt. Wenn Du Lösungsorientiertes Verkaufen angewendet hast, verfügst Du über alle nötigen Informationen, um Deine Interessenten zur Verantwortung zu ziehen und sie zu ermutigen, sich zu erklären.

Beginne mit diesen fünf kleinen Worten: "Ich bin verwirrt. Sie sagten ...", was die Diskrepanz zwischen den Worten und den Taten Deines Interessenten verdeutlicht. Dann erinnerst Du sie an ihren gegenwärtigen Zustand und daran, dass sie sich, indem sie Dich meiden, von dem künftigen Zustand, den sie sich wünschen, entfernen. "Ich bin etwas irritiert. Sie sagten, Sie hätten es satt, bei größeren, komplexeren Projekten immer den Kürzeren zu ziehen, und stimmten mir zu, dass mein Produkt Ihr Wertschöpfungspotenzial um das Zehnfache steigern und Sie zum Erreichen Ihrer finanziellen Ziele führen würde. Deshalb bin ich überrascht, dass ich nichts von Ihnen gehört habe. Hat sich irgendetwas geändert? Haben Sie Ihr Problem lösen können? Haben Sie beschlossen, keine größeren Projekte zu verfolgen?"

Im Grunde genommen machst Du sie auf die überhaupt freundlichste Art und Weise für ihre eigenen Worte verantwortlich und beweist, dass Du ihr Problem verstehst, was nötig ist, um es zu lösen, und welche Konsequenzen es hat, wenn Du es nicht löst. Du weist gleichzeitig darauf hin, dass sie, sofern sich ihre Ziele nicht mittlerweile geändert haben, durch ihre Abwendung von Dir ihren künftigen Zustand und ihre gewünschten Ergebnisse verspielen. Vielleicht haben sie sich für eine andere Lösung entschieden, oder ihr Chef wurde entlassen, oder sie sind einfach überfordert. Egal, was los ist, Du musst es erfahren! Du musst sie dazu bewegen, sich erneut einzubringen. Du wirst nicht in der Lage sein, jedes Geschäft zurückzuerobern, aber schon fünf Interessenten, die zu zwei zusätzlichen Verkäufen pro Jahr führen, können einen erheblichen Unterschied bei Deinem Jahresabschluss ausmachen. Es ist die Mühe wert, und wenn Du lösungsorientiert verkaufst, hast Du bereits die notwendigen Mittel, damit es klappt.

Ein festgefahrenes Geschäft wieder Beleben

Auch dies ist ein häufiges Problem. Du hast ein gutes Verhältnis zu Deinem Interessenten aufgebaut, ihr seid Euch einig, dass Dein Produkt das Unternehmen entscheidend voranbringen kann, aber dann wird alles ganz l-a-n-g-s-a-m. Besprechungen werden verschoben, Unterlagen werden nicht wie versprochen verschickt, und nichts wird erledigt. Der Interessent nimmt zwar Deine Anrufe entgegen und bekräftigt immer wieder sein Interesse, aber das Geschäft bleibt in der Vertriebskette stecken, und Du bekommst bloß Ausreden. Vielleicht steht er wirklich nicht so sehr auf Dich?

Mag sein, vielleicht auch nicht. Es gibt eine Vielzahl von Gründen, aus denen Interessenten ihre Prioritäten auf einmal verlagern könnten. Wenn das passiert – und das wird es –, solltest Du dasselbe tun, was Du auch tätest, wenn ein Kunde sich zurückzieht: den Kunden an seinen aktuellen Zustand, seinen gewünschten künftigen Zustand und die Auswirkungen erinnern, die er erleiden wird, wenn er die gewünschten Ergebnisse aufschiebt. "Tom, das Treffen können wir gerne um eine Woche verschieben, aber ich bin ein wenig verwundert. Sie sagten, dass Sie mit jedem Monat, der ohne ein neues System vergeht, Geld verlieren, obwohl Sie hofften, Ihre Gewinne im nächsten Jahr um 4 % steigern zu können. Wenn wir so weitermachen, wird es für Sie sehr schwer werden, dieses Ziel zu erreichen, nicht wahr? Ist das in Ordnung?" Der Interessent wird entweder die Verzögerung verteidigen oder sich dafür bedanken, dass Du ihm Feuer unterm Hintern gemacht hast. So oder so ist das Gespräch im Gange, Du kannst ihn dazu bringen, erneut zu bestätigen, dass er immer noch an der Lösung des Problems interessiert ist, Du hast eine Chance, ihn zu einem weiteren "Ja" zu bewegen, und Du hast eine bessere Vorstellung davon, was Dich im Hinblick auf Deine eigenen Ziele erwartet.

ÜBERWINDUNG VON EINWÄNDEN

Seit jeher wird Verkäufern beigebracht, Einwände zu überwinden, indem sie klärende Fragen stellen. Wenn Du also ein umweltfreundliches Reinigungsunternehmen bist und ein anfänglich begeisterter Interessent plötzlich innehält und sagt: "Wissen Sie, ich würde gerne mit Ihnen zusammenarbeiten, doch ich wollte unbedingt ein lokales Unternehmen unterstützen", wäre eine gängige Antwort: "Könnten Sie erklären, warum das für Sie so wichtig ist?" Und das ist keine schlechte Frage. Das Problem ist die Antwort, die Du darauf bekommst, und die wahrscheinlich in etwa so lauten wird: "Ich möchte mein Geld so nah wie möglich in der hiesigen Wirtschaft halten, und Sie sind ein Franchise-Unternehmen mit Sitz außerhalb des Landes. Ich würde lieber ein regionales Start-up-Unternehmen unterstützen."

Jetzt bist Du aufgeschmissen, denn es gibt nichts, was Du dagegen ausrichten kannst.

Wenn Du den aktuellen und künftigen Zustand Deines Interessenten kennst, musst Du ihn nicht dazu bringen, seine Einwände zu erklären. Stattdessen bittest Du ihn einfach, sein gewünschtes Ergebnis zu erläutern. "Einen Moment bitte, ich bin etwas erstaunt. Ich kann Ihr Interesse an der Unterstützung lokaler Unternehmen nachvollziehen, aber Sie sagten mir, dass es Ihnen bei der Beauftragung eines Reinigungsunternehmens in erster Linie darauf ankommt, dass es sich nach

Möglichkeit zur Verwendung umweltfreundlicher Produkte verpflichtet. Unsere umweltfreundlichen Reinigungsprodukte sind nicht nur irgendein Beiwerk, sondern unser ganzes Geschäft dreht sich um sie, mit Ausnahme einiger sorgfältig ausgewählter Desinfektionslösungen und Hygienemittel. Gibt es ein lokales Unternehmen, welches das gleiche verspricht? Können Sie mir helfen, das zu verstehen?"

Der Clou ist, dass es beim Lösungsorientierten Verkaufen viel unwahrscheinlicher ist, dass ein Einwand auftaucht und Dich überrumpelt. Wenn Du den aktuellen Zustand des Kunden gut bewertet, seinen künftigen Zustand ermittelt und die Lücke aufgedeckt hast, solltest Du in der Lage sein, alle größeren Probleme zu erkennen, bevor der Kunde überhaupt daran denkt.

Jedes Mal, wenn Du mit einem Einwand konfrontiert wirst, solltest Du ihn mit dem künftigen Zustand Deines Kunden abgleichen. Stehen sie miteinander in Einklang? Würde die Lösung dieses Arguments oder vermeintlichen Problems den Kunden seinem gewünschten Ergebnis näher bringen? Wenn nicht, solltest Du wohl aussteigen. Ansonsten solltest Du mit "Ich bin verwirrt" reagieren. Indem Du andeutest, dass Du derjenige sein könntest, der sich irrt, erlauben Dir diese beiden Worte, andere herauszufordern, ohne dass sie sich angegriffen fühlen.

Nehmen wir noch einmal das Beispiel des Theaters und der Sitzplätze für Zuschauer. Sagen wir, Du hast das Theater in einem vernünftigen Tempo durch die Vertriebskette geführt, und plötzlich sagt Dein Kontakt: "Wissen Sie, wir haben darüber nachgedacht. Mit Ihrem System können die Abonnenten beim Kauf von Dauerkarten ihre Sitzplätze selbst auswählen, sind aber bei jeder Veranstaltung an denselben Platz gebunden. Unsere Abonnenten sind daran gewöhnt, dass sie sich ihren Platz für jede Vorstellung selbst aussuchen können. Es ist für uns sehr wichtig, dass wir diesen Dienst weiterhin anbieten können, daher sind wir nicht sicher, ob wir mit Ihrer Software weitermachen können."

Da Du den aktuellen Zustand und den gewünschten künftigen Zustand kennst, antwortest Du:

"Ich bin etwas irritiert. Sie haben mir gesagt, dass Sie versuchen, den Verkauf neuer Eintrittskarten um 50.000 pro Jahr zu steigern, indem Sie sich auf Erstkäufer konzentrieren. Und Sie sagten, dass Sie diese Software benötigen, um eine

größere Finanzierungskampagne zu starten. Sie haben derzeit 1.500 Abonnenten. Das macht nur 5 % Ihres gesamten Kartenverkaufs aus. Warum sollten Sie alles, was Sie zu erreichen versuchen, zugunsten von 1.500 Menschen opfern, die sich immer noch ihre eigenen Plätze aussuchen können, nur nicht wiederholt?"

Wenn Du Deine Verwirrung zum Ausdruck bringst, werden Deine Kunden Dir natürlich helfen wollen, ihre Gedanken zu verstehen, was bedeutet, dass sie Dir alle Informationen geben werden, die Du brauchst, um herauszufinden, was Du als nächstes tun solltest. Vielleicht erkennen sie dann, dass sie sich unnötig aufregen. Oder sie erklären, dass Du sie wohl falsch verstanden hast, denn sie haben nicht 1.500 Abonnenten, sondern 15.000. Jetzt bist Du nicht mehr irritiert, denn das ist nicht mehr nur ein Einwand, sondern ein echtes Problem, und Du musst versuchen, eine Lösung zu finden, wenn Du den Verkauf erfolgreich abschließen willst.

Du solltest niemals Dein Produkt oder Deine Dienstleistung verteidigen. Nutze Lösungsorientiertes Verkaufen und das, was Du dabei in Erfahrung bringst, um den Käufer dazu zu bringen, seine Einwände zu verteidigen. Bringe sie dazu, Dir zu erläutern, warum das Fehlen eines bestimmten Aspekts ein Problem darstellt. Veranlasse sie dazu, Dir zu sagen, warum ihr Einwand für das Erreichen des gewünschten Ergebnisses oder des künftigen Zustands wichtig ist. Wenn Du das Lösungsorientierte Verkaufen ordentlich umgesetzt hast, wirst Du schnell merken, dass der Einwand in den meisten Fällen gar nicht so schwerwiegend ist und der Kunde rasch darüber hinwegkommten wird

EINWÄNDE GEGEN DEN PREIS

Wenn es einen zentralen Kampf für Verkäufer gibt, dann sind es Preiseinwände. Käufer versuchen, mit harten Bandagen zu kämpfen, oder sie schwören, dass sie sich Dein Produkt oder Deine Dienstleistung nicht leisten können, oder sie beharren darauf, dass sie nicht das nötige Budget haben, und versuchen dann, Dich herunterzuhandeln. Und dann lässt Du ganz schnell die Hosen runter und tust alles, um den Preis auf die vom Käufer gewünschte Zahl zu senken, aus Angst, das Geschäft zu verlieren.

Damit ist nun Schluss. Der einzige Grund, warum Du Dir Sorgen machen musst, ein Geschäft zu verlieren, ist, wenn Du keine ordentliche Entdeckung unternommen hast. Wenn Du all Deine Fragen richtig gestellt hast und gründlich über den aktuellen Zustand, die innere Motivation und das gewünschte Ergebnis Deines Kunden im Bilde bist, wirst Du wahrscheinlich lange vor Deinem Kunden wissen, ob Dein Produkt oder Deine Dienstleistung wirklich für ihn passt. Ansonsten wärst Du schon längst gegangen.

Wenn Preiseinwände aufkommen, solltest Du das hier tun: Ändere den Schwerpunkt des Gesprächs. Normalerweise ist der einzige Preis, über den gesprochen wird, der Preis für Dein Produkt oder Deine Dienstleistung. Aber wir wollen das Ganze noch einmal durchgehen: Deine Kunden kaufen nicht eigentlich Produkte und Dienstleistungen wie etwa Software, Beratungsdienste, Schulungen oder Dingsbums, sie kaufen vielmehr Veränderungen. Sie kaufen das gewünschte Ergebnis, das durch Deine Software, Beratungsdienste, Schulungen oder Dingsbums ermöglicht wird. Daher solltest Du nicht zulassen, dass jemand anderes den Preis für das, was Du verkaufst, bestimmt. Niemals! Ich sage das jetzt noch einmal, weil es so wichtig ist: Lass' nicht zu, dass jemand den Preis für Dein Produkt, Deine Dienstleistung oder Deinen Dingsbums bestimmt. Das ist *nicht das, was sie kaufen!* Sie kaufen das *Ergebnis* Deines Produkts, Deiner Dienstleistung oder Deines Dingsbums. Also solltest Du sie an die gewünschten Ergebnisse und deren Wert für ihr Unternehmen erinnern – die Lücke – und sie dann dazu bringen, diese gegen den Preis zu verteidigen, den Du für das Mittel verlangst, mit dem sie dieses Ziel erreichen können.

In den meisten Fällen führt dieser Perspektivwechsel bei den Kunden zu der Erkenntnis, dass das, was Du verkaufst, die Genugtuung über das Erreichen ihrer Ziele wert ist.

Dies sind die drei häufigsten von Kunden vorgebrachten Einwände gegen den Preis:

1. "ES IST ZU TEUER"

2. "WIR HABEN NICHT DIE FINANZIELLEN MITTEL"

3. "WIR KÖNNEN ES UNS NICHT LEISTEN"

1. "ES IST ZU TEUER"

Wenn Dir jemand sagt, der Preis für Dein Produkt oder Deine Dienstleistung sei zu hoch, erinnere ihn an das gewünschte Ergebnis. Wie immer, beginne einfach mit: "Ich bin etwas irritiert."

Wenn ein Käufer, der bis zum Jahr 2024 50 Millionen Euro erreichen will, Dir zu verstehen gibt, dass Dein Produkt seiner Meinung nach nicht die von Dir verlangten 80.000 Euro wert ist, könntest Du sagen: "Ich bin etwas irritiert. Dieses Produkt wird die Konversionsrate von Kontakten um 30 % steigern, die Kosten für die Generierung von Kontakten um 50 % senken und die durchschnittliche Verkaufsdauer um dreißig Tage verkürzen, wodurch Ihr Unternehmen sein Ziel von 50 Mio. Euro bis 2024 [gewünschter künftiger Zustand] erreichen kann. Weshalb finden Sie das zu teuer?"

Wenn ein Käufer, der seine Wettbewerbsfähigkeit bei hochwertigen Projekten verbessern möchte, um seinen Umsatz um 20 % zu steigern, sagt: "Wir mögen Sie und das, was Sie tun, aber 40.000 Euro sind einfach zu teuer", wie würdest Du reagieren? Etwa so: "Ich bin etwas irritiert. Wenn ich Sie recht verstanden habe, benötigen Sie diese Dienstleistung, um sich um hochwertige Projekte bewerben zu können und Ihren Umsatz um 20 %, d. h. um etwa 50.000 Euro pro Monat, zu steigern. Inwiefern sind 40.000 Euro zu viel für eine Dienstleistung, mit der Sie jeden Monat 50.000 Euro mehr verdienen können, und zwar auf Dauer?"

Wenn ein Mann, der mit einem platten Reifen am Straßenrand festsitzt, Dir, einem Abschleppwagenfahrer, sagt, dass Deine Tausend-Dollar-Gebühr zu hoch sei, kannst Du sagen: "Ich bin etwas irritiert. Sagten Sie nicht, Sie hätten nur eine halbe Stunde Zeit, um zu einem einzigartigen Abendessen ins Weiße Haus zu kommen?"

Nachdem Du ihnen den Wert des gewünschten Ergebnisses wieder vor Augen geführt hast, sei einfach still und höre zu. Im wahrsten Sinne des Wortes, halt' einfach die Klappe! Sag' absolut nichts und hör' einfach nur zu. Lass' den Käufer zu erklären versuchen, warum das Erreichen von 50 Millionen Euro in zwei Jahren nicht 80.000 Euro im Voraus wert ist, oder warum eine Umsatzsteigerung von 50.000 Euro pro Monat nicht eine einmalige Gebühr von 40.000 Euro wert sein sollte. Er muss begründen, warum Dein Preis zu hoch sein soll. Hier ein Tipp: Es wird nie "einfach nur so" heißen. Hör' Dir die Antwort sehr genau an und antworte dann, und zwar nur dann.

2. "WIR HABEN NICHT DIE FINANZIELLEN MITTEL" *und*

3. "WIR KÖNNEN ES UNS NICHT LEISTEN"

Ich fasse diese beiden Einwände zusammen, weil Kunden sie oft ver-
wechseln, und wenn Du sie entkräften willst, musst Du zuerst sicherstellen, dass Du weißt, mit welchem der beiden Einwände Dein Kunde
eigentlich argumentieren will.

Wenn einer Organisation das Budget für Dein Produkt oder Deine
Dienstleistung fehlt, dann hat sie tatsächlich das Geld. Sie hat nur nichts
davon für die von Dir vorgeschlagene Art von Kauf vorgesehen.

Für viele Menschen ist "nicht im Budget" jedoch gleichbedeutend
mit "wir haben überhaupt kein Geld für diese Anschaffung". Das ist
keine Frage des Budgets, sondern eine Frage der Erschwinglichkeit. Bev-
or Du einen weiteren Schritt unternimmst, musst Du sicher sein, was
von den beiden Dein Kunde meint.

Wenn ein Unternehmen buchstäblich kein Geld hat, um ein Produkt oder
eine Dienstleistung zu bezahlen, kann man als Verkäufer nicht viel dagegen
tun, was bedeutet, dass es Zeit wird, den Verkauf abzubrechen. Nehmen wir
an, Kate hat ein Haus mit sieben Schlafzimmern im Wert von 25 Millionen
Dollar in Orange County, und sie erzählt ihrem Cousin Luke, dass sie es ihm
für 4 Millionen Dollar verkaufen möchte (nein, es spukt nicht dort). Wenn
Luke keine 4 Millionen Dollar hat, ist es ihm egal, und nichts, was Kate sagt,
wird den Verkauf vorantreiben, und zwar nicht weil Luke den Wert eines
25-Millionen-Dollar-Hauses für 4 Millionen Dollar nicht erkennen könnte –
er sieht den Wert durchaus und möchte das Haus unbedingt haben – doch
hat er schlichtweg nicht so viel Geld zur Verfügung. Es geht nicht darum, dass
Luke das, was Kate verkauft, nicht eingeplant hätte, sondern er kann es sich
nicht einfach so leisten, egal wie sehr er es auch wertschätzt.

Aber wenn Luke zufällig 4 Mio. Dollar in verschiedenen Vermö-
genswerten hätte und leicht an sie herankommen könnte, wäre es klug,
das Haus zu kaufen. Nein, er hat es nicht eingeplant, indes ist der Wert
so groß, dass er verrückt wäre, es nicht zu kaufen, selbst wenn er es
nur weiterverkaufen wollte. Und das nur unter normalen Umständen.
Was wäre, wenn Lukes oberstes Ziel im Moment darin bestünde, seine
Drillinge auf die Uni zu schicken und ohne dass sie für das Studium
Schulden machen müssten?

Wenn Du feststellst, dass Dein Kunde ein Budgetproblem hat und Du
genau weißt, dass er mit Deinem Produkt oder Deiner Dienstleistung das
gewünschte Ergebnis erzielen kann, ist es an Dir, ihm klarzumachen, dass

er in seinem eigenen Interesse sein Budget überdenken sollte, damit er den Kauf tätigen kann. Hier kommt das Lösungsorientierte Verkaufen zur Hilfe, denn es liefert Dir sämtliche benötigten Informationen, um ihm aufzuzeigen, warum er im Begriff ist, einen Fehler zu machen. Angenommen, ein Kunde beschwert sich nicht darüber, dass Dein Produkt zu teuer ist, sondern teilt Dir mit, dass der von Dir verlangte Preis von 80.000 Euro nicht in seinem Budget liegt und er mit dem Kauf bis zum nächsten Geschäftsjahr warten muss. Du könntest Dein Mitgefühl ausdrücken, aber unabhängig davon solltest Du jedenfalls mit den vertrauten kleinen Worten beginnen, während Du seine Logik sanft in Frage stellst: "Ich verstehe, aber ich bin etwas irritiert: Wenn Sie bis zum Budget des nächsten Jahres nicht vorankommen, werden Ihnen in den nächsten sechs Monaten 50.000 Euro monatlich entgehen. Das macht dann 300.000 Euro. Sind Sie bereit, so viel Geld liegen zu lassen und sich sechs weitere Monate lang immer noch nicht um hochwertige Projekte bewerben zu können? Wie lange wollen Sie es sich noch leisten, die Konkurrenz Marktanteile gewinnen zu lassen? Wie wird sich dieser finanzielle Verzicht auf Ihre Fähigkeit auswirken, Ihre erklärten Ziele zu erreichen?"

Sobald Du Deinen Teil gesagt hast, und Du wirst es schon erraten haben, halte die Klappe und höre zu. Soll Dein Käufer doch seine Entscheidung verteidigen. Lasse Dir von ihm erklären, warum die Auswirkungen einer Budgetanpassung gravierender sein könnten als die Auswirkungen, welche sein Unternehmen erleiden wird, wenn ihm 300.000 Euro und die Möglichkeit, sich um hochwertige Projekte zu bewerben, entgehen. Ich kann Dir versichern, dass ihm das nicht gelingen wird. Auch hier gilt, dass Du den Wert Deines Produkts oder Deiner Dienstleistung nicht verteidigst. Du versuchst keineswegs, irgendjemanden von irgendetwas zu überzeugen! Du zwingst den Käufer lediglich dazu, seine Entscheidung in Anbetracht der Ergebnisse und des gewünschten künftigen Zustands, den er nach eigenen Angaben anstrebt, zu verteidigen.

LÖSUNGSORIENTIERTES VERKAUFEN IST GUT FÜR ALLE

Beim Lösungsorientiertem Verkaufen kann Dich nur sehr wenig überraschen. Bei richtiger Vorgehensweise erfährst Du dabei alles über die Bedürfnisse Deiner Kunden, oft bevor diese es selbst herausfinden können. Wenn Du den gegenwärtigen Zustand, den künftigen Zustand und die gewünschten Ergebnisse Deiner Kunden klar erkannt und die Lücke richtig kalkuliert hast, weißt

Du lange vor ihnen, ob Dein Produkt oder Deine Dienstleistung für sie einen Wert hat und ob sie Bedarf daran haben oder nicht. Möglicherweise fühlst du Dich ein wenig unwohl bei dem Gedanken, Kunden mit ihren falschen Vorstellungen zu konfrontieren, doch das solltest Du keineswegs.

Du würdest niemanden blindlings in den fließenden Verkehr laufen lassen, stimmt's? Wenn Du jemanden siehst, der so sehr auf sein Handy konzentriert ist, dass er nicht bemerkt, wie er gerade auf eine belebte Kreuzung zusteuert, könntest Du versuchen, seine Aufmerksamkeit mit einem knappen "Entschuldigen Sie!" zu gewinnen Wenn Du merkst, dass er Kopfhörer trägt und Dich nicht hören kann, rufst Du vielleicht etwas lauter: "Hey! *Hey!*" Wenn er aber weitergeht und Du siehst, dass er unmittelbar davor ist, in den Autoverkehr zu geraten, würdest Du schnell die Hand ausstrecken und ihn zurück auf den Gehweg ziehen. Unter normalen Umständen wäre es unangemessen, einen Fremden einfach anzufassen oder gar zu packen. In dieser Situation hingegen wirst Du es trotzdem tun, weil Du weißt, dass Du im ureigensten Interesse dieser Person handelst.

Beim Lösungsorientierten Verkaufen kommen die gleichen Überlegungen zum Tragen. Es gibt Dir die Gewissheit, die Zuversicht und die belastbaren Daten, welche Du brauchst, um Deine Käufer darauf hinzuweisen, wenn sie dabei sind, unkluge, kurzsichtige und sogar finanziell verhängnisvolle Entscheidungen zu treffen. Manchmal muss man die Leute einfach an den Schultern packen, damit sie sich nicht aus Versehen selbst zerstören. Lösungsorientiertes Verkaufen gibt Dir nicht nur die Fähigkeit, Menschen vor dem Fehler zu bewahren, Dein Produkt nicht zu kaufen, sondern es gibt Dir auch die Stärke, sie vor dem Versuch zu bewahren, es zu kaufen, wenn sie es eigentlich nicht tun sollten, so dass Du Dich ganz auf diejenigen Kunden konzentrieren kannst, die wirklich von Deinen Lösungen profitieren werden, sowie auf die Gelegenheiten, bei denen Du wirklich eine Chance hast, sie zum Abschluß zu führen.

Wenn Du merkst, dass Du und ein Kunde nicht zueinander passen, dann sage es ihm! Fasse zusammen, was Du über seinen aktuellen Zustand herausgefunden hast, erinnere ihn daran, was er nach seinen Worten erreichen will, und erkläre ihm, dass Du zwar nicht glaubst, ihm helfen zu können, dass Du aber eine Empfehlung für jemanden hast, der es kann. Indem Du freimütig anerkennst, dass Dein Angebot nicht passt, vermeidest Du, die Zeit aller Beteiligten zu verschwenden und an einem Geschäft zu arbeiten, das realistischerweise nie zustande kommen wird. Zu wissen, wann man von einem Verkauf Abstand nehmen sollte, kann nämlich eine der hilfreichsten Maßnahmen sein, die man für einen Kunden und für sich selbst ergreifen kann.

Man muss ihnen einen guten Grund geben …

TEIL III

SUCHE NACH DER LÜCKE

TEIL III •SUCHE NACH DER LÜCKE

Nachdem Du Dir mittlerweile die Methode des Lösungsorientierten Verkaufens vollständig verinnerlicht hast und weißt, wie und warum sie funktioniert, wollen wir nun einen Schritt zurückgehen. Und zwar bis weit in die Zeit vor dem Entdeckungsprozess. Wir werden uns mit der Akquise von Interessenten beschäftigen. Weshalb? Weil das Gewinnen von Interessenten das Allerwichtigste ist. Wenn es Dir nicht gelingt, potenzielle Kunden zu gewinnen, hast Du niemanden, an den Du verkaufen kannst, und die meisten Unternehmen und Vertriebsmitarbeiter sind *Nieten* darin, neue Kunden zu akquirieren. Ihre E-Mails sind egozentrisch und drehen sich ausschließlich um sie selbst. Ihre Sprachnachrichten sind langweilig und bieten nichts Überzeugendes, und ihr Verkaufen über soziale Netzwerke ist unausstehlich und aufdringlich. Zu viele von uns arbeiten noch mit den alten "ich, ich, ich"-Ansätzen, die den Aufbau unserer Vertriebskette unterbrechen, und scheitern eben daran. Die Suche nach der Lücke ändert das alles. Weshalb? Weil Lösungsorientiertes Verkaufen nicht nur eine Methode ist, um Geschäfte durch die Vetriebskette zu bewegen, sondern auch eine Philosophie, um Menschen anzusprechen und zu beeinflussen, und daher wird es Deine Ergebnisse in jeder Umgebung verbessern, in der Du daran arbeitest, Veränderung zu bewirken.

Jeder sollte diesen Teil des Buches lesen (sogar Marketingleute könnten davon profitieren), aber er ist von besonderem Interesse für Vertriebsbeauftragte im Außendienst und Kundenbetreuer im Außendienst − also diejenigen unter Euch, die sich ihr Abendessen erjagen müssen. Du wirst erfahren, wie Du zum kompetenten Problemfinder wirst und es vermeiden kannst, lästige Dinge anzubieten, die keinen Wert haben. Du wirst sehen, wie Du mit den Techniken des Lösungsorientierten Verkaufens Kunden gezielt ansprechen kannst, um solide B2B-Kontakte zu generieren, Deine Vertriebskette zu erweitern, Deine Kundenbindung zu verbessern und Deinen Kundenstamm zu vergrößern. Wer weiß, vielleicht wirst Du nach der Lektüre dieser Seiten sogar beginnen, Dich für die Akquise zu begeistern.

VIERZEHNTES KAPITEL
NEUKUNDENGEWINNUNG:
DER WEG ZUM ERSTEN "JA!"

Das meiste, was wir über gutes herkömmliches Kundenmarketing gelernt haben, ist taktischer Natur: Wie wählt man die richtigen Worte für den ersten Satz einer E-Mail? Wann man diesen einen zusätzlichen Anruf pro Tag tätigen sollte. So erreicht man gezielt LinkedIn- und Facebook-Gruppen. Das Geheimnis eines guten Skripts für die Kaltakquise. Wirf' einen Blick auf Jeb Blounts *Fanatical Prospecting* (Leidenschaftliche Neukundengewinnung) und Mark Hunters *High-Profit Prospecting* (Hochprofitable Kundenakquise), beides großartige Bücher, die ausgezeichnete praktische Wege zur Akquise beschreiben. Lösungsorientiertes Verkaufen ersetzt diese gängigen und effektiven Akquisitionsmethoden nicht, sondern ergänzt sie mit einem zusätzlichen Raketenschub.

Indem Du Deine Methode auf Prinzipien des Lösungsorientierten Verkaufens aufbaust – wobei Du den Kunden in den Mittelpunkt stellst, Dich darauf vorbereitest, Probleme zu lösen und nicht über Produkte zu sprechen, indem Du bereit bist, zu beraten anstatt zu verkaufen, und indem Du mit Werten führst – werden die Leute einfach eher bereit sein, sich mit Dir an einen Tisch zu setzen. Sie werden sich zu einem Telefonat verabreden oder eine E-Mail beantworten, nicht weil Du so umwerfend charmant warst, sondern weil Du ihnen gezeigt hast, dass dies in ihrem eigenen Interesse ist. Und noch einmal, weil es so wichtig ist: *Interessenten werden eher bereit sein, sich mit Dir zu treffen, weil sie sehen, dass es in ihrem eigenen Interesse liegt.* "Im eigenen Interesse ..." Darin besteht unsere Herausforderung: Wir müssen Interessenten davon überzeugen, dass ein Treffen mit uns in ihrem wohlverstandenen Interesse liegt. Leider sind die meisten von uns nicht sonderlich gut darin.

Außerdem hilft Dir das Lösungsorientierte Verkaufen dabei, die richtigen Interessenten anzusprechen. Anstatt Deine Zeit damit zu vergeuden, zufälligen Kunden hinterherzujagen, die Dir niemals Beachtung schenken werden, wendest Du Dich an Menschen, die Du bereits recherchiert hast und von denen Du weißt, dass sie wahrscheinlich Deine Hilfe brauchen.

Beim Lösungsorientierten Verkaufen dreht sich alles darum, die richtigen Informationen ausfindig zu machen. Durch die Anwendung der Prinzipien des Lösungsorientierten Verkaufens kannst Du herausfinden, wonach Du suchst, und schon im Vorfeld die Weichen für Deinen Erfolg stellen. Bedenke einmal Deinen Vorsprung gegenüber der Konkurrenz, wenn Deine Interessenten davon überzeugt sind, dass Du ihr Geschäft und die Herausforderungen, denen sie gegenüberstehen, verstehst. Stelle Dir vor, wie das Erstellen einer Problemerkennungstabelle im Vorfeld Deine Annahmen über die Probleme, mit denen sie zu tun haben, beeinflussen und die Art und Weise, wie Du mit ihnen umgehst, verändern könnte. Ich sehe, wie sich die Zahnräder in Deinem Kopf drehen. Du fängst an, das Ganze zu verstehen. Es geht nicht um Dein Produkt, sondern darum, ein Problemfinder und Problemlöser zu sein.

WARUM IST KUNDENAKQUISE SO SCHWIERIG?

Dafür gibt es zwei Gründe. Erstens sind Käufer, wie jeder andere Berufstätige im einundzwanzigsten Jahrhundert auch, wahnsinnig beschäftigt. Sie sind an allen Ecken und Enden beschäftigt, und jeder will etwas von ihnen – vor allem ihre Zeit und Aufmerksamkeit. Während eines Tages erhalten sie, je nach ihrer Position innerhalb eines Unternehmens, vielleicht zehn Anrufe, in denen sie um fünf Minuten ihrer Zeit gebeten werden, fünfzig E-Mails, in denen sie um fünf Minuten ihrer Zeit gebeten werden, und eine ganze Reihe von Facebook- und LinkedIn-Posts und Direktnachrichten, in denen sie um – Du wirst es schon ahnen – fünf Minuten ihrer Zeit gebeten werden. Rechne mal selbst nach. Dutzende, wenn nicht Hunderte von Verkäufern bitten jede Woche Käufer um fünf Minuten ihrer Zeit – und dabei konkurrieren sie mit mit all den vielen anderen.

Sich in die Gedanken des Käufers hineinzuversetzen, führt uns zum zweiten und vielleicht noch wichtigeren Grund, warum die Akquise eine so immense Herausforderung ist: Die Akquise ist das erste Ja. Jedes Mal, wenn Du jemanden bittest, sich mit Dir zu treffen, Deine E-Mail zu lesen oder Deinen Flyer herunterzuladen, machst Du einen Verkauf, genau wie all die anderen kleinen Verkäufe, die Du erzielst, wenn Du Dir jedes weitere Ja sicherst, das zu einem erfolgreichen Abschluss führen wird. Doch bevor Du zu den nächsten Ja's kommst, musst Du dieses erste an Land ziehen, obwohl Du im Wettbewerb mit zwanzig anderen Verkäufern stehst, die ebenfalls um die Aufmerksamkeit des Kunden buhlen. Was also kannst Du tun, um Deine Chancen zu verbessern? Du erstellst ein Angebot, das für sie vorteilhafter ist als jedes andere, das sie hören, etwas, das ihre fünf Minuten wert ist. Deshalb bist Du im Vorteil, wenn Du bei der Interessentengewinnung die Prinzipien des Lösungsorientierten Verkaufens anwendest. Durch die Betonung von Problemlösung, strategischer Planung, Analyse und Zusammenarbeit können Deine Kunden erkennen, dass Du die Schlüssel zum Erreichen ihrer Ziele in der Hand hältst, und es unterscheidet Dich von Deinen Konkurrenten, die sich lediglich auf die Vermarktung ihrer Produkte konzentrieren.

Der Rest dieses Abschnitts dient dazu, Deine Chancen zu erhöhen, dieses wichtige erste Ja zu bekommen!

FÜNFZEHNTES KAPITEL
KLUGE VORBEREITUNG DER NEUKUNDENGEWINNUNG

1. **AUFBAU EINER "GESUNDEN" VERTRIEBSKETTE**

Je besser es Dir gelingt, Interessenten zu zeigen, dass Du ihren aktuellen Zustand verstehst und ihren gewünschten künftigen Zustand vorhersehen kannst, desto besser gelingt es Dir, qualifizierte neue Gelegenheiten zu erhalten und sie in Deine Vertriebskette zu bringen. Und letztendlich ist die Vertriebskette wirklich das A und O. Ohne sie gelingt der Erfolg nicht. Die Vertriebsketten zu vieler Vertriebsleute sind Schrott – aufgeblähte Müllhaufen von illusionären Verkaufschancen, an denen sie festhalten, um dem Management den Eindruck zu vermitteln, dass sie gut im Geschäft seien. Aber das ist nicht der Fall. Ich kann eine mißratene Vertriebskette in Minutenschnelle erkennen. Eine Vertriebskette stellt überhaupt keine Vertriebskette dar, wenn sie nicht eine gesunde Vertriebskette ist. Betrachte sie als den Verdauungstrakt Deines Verkaufsjobs – wenn Du nicht die richtigen Nahrungsmittel zu Dir nimmst oder abwechselnd schlingst oder hungerst, beginnt der ganze Körper zu krampfen und wird immer träger oder gerät aus dem Gleichgewicht. Es ist ein schmerzhafter Zustand, der Dich dazu zwingt, viel Zeit und Energie für die Suche nach Heilmitteln aufzuwenden, um Dein System wieder ins Gleichgewicht zu bringen. Das ist Energie, die Du anderswo einsetzen könntest, wenn Du von vornherein alles in Ordnung gehalten hättest. Beim Verkaufen ist das nicht anders. Je gesünder Deine Vertriebskette ist, desto größer ist die Chance, dass Du Deine Quoten konsequent und reibungslos schaffst.

Wie sollte eine gesunde Vertriebskette aussehen? Es geht um das Verhältnis zwischen Deiner Quote, Deiner Abschlussquote und der Größe Deiner

Vertriebskette. Wenn Du also eine Quote von 1 Million Euro hast und eine Abschlussquote von 30 %, dann besteht eine gesunde Vertriebskette aus ungefähr drei Millionen qualifizierten Gelegenheiten. Es geht also nicht nur darum, Deine Vertriebskette gefüllt zu halten, sondern auch darum, dass sie stets mit qualifizierten Interessenten gefüllt ist. Die Vertriebskette ist der Weg zur Quote. Lösungsorientiertes Verkaufen erhöht nicht nur die Anzahl der Verkaufschancen, die Du durch Deine Akquisitionsbemühungen erreichen kannst, sondern auch die Qualität der Verkaufschancen, wodurch sich Deine Abschlussquote verbessern kann. Alles, was Du im Vertrieb erreichst, lässt sich auf den Zustand und die Größe Deiner Vertriebskette zurückführen. Du könntest eine großartige Verkaufsserie haben, aber wenn Du Dich umdrehst und feststellst, dass nichts auf Deine Aufmerksamkeit wartet, weil Du Deine Vertriebskette vernachlässigt hast, bleibt Dir keine andere Wahl, als verzweifelt nach neuen Interessenten zu suchen, um sie wieder aufzufüllen. Eine kränkelnde Vertriebskette wird Dir ein heftiges Auf und Ab bescheren und Dich wahrscheinlich mit dem Gesicht nach unten in einem Haufen Elend landen lassen. Das muss nicht sein. Nutze Lösungsorientiertes Verkaufen, um Deine Vertriebskette gesund, stark und berechenbar zu halten, so dass Du jedes Mal, wenn Du einen Verkauf abschließt, sicher sein kannst, dass ein weiterer unmittelbar folgen wird.

2. DU SOLLTEST WISSEN, WEN DU ANRUFST

Du magst es vielleicht nicht glauben wollen, doch Dein idealer Kunde wird kaum unter den Mitgliedern der Fortune 1000 zu finden sein. Es wäre eine enorme Zeitverschwendung, zum Telefon zu greifen und Nummern zu wählen oder E-Mails an jedes einzelne Unternehmen zu schicken, das auch nur im Entferntesten mit Deiner Nische oder Deinem Bereich zu tun haben könnte. Ganz schlechte Idee. Erfolgreiche Kundenwerbung ist organisiert und strukturiert. Du suchst nicht nach Leuten, mit denen Du reden kannst, sondern nach Leuten mit Problemen, die Du lösen kannst. Erinnerst Du Dich an die Tabelle zur Problemerkennung? Ich habe es als ein wichtiges Instrument zur Vorbereitung auf eine tolle Entdeckung vorgestellt. Doch kannst Du es eigentlich auch schon früher nutzen, um eine bessere Akquisition zu ermöglichen. Du kannst die Tabelle zur Problemerkennung verwenden, um ein Profil des idealen Kunden (Ideal Customer Profile, IPC) zu erstellen.

Sieh nach, welche Probleme Du in der Problemerkennungstabelle aufgelistet hast. Zur Erinnerung: Dies sind alle potenziellen Probleme, die Du mit Deinem Produkt oder Deinem Service lösen kannst, die verschiedenen Auswirkungen, welche diese Probleme auf ein Unternehmen haben könnten, und ihre Ursachen.

Du solltest Dich fragen, welche Arten von Unternehmen am ehesten mit den jeweiligen Problemen zu kämpfen haben. Notiere die Branche, die Größe des Unternehmens, die betroffenen Abteilungen und die Zuständigkeiten der jeweiligen Abteilungen. Überlege dann, wer in diesen Abteilungen am stärksten unter diesen Problemen zu leiden hätte. Das ist Dein idealer Kunde.

Ordne Deine Kunden nun in eine Reihenfolge ein, die von denjenigen mit den meisten Problemen, welche die größten Beschwerden verursachen, bis zu denjenigen mit den wenigsten Problemen und den geringsten Beschwerden reicht. Teile diese Liste in A, B, C und D auf.

Deine Gruppe A besteht aus den Kunden, die mit den meisten Problemen auf Deiner Liste zu kämpfen haben und am meisten leiden. Eine Menge Probleme = eine Menge Auswirkungen.

Deine Gruppe B hat vielleicht nicht so viele dieser Probleme, aber sie bedeuten trotzdem eine erhebliche Beeinträchtigung für ihr Geschäft. Weniger Probleme = eine Menge Auswirkungen.

Die Gruppe C besteht aus Käufern, die mit einer Reihe von Problemen zu kämpfen haben, die Du identifiziert hast, aber nicht so sehr darunter leiden. Eine Menge Probleme = geringe Auswirkungen.

D? Geringe Probleme = geringe Auswirkungen. Du brauchst Dich nicht um die Kunden zu kümmern, die in Deiner Gruppe D gelandet sind.

Wie Du siehst, spielen die Beschwerden eine Rolle bei der Identifizierung Deines idealen Kunden. Die Beschwerden sind alles. Beschwerden bedeuten, dass es ein Problem gibt. Diejenigen Kunden, die mit einigen wenigen Problemen zu kämpfen haben, aber sehr darunter leiden, sind für Dich wahrscheinlich wertvoller als ein Kunde, der zwar alle Probleme auf Deiner Liste hat, aber von keinem der Probleme wirklich betroffen ist. Nimm die letztere Art von Kunden näher ins Visier – sie brauchen Dich –, aber gib der ersteren den Vorrang. Du wirst Deine Energie und Aufmerksamkeit nicht mehr damit vergeuden, Spaghetti an die Wand zu werfen, um zu sehen, was an der Wand haften bleibt. Stattdessen verfolgst Du einen gezielten Ansatz und investierst Deine Zeit und Mühe in diejenigen Kunden, welche am ehesten zu einer Zusammenarbeit mit Dir bereit sein werden.

3. Sei ein Problemfinder

Du weißt, dass Deine Kunden Probleme haben, die Du lösen kannst. Zu Beginn besteht Dein Ziel darin, diese Käufer zu überzeugen, Dir genug Zeit zu geben, um diese Probleme zu identifizieren und sie dazu zu bringen, nicht nur die Existenz des Problems einzuräumen, sondern auch seine negativen Auswirkungen. Um diese Zeit zu bekommen, musst Du die Denkweise Deiner Käufer verstehen – daher die Problemerkennungstabelle.

4. Denken wie ein Käufer

Dieser Brief eines echten leitenden Angestellten eines 18 Milliarden Euro

Sehr geehrte Verkäuferin, sehr geehrter Verkäufer,

ich bin der Kunde.

Ich bin für den IT-Betrieb eines 18 Milliarden Euro schweren Unternehmens mit über 30 Millionen Kunden verantwortlich.

Soll ich auf Sie setzen? Soll ich es riskieren?

Ich bin für ein Betriebskostenbudget von 100 Mio. Euro und ein Investitionsbudget von 100 Mio. Euro verantwortlich.

Warum sollte ich in Ihr Unternehmen und Ihr Produkt investieren, wenn ich viele alternative Möglichkeiten habe, Unternehmensressourcen auszugeben?

Ich erhalte jede Woche Dutzende von Werbeanrufen. Ich arbeite regelmäßig 50-60 Stunden pro Woche, und mein Terminplan ist zwei Wochen im Voraus ausgebucht.

Warum sollte ich Ihren Anruf, Ihre Einladung zu einem Treffen oder Ihre E-Mail erwidern? Was macht Sie besser, schneller, preisgünstiger, sicherer, smarter als das, was ich derzeit habe?

Ich habe über 300 Mitarbeiter.

Verfügen sie über die nötigen Mittel, um das Produkt zu erlernen, zu verstehen, zu implementieren und den Wert dessen, was Sie verkaufen, zu erschließen?

Ich habe ein Dutzend Anbieter, bei denen ich jährlich über 3 Millionen Euro ausgebe.

Wissen Sie, wer sie sind und warum ich bei ihnen kaufe?

Ich habe eine Menge Herausforderungen, Probleme und Fragen.

Wissen Sie, welche das sind?

Ich habe eine Strategie und einen 3-Jahres-Plan.

Wissen Sie, worum es dabei geht? Passen Sie da rein?

Ich habe Partner, Anbieter und Lieferanten.

Was von ihnen möchten Sie sein?

Ein Partner trägt das Risiko mit. Mein Vorteil ist auch Ihr Vorteil. Mein Nachteil ist auch Ihr Nachteil. Sind Sie bereit, sich daran zu beteiligen?

Ein Anbieter verkauft mir stets ein Produkt oder eine Dienstleistung, die ich benötige, zu einem fairen Preis und einem guten Preis-Leistungs-Verhältnis, und es ist einfach, mit ihm Geschäfte zu machen.

Sind Sie der Typ "einmal und dann wieder weg", oder sind Sie bereit, langfristig dabei zu sein?

Ein Lieferant bietet mir eine bestimmte Ware an, wenn ich eine große Auswahl habe.

Warum sollte ich regelmäßig bei Ihnen kaufen? Preis? Service? Flexibilität? Haben Sie eine Taste "Einfach"?

Mein Unternehmen hat eine Strategie, eine Marktposition, will sich von der Konkurrenz abheben und ist bestrebt, seine Wettbewerbsposition zu verbessern, indem es seinen Vorsprung ausbaut oder den vor ihm liegenden Konkurrenten einholt.

Kennen Sie sich mit meinem Geschäft, meinen Konkurrenten und der Strategie meines Unternehmens aus?

Ich kaufe bei denjenigen, zu denen ich eine Beziehung habe und die sich im Laufe der Zeit bewährt haben. Ich kann mich auf sie verlassen. Ich kann mich für sie verbürgen.

Kann ich auf Sie zählen?

schweren Telekommunikationsunternehmens gibt Dir einen Einblick in das, was in den Köpfen Deiner Kunden vorgeht, wenn sie sehen, dass ein anderer Verkäufer nach ihrer Zeit und Aufmerksamkeit verlangt:

Es sollte nicht allzu schwierig sein, zu verstehen, was Deine Käufer denken und fühlen. Wahrscheinlich sind sie den Gefühlen nicht unähnlich, die man empfindet, wenn der Schuh am falschen Fuß sitzt, wenn man eine unerwünschte E-Mail in seinem Posteingang sieht oder einen Anruf von einer "unbekannten" Telefonnummer erhält. Was macht man damit eigentlich am besten?

Die E-Mail löschen?

Die Sprachnachricht ignorieren?

Die Hochglanzpostkarte wegwerfen?

Na klar machst Du das. Aber überlege mal, warum. Was geht Dir so durch den Kopf, wenn Du ans Telefon gehst und ein Fremder versucht, Dich in ein Gespräch zu verwickeln? Wieso legst Du auf?

Und in den seltenen Fällen, in denen Du einem Telefonverkäufer das Wort gewährst, denke darüber nach, warum Du es getan hast. Was hat die Person am anderen Ende der Leitung gesagt, das Dir Grund zu der Annahme gab, es könnte sich lohnen, auch nur eine Minute Zeit darauf zu verwenden? Was hast Du in dieser E-Mail gesehen, das Dich dazu gebracht hat, sie nicht zu löschen, oder auf der Postkarte, die Du nicht weggeworfen hast, und das Dich zum Nachdenken gebracht hat: "Moment mal ... das könnte interessant sein."

Das kann ich Dir sagen. Irgendwie hat der Verkäufer Dich glauben gemacht, er habe etwas, das Du gebrauchen kannst oder das Du nötig hast. Das bedeutet, dass der Verkäufer Dich dazu gebracht hat, den Wert des Zuhörens zu erkennen, was ihm die Möglichkeit gab, Dir zu zeigen, wie sein Produkt Deinen aktuellen Zustand verändern und Dich in einen wünschenswerten künftigen Zustand bringen kann.

Wenn Du mit der Akquise beginnst, solltest Du stets wie ein Käufer denken. Sage oder versende nichts, was Dich nicht zur Aufmerksamkeit zwingen würde, wenn die Rollen vertauscht wären. Alles, was Du verschickst, jede Kommunikation, jedes Angebot sollte ein Problem oder eine Reihe von Problemen ansprechen, mit denen Dein Zielkunde zu kämpfen haben könnte. Die Kommunikation sollte sich ganz auf den

Kunden konzentrieren – sein Unternehmen, die Produktionsstätte, den Kundendienst, die Vertriebsorganisation, die Lieferkette, oder was sonst. Dein Ziel ist es, dass er sich mit Dir auf ein Problem oder eine Reihe von Problemen einlässt. Du musst ein Problemfinder sein. Du solltest dabei enthusiastisch zu Werke gehen.

SECHZEHNTES KAPITEL

INTERESSE WECKEN

Dein Erfolg als Verkäufer hängt ganz von Deiner Fähigkeit ab, Käufer zum Hinschauen und Zuhören zu bewegen. Wenn Du wie Dein Kunde denken und zum Problemlöser werden kannst, dann wird Deine Interessentengewinnung sehr viel erfolgreicher sein. Wenn Du das nicht sicher und konsequent schaffst, bist Du aufgeschmissen. Wir müssen aufpassen, dass Du nicht untergehst, okay?

TELEFON, E-MAIL ... WELCHES MEDIUM?

Betrachte die Aufmerksamkeit Deiner Kunden zu gewinnen als einen Verkauf an sich. Wenn Du dem Ansatz des Lösungsorientierten Verkaufens folgst, weißt Du, dass der erste Verkauf etwas von Wert anzubieten haben muss. Du musst einem potenziellen Kunden etwas Unwiderstehliches bieten, um ihn zu überzeugen, auf Deine E-Mail, Deinen sozialen Kontakt oder Deinen Anruf zu antworten. Wo wir gerade dabei sind: Lasse Dir von niemandem einreden, dass Kaltakquise tot sei, dass Verkaufen über soziale Netzwerke nicht funktioniere oder dass E-Mails nutzlos seien. Diese Verbreitungsmethoden sind nur so nutzlos oder so wertvoll wie die damit einhergehenden Botschaften. Also nein, sie sind nicht tot. Wenn Du möchtest, dass sie für Dich etwas bewirken, musst Du es nur geschickt anstellen.

Deine Käufer-Zielgruppe sollte Dir sagen, welcher Kommunikationskanal am effektivsten erscheint. Wenn Du an die Generation der Millennials verkaufst oder im technischen Bereich tätig bist, sind E-Mail und Soziale Medien vielleicht die beste Wahl. Wenn Du an traditionelle Hersteller der alten Schule verkaufst, funktionieren das Telefon und Briefpost mit ihrem Schneckentempo womöglich immer noch am besten. In jedem Fall ist es wichtig, ein vielseitiges Kommunikationskonzept zu entwickeln, das für Dich und den Kommunikationsstil Deiner Zielinteressenten richtig ist.

ES IST DIE BOTSCHAFT, DU DUMMERCHEN

Nachdem ich nun deutlich gemacht habe, dass es um die Botschaft und nicht um das Medium geht, möchte ich Dir dabei helfen, die Botschaft zu formulieren.

Die besten Nachrichten sind diejenigen, die den Empfänger zum Handeln veranlassen. Welchen Sinn hat es, eine Nachricht zu schreiben, wenn sie niemand liest, oder noch schlimmer, wenn sie gelesen wird aber dann nicht die von Dir gewünschte Handlung erfolgt? Ich will es Dir sagen: Es gibt keinen Sinn. Interessentenwerbung funktioniert nur, wenn die Leute unsere Nachrichten lesen und daraufhin handeln. Dennoch schreiben Millionen von Vertrieblern Millionen von Verkaufs-E-Mails, führen Verkaufsanrufe durch und engagieren sich im Verkaufen über soziale Netzwerke – und der Interessent ignoriert sie. Jeden Tag formulieren wir Botschaften, um die Aufmerksamkeit der Menschen zu gewinnen, und niemand schert sich einen Dreck darum.

Weshalb?

Weil bei den meisten Kaltakquise-Maßnahmen ein grundlegendes Element fehlt, um Aufmerksamkeit zu erregen: Interesse. Wenn Du es nicht schaffst, Interesse zu wecken, wird Dir niemand Aufmerksamkeit schenken.

INTERESSE

Das menschliche Gehirn kann unmöglich jeder Information, die seinen Weg kreuzt, Aufmerksamkeit schenken. Es würde zu einer Informationsüberflutung kommen, und wir würden nie etwas zustande bringen. Stelle Dir vor, Du hältst auf dem Weg zur Arbeit an und schaust Dir jedes einzelne Straßenschild an, oder Du beobachtest jeden Vogel am Himmel. Es wäre sehr anstrengend und würde uns überfordern. Wir wären von dieser Informationsüberlastung wie gelähmt.

Um dies zu verhindern, ist unser Verstand inzwischen sehr gut darin, nutzlose Informationen zu ignorieren, während wir diejenigen Informationen beachten, die für die Erledigung von Aufgaben oder für unsere Sicherheit wichtig sind. Dies geschieht, indem er die meiste Zeit damit verbringt, die Umgebung zu scannen und Muster zu beobachten, die unserem Verstand sagen, dass wir sie ignorieren können. Während unser Verstand diese raffinierten Muster beobachtet, anhand derer wir Informationen einfach ausblenden, scannt er gleichzeitig unsere Umgebung nach Bedrohungen, um uns zu schützen. Im Laufe des Lebens macht sich unser Unterbewusstsein bestimmte Muster als eine Art Sicherheitsmaßstab zu eigen und überlässt es unserem aktiven Verstand, alle neu eintreffenden Informationen zu verarbeiten. Der aktive Verstand erfasst, ordnet und filtert alles, was er sieht, wie eine Informationssortierung. Und das meiste, was er sieht, ist das Gleiche, also ignorieren wir es entweder ganz oder schenken ihm einen kurzen Moment Aufmerksamkeit, bevor wir vergessen, dass es jemals da war.

Dieser brillante mentale Bewältigungsmechanismus ist phänomenal gut, wenn es darum geht, Dinge zu erledigen und uns zu schützen, aber er ist gleichzeitig auch unser größter Feind, wenn es um den Verkauf und die Akquise von Kunden geht. Denke mal darüber nach. Verkaufsleute senden seit Jahren die gleichen todlangweiligen, selbstverliebten und nicht ein bischen überzeugenden Botschaften an Käufer. Kein Wunder, dass sie von den Käufern ausgeblendet werden. Ihr Verstand registriert diese Botschaften als *unwichtig, wertlos, nicht nötig, nichts dahinter, noch mehr vom Altbekannten, einfach weitergehen.* Der Verstand reicht Dir im Grunde die Hand, damit er nicht gestört wird und produktiv sein kann.

Die einzige Möglichkeit, die Blockade zu durchbrechen, besteht darin, den Verstand Deiner Käufer mit einem neuen Muster zu aktivieren. Wenn unser Verstand, der immer das Gleiche gewohnt ist, etwas sieht, das nicht seinen Erwartungen entspricht, sendet er ein Signal aus, das unsere Aufmerksamkeit sofort auf das Unerwartete lenkt, damit wir es richtig einschätzen können. *Moment, was? Was ist denn das? Das habe ich nicht erwartet. Ich schaue mir das besser mal genauer an.* Diese überraschende, intensive Reaktion auf Fehlprognosen geht von unserem anterioren cingulären Cortex (ACC) aus und wird in der Wissenschaft als fehlerbezogenes Negativitätssignal bezeichnet, das gemeinhin als "Oh-Mist"-Schaltkreis bezeichnet wird, weil der Verstand sagt: "Oh, Mist! Was war denn das?"

Interesse löst den "Oh-Mist"-Schaltkreis aus, indem er vorhersehbare Muster auf drei Arten unterbricht:

1. ÜBERRASCHUNG

Finde Wege, um etwas Unerwartetes zu schaffen. Wenn Du Deine erste

Korrespondenz an einen Interessenten in einer Schachtel mit frischen Croissants verschickst, könnte es sein, dass Du doch noch ein Frühstückstreffen bekommst.

2. Schaffe etwas Unbekanntes

Bringe sie dazu, "hä?" zu sagen. Schaffe ein Schmerzgefühl in Form von Erwartung, das nur weitergehendes Interesse lindern kann.

"Wussten Sie, dass Ihr Konkurrent mit unserem Produkt seinen Produktionszyklus um drei Tage verkürzt hat?"

3. Schaffe einen Wissensvorsprung

"Wussten Sie, dass nur 54 % der Verkäufer ihre Quote erreichen, weil sie ein schlechtes Verkaufsumfeld haben und nicht etwa wegen schlechten Verkaufstrainings?"

Zeige, dass Du etwas über die Branche, das Unternehmen, den Konkurrenten oder die von ihm verwendeten Produkte weißt, was der Käufer nicht kennt. Recherchiere, warum Unternehmen in einem Bereich scheitern, in dem Du ihnen zum Erfolg verhelfen kannst. Suche nach verborgenen Informationen, die sich positiv auf sie auswirken könnten. Du solltest Fragen stellen, von denen Du weißt, dass der Käufer sie nicht beantworten kann. Auf diese Weise positionierst Du Dich nicht nur als Experte mit begehrten Informationen, sondern erzeugst auch ein Schmerzgefühl in Form von Neugierde. Um dieses Schmerzgefühl zu lindern, kann der Käufer nicht anders, als sich auf Dich einzulassen. Sie müssen den Juckreiz des Interesses kratzen. Interesse stört das Muster, und der Verstand will dann unbedingt die Informationen katalogisieren. Das kann er jedoch erst, wenn er sämtliche Informationen erhalten hat.

Interesse durch einen Wissensvorsprung zu wecken, erfordert, dass Du Deine Käufer informierst oder herausforderst, oftmals auch beides. Wenn Du beispielsweise eine herausfordernde Nachricht verfassen möchtest, könntest Du einige Beobachtungen über den aktuellen Zustand Deiner Käufer und deren Tagesgeschäft anführen. Oder Du könntest es mit einem Branchendogma aufnehmen. So musste ich bei meiner Arbeit in einem internationalen Unternehmen für Betriebssicherheit feststellen, dass viele Leiter von Betriebssicherheitsabteilungen aufgrund schlechter Prozesse, unzureichender Kommunikationsmittel und Unordnung in anderen Bereichen unbeabsichtigt Situationen herbeiführten, die das Risiko von Maschinen- und Anlagenausfällen erhöhten, die sie eigentlich verhindern sollten. Dies ist ein Wissensvorsprung. Mein Kunde wusste, dass seine Leute unbeabsichtigt Situationen herbeiführten, die ihr Risiko erhöhten, während ihre Interessenten und Kunden sich dessen nicht bewusst waren. Dieser beeindruckende Wissensvorsprung weckt das Interesse:

"Ist Ihnen bewusst, dass viele Betriebssicherheitsmanager genau die Fehler verursachen, die sie verhindern sollen?"

Das sorgt für Aufmerksamkeit.

Oder Du könntest Deinen Kunden Informationen vermitteln, die sie noch nicht kannten, z. B. über neue Entwicklungen in ihrem Bereich, neue Trends, neue Technologien oder sogar betreffend die Konkurrenz. So zum Beispiel:

"Ist Ihnen bewusst, dass 80 % der Unternehmen, welche die gleichen Systeme wie Sie verwenden, in ihrer Branche zu den Schlusslichtern gehören?"

Andere Möglichkeiten, Käufer zu informieren, könnten sein:

- Einblicke in die Art und Weise, wie die Konkurrenz ein Problem löst, mit dem sie auch zu kämpfen haben

- Ein neues Bundesgesetz oder eine neue Verordnung ist in Sicht

- Eine Diskussion über neue bewährte Verfahren, um XYZ zu erreichen

- Die Fähigkeit, einen neuen Markt zu erschließen, neue Kunden zu erreichen, keine Verluste mehr zu machen, den Marktanteil zu erhöhen usw.

- Neue Marktdaten oder Erkenntnisse, die ihr Geschäft betreffen

- Eine Erkundung ungeahnter oder unerkannter Möglichkeiten

EINE KLARE, BEGRÜNDETE AUFFORDERUNG

Alles, was Du von Deinem Kunden verlangst, stellt eine Aufforderung dar, egal ob es sich um eine Besichtigung, einen Termin oder dreißig Sekunden zum Lesen Deiner E-Mail handelt. Versetze Dich nun in die Lage Deines Kunden – wenn Du an seiner Stelle wärst, würdest Du Deine Aufforderung annehmen? Sind Deine Aufforderungen klar? Stimmt der Zeitpunkt? Wie viel erwartest Du? Warum erwartest Du so viel? Steht es in einem angemessenen Verhältnis zu der von Dir angebotenen Gegenleistung? Natürlich möchtest Du letztendlich einen unterschriebenen Vertrag haben, aber Du weißt, dass Du so nicht anfangen kannst. Das wäre so, als würde man jemanden bitten, einen auf den ersten Blick zu heiraten. Das ist keine gute Idee, selbst wenn man sich zu 100 % sicher ist, dass man das will. Und weißt Du warum? Weil es Menschen abschreckt, zur falschen Zeit und am falschen Ort mehr zu verlangen, als angemessen ist. Vielleicht wollen sie eigentlich sogar Ja sagen und sagen trotzdem Nein, denn das passiert, wenn man sich unter Druck gesetzt fühlt, sich zu entscheiden, bevor man die Frage überhaupt verarbeitet hat. Anstatt sich mit einem Heiratsantrag die Liebe auf den ersten Blick einzugestehen, sollte man vielleicht seine Aufregung und Gewissheit zügeln und einfach nur nach der Telefonnummer fragen. Bevor Du die eine große Aufforderung aussprichst, solltest Du erst die kleineren stellen und Dir die nächsten Ja's sichern.

Ein weiterer Trick, um ein Ja zu bekommen? Bitte nicht um eine Gelegenheit zum Gespräch. Bitte um eine Chance, etwas von Wert zu geben. Und dazu braucht man die richtige Aufforderung mit dem richtigen Angebot.

Ein unwiderstehliches Angebot

Jeder denkt immer nur an seine Wünsche – was er vom Käufer haben möchte. Die Aufforderung zu stellen, ist einfach. Aber wenn Du um etwas bittest, ohne im Gegenzug etwas von gleichem oder größerem Wert zu bieten, bist Du zum Scheitern verurteilt. Es geht gar nicht um Dich! Was wollen Deine Käufer? Wenn Du eine halbe Stunde ihrer Zeit verlangst, was bietest Du dann an? Glaubst Du, dass sie eine PowerPoint-Präsentation über die sechs wichtigsten Merkmale Deines Produkts wollen? Nein! Sie möchten etwas lernen, etwas erleben und sich auf ein Gespräch einlassen, das sie vielleicht dazu bringt, ihre Welt, ihr Geschäft, ihren Job, ihr Leben oder was auch immer zu verbessern. Wenn Du also um 15 Minuten Zeit bittest, fragt sich die potenzielle Kundin: "Ist es das wert? Möchte ich wirklich 15 Minuten damit verbringen, dieser Person zuzuhören oder mich mit ihr zu beschäftigen?" Wenn die Interessentin nicht rasch überzeugt ist, dass es sich lohnt, Dir 15 Minuten Zeit zu geben, ist sie weg. Die Antwort lautet NEIN!

Ist Dein Angebot das wert, was Du erwartest? Das sollte es jedenfalls.

EINE POSITIVE BILANZ FÜR DEN KÄUFER

Was auch immer Du anbietest, es sollte Deinen Interessenten dazu bringen, zu sagen "Ja. Ich denke, 15 Minuten meiner Zeit (Deine Erwartung) sind eine Diskussion darüber wert, wie ich meine Probleme mit der Lagerhaltung löse, wie ich die Konversionsrate meiner Verkaufsleiter erhöhen oder wie ich den Ticketverkauf steigern kann, ohne meine Marketingausgaben zu erhöhen. Ja, 15 Minuten meiner Zeit ist das wert." Damit dies geschieht, muss der Interessent schnell abwägen, ob das Geforderte das Gebotene wert ist oder nicht. Ist das für mich ein Vorteil? Die Abwägung für den Interessenten vorzunehmen, ist einfach, wenn auch nicht völlig exakt. Nimm Dein Angebot, abzüglich der Aufforderung, und Du hast den Wert.

Angebot − Aufforderung = Wert

Das ist zwar etwas subjektiv, aber mit ein wenig Ehrlichkeit und Einfühlungsvermögen ist es nicht allzu schwer zu lösen.

Wenn Du beispielsweise um 15 Minuten Zeit bittest, um zu erörtern, wie das derzeitige Recyclingprogramm Deines Interessenten ihn 50 % zuviel an Energiekosten kosten könnte, ist das für den Käufer ein positives Ergebnis.

Falls Du allerdings um 30 Minuten bittest, um über ihr Geschäft zu sprechen und herauszufinden, ob es Bereiche gibt, in denen Du ihnen helfen kannst, dann ist das unter dem Strich negativ. Kein Geschäftsmann hat 30 Minuten Zeit, um Dir von seinem Unternehmen zu erzählen. Was ist, wenn sie Dir sagen, dass es nichts gibt, was Du für sie tun könntest? Dann haben sie gerade 30 Minuten verschwendet, die sie anderweitig hätten nutzen können. Dieses Angebot hat *keinen* Wert.

Wie wäre es mit 45 Minuten, um zu erklären, wie Dein Produkt die Kundenabwanderung um 35 % senken kann? Das klingt doch nach einem fairen Angebot und einer fairen Aufforderung, oder?

Falsch.

Weshalb? Weil es das Produkt in den Vordergrund stellt. Niemand möchte

Dir 45 Minuten lang zuhören, wenn Du über Dein Produkt sprichst, solange Du nicht zunächst zeigen kannst, dass sie mit dem Problem zu kämpfen haben, das Dein Produkt löst. Interessenten sind nicht bereit, 45 kostbare Minuten zu riskieren, in denen Du ihnen Dein Produkt anpreist, nur um dann zu erfahren, dass es ihre Kundenabwanderung nicht um 35 % senken kann, weil sie nicht das spezifische Abwanderungsproblem haben, das Dein Produkt löst! Interessenten *hassen* es, Zeit zu verschwenden, und wenn ein Angebot, das Du auf den Tisch legst, auch nur ein bisschen nach Zeitverschwendung riecht, werden sie es nicht annehmen. Deine Nachricht landet direkt im Mülleimer oder wird gelöscht.

AUS DER PRAXIS

Vor kurzem erhielt ich die folgende E-Mail:

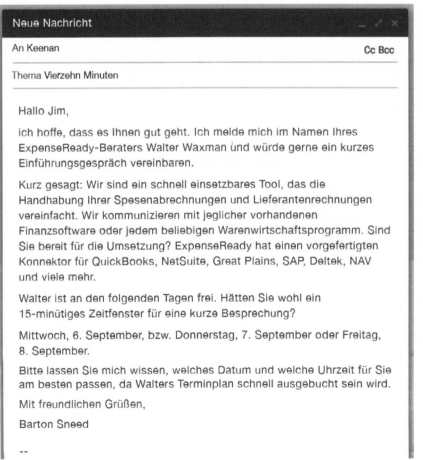

Neue Nachricht

An Keenan   Cc Bcc

Thema Vierzehn Minuten

Hallo Jim,

ich hoffe, dass es Ihnen gut geht. Ich melde mich im Namen Ihres ExpenseReady-Beraters Walter Waxman und würde gerne ein kurzes Einführungsgespräch vereinbaren.

Kurz gesagt: Wir sind ein schnell einsetzbares Tool, das die Handhabung Ihrer Spesenabrechnungen und Lieferantenrechnungen vereinfacht. Wir kommunizieren mit jeglicher vorhandenen Finanzsoftware oder jedem beliebigen Warenwirtschaftsprogramm. Sind Sie bereit für die Umsetzung? ExpenseReady hat einen vorgefertigten Konnektor für QuickBooks, NetSuite, Great Plains, SAP, Deltek, NAV und viele mehr.

Walter ist an den folgenden Tagen frei. Hätten Sie wohl ein 15-minütiges Zeitfenster für eine kurze Besprechung?

Mittwoch, 6. September, bzw. Donnerstag, 7. September oder Freitag, 8. September.

Bitte lassen Sie mich wissen, welches Datum und welche Uhrzeit für Sie am besten passen, da Walters Terminplan schnell ausgebucht sein wird.

Mit freundlichen Grüßen,

Barton Sneed

--

1 Die Namen wurden geändert, um die Missetäter zu schützen.

Diese E-Mail ist Müll. Sehen Deine E-Mails so aus? Ich hoffe, nicht. Diese E-Mail war in etwa so persönlich, individualisiert und willkommen wie ein Parkticket. Wir wollen nun all die Gesichtspunkte aufschlüsseln, die diese E-Mail zu einem schweren Misserfolg machen.

Erstens: Was bietet Barton an? Es scheint, dass das Angebot darauf abzielt, den Käufer in das Spesenabrechnungsprogramm von ExpenseReady einzuführen. Es ist jedoch kein sehr gutes Angebot. Weshalb? Weil Barton mir keinen Grund gibt, mir sein Spesenprogramm anzusehen. Welche Probleme habe ich mit meinen Spesen? Soviel ich weiß, überhaupt keine. Ebenso wenig weist Barton auf einige Probleme hin, die ich vielleicht nicht bedacht habe. Warum in aller Welt sollte ich also ein Einführungsgespräch mit Barton führen? Er hat mir keinen Grund genannt. Siehst Du einen?

Zweitens ist die Forderung zu hoch für das Angebot. Da sein Angebot schwach ist, erscheint die Forderung von 15 Minuten zu teuer. Ja, ich habe gesagt, zu teuer, und das ist eine gute Art, Deine Aufforderung zu betrachten. Zeit ist Geld. Indem Du Deine Aufforderung mit einem Geldbetrag bewertest, kannst Du feststellen, ob Du genug anbietest oder zu viel verlangst. Die meisten Leute werden kaum 15 Minuten ihrer Zeit damit verbringen wollen, Dein Produkt *kennenzulernen*. Barton sollte entweder das Angebot erhöhen oder die Aufforderung (die Kosten) reduzieren.

Und schließlich geht es in den ersten vier Zeilen, abgesehen von der teuren Aufforderung und dem billigen Angebot, ausschließlich um das Unternehmen und das Produkt von Barton. Er spricht über die einfache Integration und die Integrationspartner seines Unternehmens, geht aber nicht auf etwaige Spesenprobleme ein, die ich möglicherweise habe, und auf die Auswirkungen, welche diese Probleme auf mein Unternehmen haben könnten. Ich denke, meine Spesenabrechnungen sind ohnehin schon ziemlich unkompliziert, wo sollte also das Problem liegen? Ich weiß nicht, was ich nicht wüsste. Barton hat nichts getan, um mir zu zeigen, dass mein Unternehmen ein Problem hat, das behoben werden müsste. Nirgendwo zeigt Barton irgendein Verständnis für mein Geschäft, für die Probleme, die ich mit Spesenabrechnungen möglicherweise habe, oder für die Auswirkungen, die diese Spesenabrechnungsprobleme auf mein Unternehmen haben könnten. Kein Problem, kein Grund zur Veränderung. Kein Grund für Veränderung, keine Notwendigkeit für ein Gespräch mit einem Verkäufer – Punkt. Zur Erinnerung, beim Verkauf geht es um Veränderung.

Bevor Du Dich nun vielleicht über mich lustig machst, solltest Du Dir Deine eigenen E-Mails und Kaltakquise-Skripte genauer anschauen. Beginnen sie etwa mit einer Begrüßung in der Art von: "Hallo, Käufer! Ich bin Alfons Alles-Verkäufer von Das-Beste-Produkt-Aller-Zeiten und würde gerne 15 Minuten Ihrer Zeit beanspruchen, um über unser Produkt zu sprechen".

Was ist die wichtigste Regel beim Lösungsorientierten Verkaufen? Es geht *niemals* um Dich.

Also gut, schauen wir uns all die super einfachen Möglichkeiten an, wie sich dieser Brief verbessern lässt...

Zunächst habe ich die Betreff-zeile interessanter gestaltet:

Als Nächstes habe ich die Begrüßung überarbeitet, die nun zeigt, dass Brandon die potenziellen Probleme versteht die ich eventuell habe:

Neue Nachricht　　　　　　　　　　　　　　— ↗ ✕

An Keenan　　　　　　　　　　　　　　　　　　Cc Bcc

Thema Über 50 % der klein- und mittelständischen Unternehmen haben Verluste durch Ausgaben

Keenan,

ist Ihnen bewusst, dass kleine bis mittlere Unternehmen wie das Ihrige jährlich Zehntausende von Euros verlieren, weil sie ihre Ausgaben schlecht verwalten und zuordnen? Diese Schwachstellen liegen in der Regel in Bereichen, über die sie sich noch niemals Gedanken gemacht haben.

Wenn Sie möchten, erläutern wir Ihnen gerne, wo und wie sich diese Themen auf Unternehmen wie Ihres auswirken.

Wir könnten ebenfalls besprechen, wie Ihre Kostenabrechnung Sie möglicherweise auch Geld kostet und wie wir Ihnen dabei helfen können, Ihre Spesenabrechnungen schneller und genauer zu erstellen, Ihnen Ärger zu ersparen und gleichzeitig sicherzustellen, dass Sie nicht mehr unnötig Geld verlieren.

Zehn oder fünfzehn Minuten reichen aus, um die Probleme von Unternehmen wie dem Ihren zu beleuchten und festzustellen, ob wir Ihnen dabei helfen können, den Zeitaufwand für Ihre Kostenverwaltung zu reduzieren, Geld zu sparen und Ihre Ausgabenprozesse effektiver zu gestalten.

Ich freue mich auf das Gespräch mit Ihnen.

Viele Grüße,

Barton Sneed

--

Barton Sneed
Kundenbeauftragter

Hier verstärke ich sein Angebot, um es für mich nützlich zu machen:

Jetzt ist die Aufforderung am Nutzen des Angebots orientiert, und sie ist es wert:

Beachte den Unterschied in dieser E-Mail. Zunächst geht es um den Käufer – mich – und die potenziellen Probleme, mit denen ich konfrontiert werden könnte, und es wird eine Zahl genannt. Die Aufforderung lautet auf nur 15 Minuten, um festzustellen, ob ich durch Ausgaben 10.000 Euro oder mehr verliere. Zusätzlich wird darauf hingewiesen, dass meine derzeitige Methode zusätzliche Zeit und Geld kosten könnte. Das ist die Art von E-Mail, die Du erstellen solltest. Es riecht nach einem Mehrwert für den Käufer. Es ist eine E-Mail des Gebens, nicht des Nehmens. Und achte auf die ansprechende Betreffzeile. Sie fordert den Käufer mit einem Wissensvorsprung heraus, löst den "Oh-Mist" Schaltkreis aus und lädt den Käufer ein, die E-Mail zu öffnen und weiterzulesen. Wie um alles in der Welt können so viele Klein- und Mittelständische Unternehmen Geld durch Auslagen verlieren?

Erzeugen Deine E-Mails ein solches Maß an Anreiz und bieten Käufern so viel an? Das sollten sie. Das Verfassen einer überzeugenden, ansprechenden und herausfordernden Botschaft erfordert Übung. Du kannst die nachstehende Bewertungsskala für die Wahrscheinlichkeit einer E-Mail-Antwort verwenden, um Deine Arbeit zu überprüfen und sicherzustellen, dass Du alle notwendigen Elemente in Deiner Korrespondenz berücksichtigt hast. Wie Du in der folgenden Grafik sehen kannst, können, selbst wenn einige Aspekte der Bewertung hoch sind, andere Elemente die durchschnittliche Bewertung nach unten drücken, was die Gesamteffektivität der E-Mail mindert. Hat die E-Mail beispielsweise ein starkes Angebot, eine gute Aufforderung, die richtige Länge, aber eine schwache Betreffzeile und ist nicht relevant, kann das die Punktzahl senken, und Deine E-Mail wird folglich eine geringere Wirkung haben.

Auf der nächsten Seite ist ein Beispiel einer Bewertungsskala für die Wahrscheinlichkeit einer E-Mail-Antwort, mit der Du ermitteln kannst, ob Du eine angemessene Aufforderung formuliert hast. Hast Du ein Angebot gemacht, das etwas von Wert verspricht? Hast Du das Interesse des Käufers geweckt, indem Du ihn entweder herausgefordert oder informiert hast? Wenn Du all diese Punkte in Deinem E-Mail- oder Telefonskript untergebracht hast, dann wirst Du gewinnen.

E-MAIL ELEMENTE	ERFORDERNIS	BEWERTUNG
Betreff	Die Betreffzeile ist fesselnd und fasst die Botschaft des E-Mail-Textes zusammen. Sie macht den Leser neugierig, die E-Mail zu öffnen. Sie bewegt sich zudem innerhalb von 9-14 Wörtern oder 40-50 Zeichen.	10
Die Botschaft	Die gesamte E-Mail-Nachricht ist faszinierend, macht neugierig oder lässt den Leser für einen Moment innehalten. Sie veranlasst ihn dazu, weiterzulesen, zu verstehen, zu lernen oder eine Lücke im Verständnis oder Wissen zu schließen. (Wenn Sie mehr darüber erfahren möchten, wie Sie Ihre E-Mails interessant gestalten, sollten Sie unser eBook auf www.salesgrowth.com/resources lesen: 'How to Create Sales Emails that Actually Get Opened' – Wie man Verkaufs-E-Mails erstellt, die tatsächlich geöffnet werden).	8
Das Angebot	Was Sie dem Leser anbieten, hat einen Wert, ist etwas, das Ihr Interessent möchte oder braucht. Ihr Angebot ist klar und bietet dem Leser einen Wert. Das Angebot ist Ihre Gabe und hat einen Wert für den Empfänger; daher sollte er Ihr Angebot annehmen wollen.	5
Die Frage	Ihre Bitte bzw. das, was Sie vom Leser/Empfänger erwarten, ist vernünftig und fair, insbesondere im Hinblick auf den Nutzen aus Ihrem Angebot. Die Aufforderung ist einfach auszuführen, klar und angemessen. (z. B. 15 Minuten Zeit, Download von Bericht xyz, Vorstellung beim Geschäftsführer, usw.)	8
Der Wert insgesamt	Der Wert insgesamt wirkt sich zum Vorteil des Empfängers aus. Der Wert insgesamt ergibt sich aus dem Angebot minus der Aufforderung (Angebot-Aufforderung=Wert), und das Angebot selbst muss dabei einen höheren Wert haben, als die Aufforderung. Der Wert, den Sie durch "Die Aufforderung" bieten, muss für den Empfänger von größerem Nutzen sein als für Sie selbst. Zum Beispiel: Ein kostenloser Branchenbericht mit Kostenkalkulationen zur Verringerung der Lagerhaltungskosten ("Das Angebot"), zum Herunterladen (Die Aufforderung), oder: 15 Minuten Zeit des Empfängers (Die Aufforderung), um ihm zu zeigen, wie Ihre Dienstleistung oder Ihr Angebot die Generierung von Interessenten-Kontakten um 30 % steigern kann (Das Angebot).	7
Länge	Die E-Mail ist kurz, prägnant und leicht verständlich. Statistiken über Antwortquoten zufolge erzielen 50-125 Wörter typischerweise die besten Ergebnisse. Bewerten Sie die E-Mail danach, wie bündig die Nachricht übermittelt wird.	7
Relevanz	Die E-Mail muss für den Empfänger von Bedeutung sein. Sprechen Sie mit der richtigen Person? Entspricht ihr Angebot deren Zielen? Wie relevant sind der Inhalt und das Thema für den Empfänger und seine gegenwärtigen oder potentiellen Probleme/Bedürfnisse? Werden sie ihn interessieren?	9
Lesbarkeit	Bei der Lesbarkeit geht es um den Ton. Ist der Tonfall dialogisch, anregend, ungezwungen, humorvoll, griffig, usw.? Der Ton darf keinesfalls geschäftsmäßig, pauschal, inhaltslos usw. sein oder so wirken. Schätzen Sie die Lesbarkeit und Verbindlichkeit ein. Lässt sich der Text einfach und ansprechend lesen sowie in Bezug setzen?	10

E-MAIL-EFFEKTIVITÄTS-BEWERTUNG: 8

SIEBZEHNTES KAPITEL
DEN RICHTIGEN RHYTHMUS FINDEN

Ganz gleich, wie solide Deine Aussage ist, wie beeindruckend der Anreiz und wie wertvoll das Angebot, es wird immer noch schwierig sein, zu den Interessenten durchzudringen. Sie sind einfach zu überflutet und zu geübt darin, alles zu ignorieren, was nicht dringend ist oder bereits zu ihrem Tagesablauf gehört. Wenn Du sie erreichst, ist es höchst unwahrscheinlich, dass es beim ersten Versuch klappt. Vielleicht nicht einmal beim zweiten. Tatsächlich kann es zwischen 8 und 12 Anläufe dauern, bis ein Kunde Dir endlich etwas Aufmerksamkeit schenkt. Deshalb ist es eines der wichtigsten Elemente bei der Kundenakquise, den richtigen Rhythmus zu finden, wenn Du versuchst, Kontakt aufzunehmen. Du musst die richtige Balance finden. Wenn Du Dich zu häufig meldest, fühlen sie sich bedrängt. Wenn Du sie in Ruhe lässt, vergessen sie Dich, selbst wenn sie eigentlich interessiert wären.

Bei der Rhythmik geht es nicht nur um das Timing Deiner Korrespondenz, sondern um die strategische Planung Deiner Botschaft und der Übermittlungsmethode.

Sämtliche Kanäle nutzen

E-Mail, Telefon, Video, LinkedIn, Facebook, Twitter, sogar FedEx – Du hast Zugang zum leistungsstärksten, weitreichendsten Kommunikationspaket in der Geschichte des Vertriebs. Du solltest es nutzen! Meine Untersuchungen haben ergeben, dass 72 % der Vertriebsmitarbeiter, die Soziale Medien zum Verkaufen nutzten, ihre Kollegen überboten und ihre Quote 23 % häufiger übertrafen als diejenigen, die dies nicht taten. Das bedeutet jedoch nicht, dass Du die anderen

Kanäle vernachlässigen solltest. Wie ich bereits sagte, solltest Du Deine Kunden kennen und den Kommunikationsplan erstellen, der für sie am besten passt. Wir alle haben gehört, dass die Erfolgsquote bei der Kaltakquise – ob sie also zu einem Gespräch oder Termin führt – astronomisch niedrig ist und zwischen 1 % und 3 % liegt. Dennoch ist die Kaltakquise nicht tot, wenn man weiß, wie man es richtig macht. E-Mail ist nicht tot, wenn Du eine aussagekräftige Nachricht schreiben kannst, die Interesse weckt. Und überhaupt ist kein Kanal tot, wenn Du einen Interessenten hast, der ihn gerne nutzt. Sprich Interessenten dort an, wo sie sich aufhalten, mische Deine Kontaktmethoden, werde kreativ, aber vermeide Effekthascherei, und bleibe stets problemorientiert. Wer im Lösungsorientierten Verkaufen tätig ist, weiß, dass Erfolg letztlich nicht von den verwendeten Methoden abhängt, sondern von der Aussage.

Die Nachricht Verdeutlichen

Der Schlüssel zu erfolgreicher Kundengewinnung liegt darin, sicherzustellen, dass sich jede Kommunikation auf die Lösung der geschäftlichen Probleme konzentriert, von denen Du festgestellt hast, dass sie wahrscheinlich einen signifikanten Einfluss auf die Menschen haben, die Du erreichen willst. Jedes Mal, wenn Du Kontakt aufnimmst, solltest Du jedoch eine andere Auswirkung hervorheben, eine neue Information bereitstellen oder ein relevantes Stück aus Deiner Recherche teilen. Der Verstand Deines Käufers denkt, dass er weiß, was er zu erwarten hat. Du suchst nach Möglichkeiten, ihn aus seiner Selbstzufriedenheit aufzurütteln und Dich mit anderen Augen zu betrachten.

Denke daran:

- Jeder Verkauf setzt sich aus Hunderten von kleineren Verkäufen zusammen
- Jeder kleine Verkauf muss ein weiteres Ja nach sich ziehen, um einem erfolgreichen Abschluss näher zu kommen
- Die Interessentenakquise ist Deine Chance, das erste Ja zu erlangen
- In der Kundengewinnung muss jede E-Mail, jeder Anruf, jede Sprachnachricht, jedes Video und jeder Beitrag in den sozialen Medien Folgendes enthalten: Interesse, eine klare und angemessene Frage, ein Angebot und einen Nettonutzen für den Kunden

NERVE SIE, OHNE SIE ZU VERÄRGERN

Der Schlüssel zu einer guten Rhythmik ist die Perfektionierung des Timings. Du solltest gerade so viel in Kontakt mit Deinem Kunden bleiben, dass Du in seinem Gedächtnis bleibst, doch ohne ihn zu verärgern oder wie ein Verfolger zu wirken. Ich empfehle, den folgenden Zeitplan an Werktagen über eine Vielzahl von Kommunikationskanälen zu verwenden.

Um zu zeigen, wie eine typische Kundenakquise-Rhythmik im Lösungsorientierten Verkaufen aussehen könnte, wollen wir Barton ein wenig begleiten. Im letzten Kapitel haben wir erfahren, dass Barton für eine Spesenabrechnungsfirma tätig ist. Für dieses Beispiel vergessen wir einfach seine schreckliche erste E-Mail und tun so, als sei die überarbeitete Version die einzige, die er verschickt hat. Das lief so ab:

Neue Nachricht _ ↗ ×

An Keenan   Cc Bcc

Thema Über 50 % der klein- und mittelständischen Unternehmen haben Verluste durch Ausgaben

Hallo Jim,

ist Ihnen bewusst, dass kleine bis mittlere Unternehmen wie das Ihrige jährlich Zehntausende von Euros verlieren, weil sie ihre Ausgaben schlecht verwalten und zuordnen? Diese Schwachstellen liegen in der Regel in Bereichen, über die sie sich noch niemals Gedanken gemacht haben.

Wenn Sie möchten, erläutern wir Ihnen gerne, wo und wie sich diese Themen auf Unternehmen wie Ihres auswirken.

Wir könnten ebenfalls besprechen, wie Ihre Kostenabrechnung Sie möglicherweise auch Geld kostet und wie wir Ihnen dabei helfen können, Ihre Spesenabrechnungen schneller und genauer zu erstellen, Ihnen Ärger zu ersparen und gleichzeitig sicherzustellen, dass Sie nicht mehr unnötig Geld verlieren.

Zehn oder fünfzehn Minuten reichen aus, um die Probleme von Unternehmen wie dem Ihren zu beleuchten und festzustellen, ob wir Ihnen dabei helfen können, den Zeitaufwand für Ihre Kostenverwaltung zu reduzieren, Geld zu sparen und Ihre Ausgabenprozesse effektiver zu gestalten.

Ich freue mich auf das Gespräch mit Ihnen.

Viele Grüße,

Barton Sneed

--

Barton Sneed

Funkstille – Barton erhält keine Antwort von mir.

Zwei Geschäftstage später ruft er an und hinterlässt mir eine Sprachnachricht, in der er das Gleiche sagt.

Grillenzirpen.

Drei Geschäftstage nach dem letzten Anruf schreibt er eine neue E-Mail, in der steht:

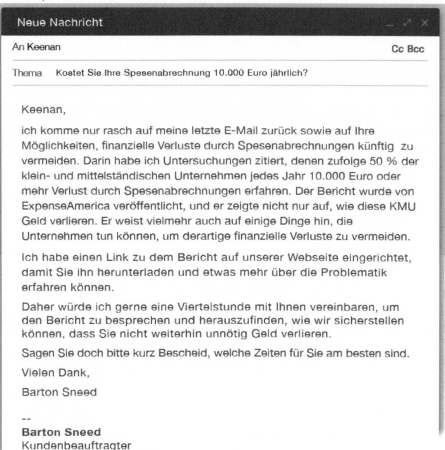

Neue Nachricht

An Keenan   Cc Bcc

Thema   Kostet Sie Ihre Spesenabrechnung 10.000 Euro jährlich?

Keenan,

ich komme nur rasch auf meine letzte E-Mail zurück sowie auf Ihre Möglichkeiten, finanzielle Verluste durch Spesenabrechnungen künftig zu vermeiden. Darin habe ich Untersuchungen zitiert, denen zufolge 50 % der klein- und mittelständischen Unternehmen jedes Jahr 10.000 Euro oder mehr Verlust durch Spesenabrechnungen erfahren. Der Bericht wurde von ExpenseAmerica veröffentlicht, und er zeigte nicht nur auf, wie diese KMU Geld verlieren. Er weist vielmehr auch auf einige Dinge hin, die Unternehmen tun können, um derartige finanzielle Verluste zu vermeiden.

Ich habe einen Link zu dem Bericht auf unserer Webseite eingerichtet, damit Sie ihn herunterladen und etwas mehr über die Problematik erfahren können.

Daher würde ich gerne eine Viertelstunde mit Ihnen vereinbaren, um den Bericht zu besprechen und herauszufinden, wie wir sicherstellen können, dass Sie nicht weiterhin unnötig Geld verlieren.

Sagen Sie doch bitte kurz Bescheid, welche Zeiten für Sie am besten sind.

Vielen Dank,

Barton Sneed

--
Barton Sneed
Kundenbeauftragter

Verdammt, immer noch keine Antwort! Ich bin zäh. LOL! (oder beschäftigt).

Drei bis vier Geschäftstage nach dieser E-Mail ruft Barton erneut an und hinterlässt eine Sprachnachricht mit einer ähnlichen Botschaft.

Einige Geschäftstage danach schickt er eine neue E-Mail.

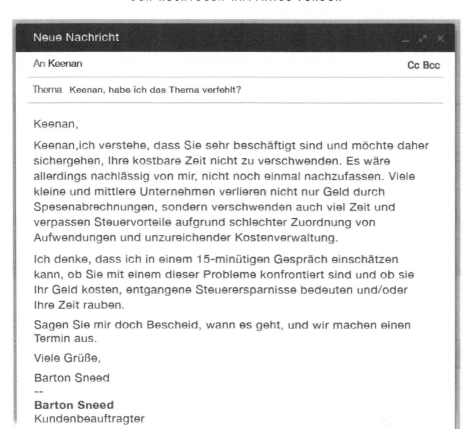

Dieses Beispiel stellt eine Abfolge von E-Mails und Sprachnachrichten über einen Zeitraum von 10 Tagen dar, aber wie ich bereits sagte, gibt es kein einzelnes oder ideales Kommunikationsmedium. Diese Rhythmik hätte genauso gut eine Kontaktaufnahme in den sozialen Medien beinhalten können, einschließlich einer LinkedIn-Verbindungsanfrage und einer LinkedIn-Nachricht. Entscheidend ist, dass die Kampagne mehrere Kommunikationsmedien nutzt, verschiedene Angebote und Aufforderungen bereitstellt und so viel wie möglich auf Interesse setzt. Das Ziel ist es, so lange an dem Käufer zu bleiben, bis dieser reagiert. Denke daran, unsere Aufgabe ist es, dieses erste Ja zu bekommen. Ja! Ich werde mich mit Ihnen treffen.

Immer noch Grillenzirpen! Was sollte Barton tun?

Er sollte vier weitere Geschäftstage abwarten und dann erneut anrufen. Wenn danach immer noch keine Reaktion erfolgt, sollte er weitere vier Tage warten und eine neue E-Mail senden, sodann in bis zu 12 Kontaktaufnahmen wiederholen. Jedes Mal sollte Barton die Botschaft ändern, ein anderes Angebot machen und eine andere Auswirkung oder ein anderes Problem ansprechen. Das Wichtigste ist, den Kunden im Auge zu behalten. Du musst in ihrer Welt bleiben. Beginne nicht mit Anpreisen. Sei entschlossen, doch auch geduldig.

TIPP: Wenn Du bei Kontaktaufnahme 9, 10 oder so angekommen bist und immer noch keine Antwort erhältst, ist es völlig in Ordnung, den Käufer mit einer E-Mail wie dieser herauszufordern:

Man beachte, dass wir dem Käufer aufgeben, zu kommunizieren. Ich sage niemals, absolut niemals, Nein anstelle meines Käufers. Ich lasse den Käufer Nein sagen. Wenn ein Käufer nicht antwortet und wir aufhören, ihn anzurufen und ihm zu mailen, dann sagen wir für ihn Nein, und das ist ein großer Fehler. Sage niemals Nein anstelle Deines Käufers. Ich kann Dir gar nicht sagen, wie oft ich hartnäckig geblieben bin, ohne eine Antwort zu erhalten, um dann endlich den Durchbruch zu schaffen und vom Käufer zu hören: "Danke! Ich schätze Ihre Beharrlichkeit. Ich wollte schon lange mit Ihnen sprechen, aber ich habe es einfach nicht geschafft. Vielen Dank also, dass Sie drangeblieben sind." Deine Aufgabe ist es, an Deine Kunden heranzukommen. Wende Dich niemals ab, bevor sie Dir nicht sagen, dass Du verschwinden sollst. Beim Lösungsorientierten Verkaufen ist dies ganz einfach.

Weshalb?

Weil Du sie mit einem echten Problem konfrontierst. Du hast etwas Substanzielles angeboten, und es ergäbe keinen Sinn, jetzt einfach wegzugehen. Wenn ein Unternehmen jährlich 10.000 Euro durch ein unzulängliches Spesenabrechnungssystem verliert, tust Du ihm einen Gefallen, weiterhin Kontakt zu suchen.

Ganz im Gegensatz zum Lösungsorientierten Verkaufen ist die traditionelle Akquise einfach nur lästig. Du nervst sie, damit sie Dir zuhören, wenn Du über Dein Produkt sprichst, oder damit sie Dir von ihren Problemen erzählen. Es gibt keinen Wert. Beim Lösungsorientierten Verkaufen geht man davon aus, dass Deine Kunden keine Zeit haben, Dir ihre Probleme zu schildern, so dass es an Dir liegt, ihnen zu sagen, welches ihre Probleme sind oder zumindest, welches sie sein könnten. Vielleicht können sie nicht genug produzieren. Vielleicht haben sie zu wenig Kapital. Vielleicht werden sie durch ineffizientes Büromanagement in ihrer Arbeit behindert. Wenn Du die Prinzipien und Methoden des Lösungsorientierten Verkaufens anwendest, dann wirst Du viele dieser Informationen bereits kennen und kannst mit Deinem Fachwissen und Deinem Einblick glänzen. Du bist in der Lage darzustellen, dass Du die plagenden Probleme Deiner Kunden, die Ursachen dieser Probleme und deren Auswirkungen auf das Unternehmen verstehst. Du zeigst, dass Du gut recherchiert hast, wie Dein Produkt oder Deine Dienstleistung diese negativen Auswirkungen umkehren kann. Wenn Du es schaffst, dass sie erkennen, wie sehr sie leiden und dass Du den Balsam für ihren Schmerz hast, werden sie Dir zuhören.

Bei der Kundenakquise geht es darum, herauszufinden, was Du tun kannst, um den "Oh-mist"-Schaltkreis Deines Käufers auszulösen, damit er Dich inmitten der dichten Reihe von anderen Verkäufern bemerkt, die verzweifelt winken, um seine Aufmerksamkeit zu bekommen. Aber es reicht nicht aus, ihre Aufmerksamkeit nur zu erregen, sondern man muss sie auch halten. Lösungsorientiertes Verkaufen liefert Dir alle notwendigen Informationen und Kenntnisse, um zu demonstrieren, dass Du die Probleme des Kunden verstehst und innerhalb der vier Sekunden, die das Gehirn des Käufers braucht, um zu entscheiden, ob er Dir wirklich Aufmerksamkeit schenken soll oder nicht, etwas von Wert bieten kannst. In Verbindung mit bewährten Akquisitionstaktiken gibt Dir Lösungsorientiertes Verkaufen alles an die Hand, was Du brauchst, um Vertrauen und Glaubwürdigkeit aufzubauen und so Deine Kunden zu überzeugen, sich von Dir helfen zu lassen und Dich in die Lage zu versetzen, Ideen, Perspektiven und Lösungen auf den Tisch zu legen, die sie von einem Verkäufer nie erwarten würden. In einem von Vorhersehbarkeit geprägten Umfeld ist das genau die Art von Überraschung, die Käufer lieben.

Führungskompetenz sorgt dafür, dass sie ankommt.

TEIL IV

AUFBAU EINES TEAMS FÜR LÖSUNGSORIENTIERTES VERKAUFEN

TEIL IV •AUFBAU EINES TEAMS FÜR LÖSUNGSORIENTIERTES VERKAUFEN

Mache Dich bereit, einen Gang heraufzuschalten. Du hast das Einmaleins des Lösungsorientierten Verkaufens gelernt, Du weißt, warum es funktioniert, und Du hast gelernt, wie man es richtig macht. Leider führt großartiges Verkaufsgeschick nicht unbedingt zu großartigem Management. Wenn Du als Vertriebsleiter daran interessiert bist, Lösungsorientiertes Verkaufen in Deinem Unternehmen zu implementieren, wie kannst Du sicherstellen, dass Dein Vertriebsteam versteht, was Du vorhast, und dass es sich dem Lösungsorientierten Verkaufen verschreibt? Selbst wenn Du Dich persönlich in der Anwendung der Techniken des Lösungsorientiertes Verkaufens sicher fühlst, weißt Du auch, wie Du sie einsetzen kannst, um das Beste aus Deinem Team herauszuholen und sicherzustellen, dass Du Deine Zahlen konsequent erreichst? Deine Kompetenz im Lösungsorientierten Verkaufen hängt nicht nur davon ab, wie gut Du es selbst beherrschst, sondern auch davon, wie gut Du anderen beibringen kannst, es umzusetzen. Wenn Du auf andere Menschen angewiesen bist, die Dir helfen, Deine Ziele zu erreichen, liegt es natürlich an Dir, diese Menschen zu leiten und zu fördern, damit sie die bestmöglichen Leistungen erbringen können.

Dieser letzte Abschnitt des Buches richtet sich zwar speziell an Führungskräfte im Vertrieb, aber ich empfehle dringend, nicht zu gehen, selbst wenn Du derzeit noch keine Führungskraft sein solltest. Angehende Vertriebler im Lösungsorientierten Verkaufen auf allen Ebenen werden davon profitieren, wenn sie das Material in diesem letzten Abschnitt des Buches durchlesen und verinnerlichen. Erstens bereitet es Dich auf den Tag vor, an dem Du in der Lage sein wirst, Dein Wissen mit anderen zu teilen. Zweitens wird es Dir zeigen, wie eine gesunde, florierende Verkaufsorganisation aussehen sollte, so dass Du, wenn Du aufgrund Deiner Fähigkeiten im Lösungsorientierten Verkaufen sehr gefragt bist, weißt, welche Fragen Du potentiellen Arbeitgebern stellen kannst, damit sie ihre Verkaufsphilosophien offenlegen und Du besser einschätzen kannst, ob diese mit Deinen eigenen übereinstimmen.

Starke Führungspersönlichkeiten holen mehr aus ihren Mitarbeitern heraus, als sie aus sich selbst machen können. Um ein starker Verkaufsleiter im Lösungsorientierten Verkaufen zu sein, kannst Du Deinem Team nicht einfach eine Schulungsmethodik vorsetzen und erwarten, dass sie alles von alleine herausfinden. Es liegt in der Verantwortung der Führungskräfte, ihnen Deckung und Unterstützung zu geben, sie anzuleiten und die Qualität ihrer Unterlagen zu überprüfen, damit sie optimale Chancen haben, ihre Vertriebsziele zu erreichen.

Die besten Vertriebsmanager sind nicht nur Manager. Sie sind Trainer.

ACHTZEHNTES KAPITEL
STEUERUNG DER VERTRIEBSKETTE

Es ist das Ende des Quartals, und wie üblich kommst Du allmählich ins Schwitzen. Vor einem Monat sah Deine Vertriebskette noch sehr stabil aus. Heute ist sie voller Löcher. Dieses große Geschäft, auf das der neue Vertreter geschworen hatte, ist ins Stocken geraten. Eine andere Vertreterin scheint alle ihre Prognosen um 20 % gesenkt zu haben. Und was ist mit den ganzen Abschlussterminen, die sich in das nächste Quartal ziehen? Wieder einmal fühlst Du Dich verschaukelt, und wieder einmal bist Du aufgeschmissen.

Kommt Dir das bekannt vor? Bist Du immer wieder böse überrascht, wenn sich am Quartalsende herausstellt, dass die Prognosen für Deine Vertriebskette völlig daneben liegen? Dann befindest Du Dich in guter Gesellschaft, denn die meisten Vertriebsleiter sind regelmäßig in dieser misslichen Lage. In einer im *Harvard Business Review* veröffentlichten Studie aus dem Jahr 2017 über den Vertriebsinnendienst von 151 Unternehmen über einen Zeitraum von neun Quartalen hinweg wurde festgestellt, dass "Vertriebsmitarbeiter am Ende des Monats dreimal so viele Geschäfte abschließen wie während des restlichen Monats, aber 11-mal so viele verlieren." Möchtest Du wissen, wie viel Geld das ausmacht? Im Durchschnitt büßten die untersuchten Unternehmen durch den vierteljährlichen Einbruch der Abschlussquoten 98 Millionen Dollar pro Jahr an Umsatz ein.[2]

Würden mehr Vertriebsorganisationen die Methoden des Lösungsorientierten Verkaufens anwenden und beherrschen, so ginge dieser Verkaufswahnsinn am Ende des Quartals bestimmt zurück. Nur, wessen

[2] www.hbr.org/2017/08/the-end-of-quarter-sales-rush-costs-companies-money

Aufgabe ist es, diesen Organisationen diese Techniken beizubringen? Natürlich die des Verkaufsleiters (und das bist Du ... oder vielleicht Du in der Zukunft). Beim Aufbau eines soliden Teams zum Lösungsorientierten Verkaufen geht es allerdings nicht nur darum, sicherzustellen, dass jeder das Konzept des aktuellen und des künftigen Zustands verstanden hat, auf die Lücke hin orientiert verkauft oder die eigentlichen Motivationen eines Käufers entschlüsseln kann. Selbst Vertriebsleiter, die das Lösungs-orientierte Verkaufen für sich entdeckt haben, geraten regelmäßig in Schwierigkeiten beim Erreichen ihrer Zahlen, wenn sie bei der Führung ihres Teams die Grundsätze des Lösungsorientiertes Verkaufens einmal zu beachten vergessen. Von daher ist der beste Ort, um zu untersuchen, wie Lösungsorientiertes Verkaufen im Unternehmen gestärkt werden kann, dort, wo ein Vertriebsleiter den größten Einfluss auf die Leistung eines Teams entfalten kann: die Analyse der Vertriebskette.

ANALYSE DER VERTRIEBSKETTE

Es besteht ein großer Unterschied zwischen dem herkömmlichen Vertriebsketten-Management und dem Vertriebsketten-Management beim Lösungsorientierten Verkaufen. Beim herkömmlichen Vertriebsketten-Management klingt das so:

Manager: Nun gut, Bob, wie ist der Stand der Dinge bei der Sache mit Techform?

Bob: Das sieht gut aus. Wir erwarten das Feedback auf die Präsentation und dass der Vorstand die Lösung genehmigt.

Manager: Werden wir den Abschluss schaffen?

Bob: Ja, es geht voran. Ich müsste nächste Woche Bescheid bekommen.

Manager: Gibt es irgendetwas, das wir tun können, um die Dinge zu beschleunigen?

Bob: Nee, alles im grünen Bereich. Ich habe letzte Woche mit ihnen gesprochen, und sie sagten, sie würden sich bei mir melden, sobald sie soweit sind.

Manager: Gut, halten Sie mich auf dem Laufenden.

Wenn Du bis hierher aufmerksam gelesen hast, wirst Du vielleicht schon genug über Lösungsorientiertes Verkaufen wissen, um zu sehen, warum ein solches Gespräch reine Zeitverschwendung ist. Das Einzige, was daraus hervorgeht, ist, dass das Geschäft sich noch hinzieht. Ich meine, ja, prima, ich nehme an. Aber hat uns dieses Gespräch wirklich irgendetwas Nützliches verraten? Hatten wir Zugang zu konkreten Informationen darüber, wann das Geschäft abgeschlossen wird, was der Kunde denkt oder weswegen der Vertriebsmitarbeiter so zuversichtlich ist, dass der Verkauf zustande kommen wird? Was zum Teufel soll "gut" überhaupt bedeuten? In Wirklichkeit hat Bob eingeräumt, dass er sich in einer Warteposition befindet und dass das gesamte Schicksal des Geschäfts nun in den Händen der Käufer liegt. Nirgendwo deutet er an, dass er irgendeinen Einfluss auf den Prozess hätte oder dass er in der Lage wäre, dafür zu sorgen, dass seine Käufer die wenigen vagen Versprechen, die sie gemacht haben, einhalten, oder dass er eine Strategie im Kopf hätte, um die Käufer zum nächsten "Ja" zu bewegen, das ihn dem Vertragsabschluss näher bringen würde.

Ein Verkäufer beim Lösungsorientierten Verkaufen würde sich niemals mit dermaßen nichtssagenden Informationen zufrieden geben. Ein Verkaufs-Manager beim Lösungsorientierten Verkaufen kann ebenfalls damit nicht zufrieden sein. Für Vertriebsleiter gibt es kein wertvolleres Instrument als die Analyse der Vertriebskette, um zu beurteilen, wo ihr Team im Hinblick auf die Quote steht. Ohne ein narrensicheres Verfahren zur Überprüfung, ob die Vertriebskette Deines Teams akkurat, vorhersehbar und verlässlich ist, kannst Du die Organisation schlichtweg nicht steuern. Du kannst im wahrsten Sinne des Wortes Deinen Job nicht machen.

VERTRAUE, ABER PRÜFE NACH

In einer Organisation zum Lösungsorientierten Verkaufen dient die wöchentliche Analyse der Vertriebskette nicht nur als Lagebericht. Sie prüft, ob die Zahlen im Kundenbindungs-Management stimmen, sie misst und bewertet, wie viel die Vertriebsmitarbeiter über ihre Kunden und ihre Geschäftsmöglichkeiten wissen, und sie bestätigt, dass die Vertriebsmitarbeiter eines Teams genügend Einfluss auf das Geschäft haben, um sicherzustellen, dass es so abgeschlossen wird, wie sie sagen. Dieser letzte Teil ist entscheidend. Wenn Deine Vertriebsleute bei ihren Geschäften keinen Erfolg haben, verkaufen sie nicht, sondern preisen lediglich an. Sie haben nicht die Glaubwürdigkeit erlangt, die ihren Einfluss stärken würde. Beides gehört zusammen. Glaubwürdigkeit gewinnst Du, indem Du alle Informationen über den aktuellen Zustand, den künftigen Zustand, die Lücke, die eigentliche Motivation sowie die Entscheidungskriterien eines Kunden sammelst. Je mehr Glaubwürdigkeit Du besitzt, desto mehr Einfluss hast Du auf Deine Geschäfte.

Im 8. Kapitel hast Du die Kundenbindungs-Management-Herausforderung kennengelernt, eine unverzichtbare Methode, um sicherzustellen, dass Du alle wichtigen und notwendigen Informationen für einen Verkaufsabschluss gesammelt hast. Als Trainer, der eine Analyse der Vertriebskette durchführt, gibst Du Deinem Team im Grunde die Kundenbindungs-Management-Herausforderung auf.

Dabei geht es nicht darum, Lügner aufzuspüren. Vielmehr soll der Tatsache entgegengewirkt werden, dass die meisten Verkäufer zu einer zu optimistischen Einschätzung neigen. Komm schon, Du weißt, dass das stimmt. Das ist eine unserer größten Stärken als Verkäufer, aber gleichzeitig kann es auch unsere Achillesferse bedeuten. Aus diesem Grund müssen gute Vertriebsleiter ihrem Team die Leviten lesen und sicherstellen, dass sie nicht nur hoffnungsvolle Zuckerwattegeschichten auftischen. Andererseits musst Du zuweilen auch darauf achten, dass die Mitglieder Deines Teams nicht absichtlich zu wenig versprechen, um hinterher besser auszusehen, wenn sie mehr liefern. Die Vertriebskette sollte das widerspiegeln, was in Deinem Unternehmen tatsächlich vor sich geht und zeigen, dass Deine Vertriebsmitarbeiter wirklich wissen, was sie zu wissen glauben.

Verkaufsleiter wissen beim Lösungsorientierten Verkaufen, dass sie korrekte Informationen erhalten, wenn sie alle diese Fragen mit "Ja" beantworten können:

1. Verstehen meine Vertriebsmitarbeiter die aktuelle Situation der Kunden?

- Wissen sie genug über das tatsächliche, physische Geschäft?
- Können sie die kritischen Probleme der Kunden auflisten?

- Haben sie ihren Einfluss auf die Organisation des Kunden zutreffend eingeschätzt?
- Sind sie sich des Gefühlszustands der Käufer bewusst?
- Haben sie die Ursache für diese Probleme gefunden?

2. VERSTEHEN MEINE VERTRIEBSMITARBEITER DEN KÜNFTIGEN ZUSTAND DER KUNDEN?

- Können sie das gewünschte Ergebnis beschreiben?
- Können sie die tatsächlichen, physischen Auswirkungen dieses Ergebnisses auf die Organisation des Kunden analysieren?

3. KÖNNEN SIE DIE LÜCKE ERKENNEN?

- Können sie erläutern, wie sie diese ermittelt haben?

4. KÖNNEN SIE DIE INNEREN KAUFMOTIVE DES KUNDEN BEZEICHNEN?

5. KÖNNEN SIE DIE ENTSCHEIDUNGSKRITERIEN DER KÄUFER NENNEN?

6. KÖNNEN SIE ZEIGEN, DASS ALLE DIESE INFORMATIONEN KORREKT SIND?

7. WISSEN SIE, WAS ALS NÄCHSTES GESCHEHEN WIRD UND WANN?

Wenn Du all diese Fragen bei jeder Analyse mit Ja beantworten kannst, dann weißt Du, dass Deine Vertriebsmitarbeiter die Dinge im Griff haben und auf dem besten Weg sind, ihre Geschäfte abzuschließen, und nicht nur hoffnungsvoll irgendwelche Zahlen in das Kundenbindungs-Management eingeben.

BESTEHE AUF KONKRETEN, VERBINDLICHEN DATEN

Deine Vorhersagen sind nur so gut wie die Daten, auf denen sie beruhen. Aber woher willst Du wissen, ob Du den Daten Deiner Vertriebsmitarbeiter vertrauen kannst? Wie lässt sich feststellen, ob ein Verkäufer den emotionalen Zustand eines Kunden möglicherweise nicht richtig interpretiert oder die gewünschten Ergebnisse missverstanden hat? Das kann man nicht. Genau deswegen ist es so wichtig, behutsam auf Fakten zu drängen. Vertriebsleute werden Dir sagen, was sie denken, was sie ahnen und was sie aus früheren Erfahrungen oder Verhaltensweisen ableiten können. Lasse Dich nicht von dem typischen Verkaufsgeschwätz täuschen –Verkaufsleute sind wirklich gut darin, Geschichten zu erzählen! Beim Lösungsorientierten Verkaufen brauchst Du hingegen nichts anderes als die Fakten. Keine Erzählungen.

Die Fakten sind eindeutig. Die Fakten sind verbindlich. Du musst Dein Team anhalten, sein Wissen bis in die Einzelheiten mitzuteilen. Du solltest Dich vergewissern, dass sie tatsächlich wissen, was sie zu wissen behaupten. "Der Kunde möchte schneller wachsen" ist keine Erkenntnis. Wie stark möchte der Kunde sein Unternehmen wachsen sehen? Innerhalb welchen Zeitraums? Wie groß ist ihr derzeitiges Wachstum? Verlassen kannst Du Dich auf Details, nicht auf Allgemeinplätze. Wenn ein Verkaufsmitarbeiter Dir diese Details nicht nennen kann, ist die Lösung einfach: Schicke ihn zurück zum Kunden, um dieses Gespräch noch einmal zu führen. Es ist Deine Aufgabe, die Vertriebsmitarbeiter anzuhalten, die Fakten zu definieren und zu erklären.

FASSE DICH KURZ UND BÜNDIG

Dieser ganze Analyseprozess beim Lösungsorientierten Verkaufen hört sich wohl zeitaufwändiger an als ein durchschnittliches Vertriebsketten-Meeting, und das ist er wohl auch. Allerdings nur am Anfang. Sobald Dein Team begreift, dass sein Arsch auf dem Spiel steht, wenn es die gewünschten Informationen nicht liefern kann, kannst Du darauf wetten, dass es die Informationen beim nächsten Meeting haben wird. Niemand möchte gerne zweimal hintereinander wie ein Idiot aussehen. Wenn sie beginnen, die Vorteile zu erkennen und ihre Verpflichtungen abzugeben, und wenn die Vorhersehbarkeit zunimmt, kannst Du die Intensität, außer bei neuen Teammitgliedern, bei allen anderen reduzieren ... es sei denn, jemand gibt Dir einen Grund, ihm nicht zu trauen, das dürfte sich von selbst verstehen. Es ist sicherlich ein umfassender Prozess, aber die Zeit und der Ärger, die Du dadurch auf lange Sicht sparen wirst, sind unbezahlbar.

Hier ein Profitipp: Vorsicht gegenüber dem "Schwätzer." Du weißt schon, der Typ Verkäufer, der zehn Minuten braucht, um zu erklären, warum sein Geschäft ein Super-Angebot ist. Wenn Deine Vertriebsmitarbeiter wissen, wovon sie sprechen, werden ihre Antworten kurz und bündig ausfallen. Keine langatmigen Erklärungen erforderlich, kein Leitartikel-Mist. Die Leute reden viel mehr, wenn sie keine guten Fakten haben. Je langatmiger sie sind, je mehr sie im Kreis reden, desto mehr weißt Du, dass etwas nicht stimmt. Im Allgemeinen sind es die Leute, die nicht wissen, wovon sie reden, die am meisten reden. Du willst Kürze und Genauigkeit hören. Verkaufsleute sind bekanntlich großartige Geschichtenerzähler, aber in diesem Fall solltest Du Deine Mitarbeiter drängen, rasch auf den Punkt zu kommen. Vergiss die Geschichten. Bring' die Fakten.

Gleichwohl solltest Du die Leute nicht vom Haken lassen. Wenn Du konkrete Fragen stellst, solltest Du auch konkrete Antworten verlangen. Keine Antwort sollte so allgemein gehalten sein, dass sie auf jedes Unternehmen in der Vertriebskette zutreffen könnte. Es gibt keine Universalantworten beim Lösungsorientierten Verkaufen. Und akzeptiere nicht einfach, was die Leute denken, beispielsweise wenn sie Dir sagen: "Ich glaube, ihre eigentliche Motivation ist es, am Ende des Jahres nach Europa zu expandieren." Sie glauben? Nun, stimmt es oder stimmt es nicht? Hat Dein Verkaufsmitarbeiter überhaupt gefragt? Falls ja, sollte die Antwort im Kundenbindungs-Management notiert sein, und er sollte in der Lage sein, sie wortwörtlich zu wiederholen. Wenn Dein Mitarbeiter lediglich glaubt, die Antwort auf eine Frage zu kennen, dann bedeutet dies, dass er sie nicht weiß, also die Frage nicht gestellt oder die Antwort nicht verstanden hat. Wie auch immer, sie wissen es nicht, also können sie so auch nicht verkaufen.

Es ist nicht unbedingt schlecht, wenn Du Deine Vertriebsleute mit unvollständigen Informationen erwischst. Die besten Vertriebsleiter setzen sich bereits im Voraus mit der Realität auseinander. Sie wollen die Wahrheit herausfinden, auch wenn sie beängstigend aussieht, weil sie wissen, dass sie dadurch mehr Einfluss erhalten. Dadurch erhalten sie zusätzliche Zeit und Daten, um mehr Geschäftsabschlüsse zu erzielen, sich mit den Geschäften zu befassen, neue Geschäftsstrategien zu entwickeln und den Vertriebsmitarbeiter wieder auf Kurs zu bringen. Es ist so viel weniger stressig und so viel besser für die gesamte Organisation, wenn niemand Angst vor der Wahrheit hat. Sobald Du weißt, dass es da ein Problem gibt, kannst Du etwas dagegen tun. Du kannst Dir die notwendigen Informationen beschaffen, die Daten einholen und möglicherweise das Geschäft abschließen.

Weiß Dein Team erst einmal, was Du von ihm erwartest, wird es an der Herausforderung wachsen. Je nach Größe der Vertriebskette sollte es nur zwei bis zehn Minuten dauern, jede einzelne Geschäftsmöglichkeit durchzugehen, so dass die gesamte Analyse je nach Größe Deines Teams in etwa 15 bis 30 Minuten erledigt werden kann. Länger sollte es nur dauern, wenn Du jemandem noch die Grundlagen beibringen musst. Du bist es Deinem Team schuldig, geduldig zu sein und ihm zum Erfolg zu verhelfen.

DEN UNTERSCHIED HÖREN

Eine Analyse der Vertriebskette beim Lösungsorientierten Verkaufen könnte sich etwa so anhören:

Manager: *Okay, Bob, Dein Interessent, der immer wieder gegen den kleineren Konkurrenten verliert. Erzähl' mal.*

Bob: Oh, das ist Techform. Wie Du weißt, haben sie ein hervorragendes Produkt, aber sie haben nicht gut genug aufgepasst, als Rodeware auf den Markt kam. Sie verlieren etwa 10.000 Euro pro Monat, und das ist ein Anstieg von zuvor 7.000 Euro im Monat. Sie dachten, den Markt aufgrund ihres Kundendienstes im Griff zu haben, aber Rodeware sieht einfach besser aus und die Leute scheinen es zu lieben. Sie verlieren Aufträge wegen ihrer schlechten Benutzeroberfläche und einer unzutreffenden öffentlichen Wahrnehmung ihrer Möglichkeiten. Die Mundpropaganda über Rodeware hat sich herumgesprochen, und die Kunden von Techform beginnen, umzusteigen. Die Tendenz weitet sich aus, und bis zum Ende des Quartals ist ein Anstieg auf 20.000 Euro pro Monat zu befürchten. Der Leiter ihrer IT, Mark, ist ziemlich verzweifelt.

Manager: *Woher weißt Du, dass sie bereit sind zu kaufen?*

Bob: Sie können es sich nicht leisten, dass dieser Trend anhält. Ihr Produkt ist insgesamt die bessere Lösung, jedoch sieht Rodeware hübscher aus. Ich habe ihnen gezeigt, wie wir ihre Benutzeroberfläche verbessern können, um besser mit Rodeware konkurrieren zu können, wie wir ihre Werbemöglichkeiten verbessern können, um die negativen Vergleiche zu bekämpfen, und wie wir gezielt Käufer ansprechen können, denen der Kauf von Rodeware allein aufgrund der Benutzeroberfläche zum Nachteil gereichen würde. Es gibt nichts anderes, das ihnen so umfassend und so schnell helfen kann wie wir. Wir sind genau das, was sie brauchen, um das Ausbluten zu stoppen und ihre finanziellen Wachstumsziele zu erreichen.

Manager: *Haben sie Dir das gesagt, oder glaubst Du, dass dies der Grund ist?*

Bob: Ich zitiere Marks E-Mail Wort für Wort. Er sagt, er habe mit anderen Anbietern gesprochen, aber wir seien die einzigen, die wirklich zu verstehen scheinen, was sie zu tun versuchen, und die so wie wir liefern können.

Manager: *Worin besteht die Lücke?*

Bob: Das Ziel des Gründers war immer, das Unternehmen auf 50 Millionen Euro zu bringen, dann zu verkaufen und etwas Neues zu beginnen. Sie müssen dafür noch 13 Millionen Euro schaffen, aber wenn sie das nicht in Angriff nehmen, werden sie in Rückstand geraten. Bei dem derzeitigen Tempo könnten sie bald 15 Mio. Euro im Rückstand sein.

Manager: *Du hast vor, im Juni abzuschließen. Ist das sicher?*

Bob: Ohne den Geschäftsführer wird nichts entschieden, also habe ich mit ihrer Assistentin hin- und herüberlegt, um einen guten Termin für meinen Besuch zu finden. Ich dränge auf nächste Woche. Ich habe zudem Mark gebeten, ebenfalls dabei zu sein. Sobald ich den Geschäftsführer überzeugt habe, fehlt nur noch eine Einigung über den Zeitplan für die Umsetzung. Entscheidend ist, dass der Geschäftsführer versteht, welche Auswirkungen die UI (Benutzeroberfläche) hat. Sie ist Ingenieurin und glaubt, dass es nur auf den Nutzen ankommt und dass das Aussehen oberflächlich ist. Wenn wir es schaffen, ihr die Bedeutung der UI nicht nur in Bezug auf das Aussehen, sondern auch hinsichtlich des Benutzererlebnisses nahe zu bringen, werden wir sie überzeugen können. Wir stellen gerade einige Forschungsergebnisse von Gartner zusammen, welche die Auswirkungen der Benutzerakzeptanz und -zufriedenheit in Bezug auf die UI und die UX (Benutzerschnittstelle) zeigen, und stellen dies in den Zusammenhang mit dem aktuellen Umsatzrückgang. Wir denken, dass wir damit die Hürde überwinden und ihre Zustimmung finden werden. Unser nächstes Ja besteht darin, den Geschäftsführer davon zu überzeugen, dass UI/UX wichtig sind und dass eine Verbesserung das Unternehmen wieder auf Kurs bringen wird. Ich bin überzeugt, dass wir das schaffen können.

Manager: *Sind sie sich der Kosten bewusst, die entstehen, wenn sie nicht bis Juni oder früher abschließen? Hast Du es ihnen erklärt?*

Bob: Meine Ansprechpartnerin weiß Bescheid, aber ich bin mir nicht sicher, ob die Geschäftsführerin Bescheid weiß, und sie ist die letzte Entscheidungsträgerin. Das ist ein guter Punkt, den muss ich auf die Agenda setzen.

Manager: *Gut. Der Monat Juni rückt schnell näher, und wenn der Geschäftsführer immer noch nicht davon überzeugt ist, dass UI/UX das Problem ist, weiß ich nicht, wie Du es schaffen willst. Wenn man das mit der Tatsache zusammennimmt, dass nicht alle an Bord sind, zusammen mit der mangelnden Dringlichkeit, sich zu bewegen und das Versickern von Geld zu stoppen, hat man noch eine Menge Fleisch an diesem Knochen übrig. Ich denke, es kann zum Abschluss kommen – die Lücke ist überwältigend –, aber Du musst noch einiges mehr an Einflussnahme unternehmen. Achte darauf, sonst verlierst Du es, und das muss nicht sein.*

Ist Dir aufgefallen, wie sehr sich diese Analyse von der vorigen unterscheidet? Achte auf die Vielzahl von Informationen, die sie besprechen. In dem Gespräch kommen die gleichen Informationen zur Sprache, die der Verkaufsleiter erhielte, wenn er selbst an der Kundenbindungs-Management-Herausforderung teilgenommen hätte. Indem sie sich regelmäßig selbst testen, werden Deine Vertriebsmitarbeiter alle Antworten parat haben, die Du brauchst, weil sie sie schon einmal beantwortet haben. Sobald Dein Team versteht, was von ihm erwartet wird, und erkennt, dass vage Antworten und fadenscheinige Kunden-bindungs-Management-Updates nicht funktionieren, wird es vorbere-itet sein, und Du wirst bald merken, wie schnell und effizient Du diese Meetings abhaken kannst. Der zusätzliche Vorteil für Dich ist, dass Du so sicher sein kannst, keine versteckten Überraschungen zu erleben, die Dir am Quartalsende in den Hintern beißen.

Vergiss nicht, dass Du nicht jede einzelne Gelegenheit in der Ver-triebskette durchlaufen wirst. Du solltest Dich lieber auf die wichtigsten Geschäfte konzentrieren, die sich am stärksten auf die Verpflichtung Deines Vertriebsmitarbeiters auswirken, in der Regel die dicksten Ges-chäfte, die kurz vor dem Abschluss stehen. Die Zahlen, auf die Du bei Deinen Verkaufsleuten besonders achten solltest, sind:

- Durchschnittliche Abschlussquoten

- Durchschnittliches Geschäftsvolumen

- Durchschnittliche Länge des Verkaufszyklus

- Durchschnittliche Anzahl von neuen Geschäften in der Vertriebskette

Wenn Du eine Vertriebsmitarbeiterin mit einer Verpflichtung zu 60.000 Euro für das Quartal hast, und Du im Februar Geschäft im Wert von insges-amt 130.000 Euro in ihrer Vertriebskette siehst, und Du weißt, dass ihre Ab-schlussquote bei 50 % liegt und dass ihr durchschnittlicher Verkaufszyklus etwa zwei Monate dauert, dann hast Du guten Grund, darauf zu vertrauen, dass Deine Mitarbeiterin ihre Zahlen erreichen wird. Dennoch, selbst wenn Du volles Vertrauen in Dein Verkaufsteam hast, ist es nur vernünftig zu überprüfen, ob die Zahlen und Daten der Realität entsprechen. Nachdem Du Dich vergewissert hast, dass dieses und alle anderen kritischen Geschäfte tatsächlich vorankommen, kannst Du Dich bei der nächsten Überprüfung mit anderen Geschäften befassen. Trotzdem solltest Du nicht selbstgefällig werden. Selbst wenn Du diese bestimmten Fälle nicht mehr hinterfragst, solltest Du sie im Auge behalten, um sicherzustellen, dass Deine Vertrieb-smitarbeiter immer ein aktuelles "nächstes Ja" vorweisen können

Was wird das nächste Ja sein?

Das nächste Ja ist nicht: "Ich werde auf einen Anruf nachfassen". Das nächste "Ja" ist nicht: "Ich werde einen Termin vereinbaren." Das nächste Ja kommt gar nicht von Deinen Verkäufern, sondern von deren Kunden. Es ist eine Bereitschaft des Interessenten oder Käufers, etwas zu tun, das Deinen Mitarbeiter dem Verkaufsabschluss näher bringt. Es könnte eine Vorstellung beim Geschäftsführer sein. Es könnte sich um eine E-Mail mit einem vertraulichen Anhang handeln. Es könnte eine Vereinbarung zur Übermittlung bestimmter Unterlagen sein. Es könnte eine schriftliche Vereinbarung über den Preis sein. Es könnte die Bereitschaft sein, ein Treffen vor Ort durchzuführen. Es könnte ein Termin für eine Präsentation oder eine Betriebsbesichtigung vereinbart werden.

Der nächste Ja-Check ist aber noch nicht zu Ende. Deine Vertriebsmitarbeiter sollten auf Verlangen nicht nur in der Lage sein, Dir das nächste Ja ihres Kunden zu nennen, sondern auch zu erklären, warum der Kunde Wert auf das nächste Ja legt. Weshalb? Weil niemand etwas zustimmt, wenn er keinen Nutzen darin sieht. Denke immer daran, dass das nächste Ja ein kleiner Verkauf ist, der einen Wert erfordert, einen Grund, um Ja zu sagen. Jedes weitere Ja erfordert, dass der Interessent etwas hergibt – in der Regel Zeit oder Mühe. Wenn Verkäufer also einen Geschäftsabschluss erzielen wollen, müssen sie in der Lage sein, ihren Kunden zu zeigen, dass sich die Kosten für jedes weitere Ja für sie lohnen werden. Bei Deiner Überprüfung bittest Du sie lediglich darum, Dir zu sagen, was sie als Nächstes tun werden und warum. Warum ist das wichtig, um den Verkauf voranzutreiben?

Bei jeder Analyse der Vertriebskette mit Deinen Verkaufsmitarbeitern sollten diese ihren Kunden bereits zu einer weiteren Zusage bewegt haben und/oder aktiv daran arbeiten, eine solche demnächst zu erlangen. Das ist nicht immer ganz einfach. Wenn Dein Vertriebler Software verkauft und der Käufer bereit ist, aber seine IT-Abteilung nicht dazu bringen kann, die API zu öffnen, dann kommt er nicht weiter. Was machst Du also? Zur Unterstützung könntest du Deinen Vertriebsmitarbeiter bitten, Dir den aktuellen Zustand der IT-Abteilung zu schildern und zu beschreiben, warum die API ein Problem darstellt. Wenn der Vertriebsmitarbeiter zuvor die richtigen Fragen gestellt hat, sollte er wissen, welche Bedenken er ausräumen muss, damit die IT-Abteilung ihm Zugang gewährt. Falls die IT-Abteilung beispielsweise Bedenken wegen eines Datenmissbrauchs hat, sollte Dein Mitarbeiter die von Deinem Unternehmen getroffenen Sicherheitsvorkehrungen erläutern, aufzeigen, dass es nur ein geringes oder gar kein Sicherheitsrisiko gibt, und aufzeigen, dass das größere Risiko für seine Kollegen in der Finanzabteilung besteht, die Deine Software nicht kaufen und eventuell empfindliche hohe Geldstrafen zahlen müssen, weil sie es versäumt haben, die Daten über ihre Geräte auf öffentlichem Grund zu melden. Die Geldstrafen und das potenzielle Risiko, das Recht zu verlieren, auf diesen öffentlichen Flächen weiter zu operieren, dürften die Sicherheitsbedenken der IT-Abteilung bei weitem überwiegen. Indem er diesen Zusammenhang darlegt, erhält Dein Verkäufer das nächste Ja. Genau daran sollte er arbeiten, um den Verkauf anzuschieben. So sieht die Arbeit im Verkaufsprozess aus. So kommen Geschäfte zustande. Hilf Deinen Vertriebsmitarbeitern herauszufinden, welche Fragen sie stellen müssen – sofern noch nicht geschehen –, damit sie jederzeit wissen, worin das nächste Ja liegt, wie es das Geschäft voranbringt und was sie tun müssen, um es zu sichern.

Das nächste Ja zu sehen, ist eine ziemlich schwierige Angelegenheit. Ich habe es einmal ernsthaft versaut, da ich das nächste Ja nicht recht begriffen hatte. Ich bringe den Leuten nicht nur Verkaufen bei, sondern auch das Skifahren – ich bin immerhin auch PSIA- (Professionelle Skilehrer von Amerika) zertifizierter Ski-Instrukteur der Stufe 2. Für diejenigen unter Euch, die keine Skifahrer sind, sei gesagt, dass Skischüler, die in einem Skigebiet einen Kurs buchen, nur selten die Möglichkeit haben, ihren Skilehrer selbst auszuwählen. Sie können nicht auf die Webseite einer Skischule gehen und sich eine Liste der Skilehrer des jeweiligen Abfahrtgebiets ansehen. Stattdessen buchen sie ein Zeitfenster und treffen sich dann mit ihrem zugeteilten Lehrer, sobald sie auf dem Berg angekommen sind. Deshalb habe ich vor einigen Jahren eine soziale Plattform für Skigebiete geschaffen, die in die Seite des Ressorts mit den Skischulen integriert werden sollte. Jeder Skilehrer dieses Skigebiets bekäme eine eigene Seite, auf der er Bilder und Erfolge einstellen könnte, seine Gäste könnten Kommentare hinterlassen, und sie könnten in einer Rangliste eingestuft und bewertet werden. Außerdem gäbe es Bereiche für Privatunterricht, in denen die Schüler individuelle Übungsstunden und Lehrmaterialien erhalten könnten.

Das war ein brillantes Konzept. Es gab den Skigebieten die Möglichkeit, ihre Skilehrer persönlich vorzustellen. Dadurch verstärkte sich die Einbindung der Gäste. So würde eine fortgesetzte Lektion entstehen, denn jedes Mal, wenn ein Gast auf den Berg zurückkehrte, könnte er sehen, was bei der letzten Lektion geschehen war und welche Fortschritte er gemacht hatte. Der Berg brauchte weder irgendwelche baulichen Maßnahmen noch musste etwas programmiert werden. Wir entwickelten die Benutzeroberfläche so, dass sie sich nahtlos in die bestehende Webseite einfügte. Es handelte sich um eine einfache, betriebsbereite Lösung, um den Wert der Ski- und Fahrschule eines Skigebiets zu steigern, die den größten Beitrag zum Betriebsgewinn der Skigebiete ausmachen. Das war eine super Lösung.

Ich begann mit dem Verkauf an die Leiter aller Skischulen in Colorado, und sie reagierten sofort und mit Begeisterung. Das würde ein Riesenerfolg werden! Ich musste jedoch schnell erkennen, dass selbst wenn eine Skischule bereit war, sich kopfüber in das Projekt zu stürzen, es noch ein weiteres Ja gab, das es einzuholen galt. Die IT-Abteilung war für die Verwaltung der Webseite zuständig und wollte natürlich wissen, wie sich meine Plattform in ihre bestehende Website einfügen würde. Jedes Mal, wenn die Leiter der Skischulen versuchten, die Plattform zu kaufen, ohne sich vorher mit der IT-Abteilung abzusprechen, kam der gesamte Verkauf ins Stocken, sobald die IT-Abteilung von der Idee erfuhr. Sie hatten in der Regel eine Unmenge von Fragen. Da wusste ich, dass auch die IT-Abteilung zustimmen musste, wenn ich den Verkauf voranbringen wollte. Ich änderte meinen Verkaufsansatz ein wenig. Ich verkaufte weiterhin an Schulen, doch von nun an, sobald ich sah, dass sie sich für mich interessierten, schlug ich vor, die IT-Abteilung mit einzubeziehen, damit diese von Anfang an dabei sein konnte. Diese Maßnahme trug dazu bei, dass ich meine nächste Zusage schneller erhielt, verkürzte den Verkaufszyklus und hatte den zusätzlichen Effekt, dass die Leiter der Skischulen sahen, dass ich vorbereitet war und mich über die Funktionsweise ihres Geschäfts informiert hatte.

Leider kam ich mit meinem Start-up letztlich trotzdem nicht sehr weit, denn ich musste noch ein letztes Mini-Ja von einer weiteren Abteilung einholen, und zwar der Personalabteilung. Ein wichtiges Detail, das man über die Skischulbranche wissen muss: 95 % der Skilehrer sind nicht fest angestellt, was bedeutet, dass das Skigebiet für jede Arbeit, die sie leisten, bezahlen muss. Wenn also ein Skilehrer nach Hause geht, zwei Stunden an seinem Profil arbeitet und an diesem Tag eine private Skistunde gibt, muss er bezahlt werden. Ich wusste, dass es ein Problem war (wenngleich ich es erst zu einem späten Zeitpunkt erkannte), und hatte Vorschläge für Lösungen parat. Dennoch gelang es mir nicht, auch nur eine einzige Personalabteilung davon zu überzeugen, dass der Service die Lehrer nicht dazu ermutigen würde, mehr Stunden zu arbeiten, als sie eigentlich sollten, was einen Verstoß gegen das US-Gesetz über Faire Arbeitsbedingungen (Fair Labour Standards Act, FLSA) darstellen würde. Ihre Besorgnis war berechtigt. Was würde passieren, wenn jeder Skilehrer zusätzlich zu den Arbeitsstunden auf dem Berg mehrere Stunden pro Tag damit verbrächte, individuelle Unterrichtsstunden zu geben und sich mit den Skischülern auf der Webseite zu unterhalten, ohne eine zusätzliche Vergütung zu verlangen, und dann jemand aufschreit und eine Sammelklage einreicht, um eine Nachzahlung zu fordern? Dies könnte beträchtliche Auswirkungen auf die Skigebiete haben. Das Haftungsrisiko wäre enorm, und niemand wollte es eingehen. Nichts von dem, was ich sagte oder tat, konnte noch etwas bewirken. Die Personalabteilungen der Skischulen würden niemals Ja sagen.

Letztlich war das Scheitern des Geschäfts auf ein Problem mit dem Produkt und seiner Funktionsweise zurückzuführen, nicht auf die Art und Weise, wie ich es verkauft habe. Doch insgesamt gesehen sollte meine Geschichte als abschreckendes Beispiel dienen. Du musst für das nächste Ja vorausplanen, das heißt, Du musst im Voraus jeden Schritt kennen, der nötig ist, und jede Person, mit der Du sprechen solltest, um Dein Geschäft zu einem erfolgreichen Abschluss zu bringen. Schon ein einziges notwendiges Ja zu übersehen, kann zu unzähligen Verzögerungen führen und Dich schließlich sogar dauerhaft ausbremsen.

Nebenbei bemerkt, Du solltest Dir am besten eine Minute Zeit nehmen und die Grundsätze des Lösungsorientierten Verkaufens anwenden. Kannst Du sehen, was passiert war? Die Lücke hat sich geschlossen. Richtig, bevor die Personalabteilung ins Spiel kam, war die Lücke kolossal! Mehr Einnahmen für die Skischule, ein besseres Skischul-Erlebnis, mehr Skifahrer, die wiederkommen und Unterrichtsstunden nehmen. Eine ziemlich große Lücke! Sobald man jedoch das potenzielle Risiko künftiger staatlicher Klagen, Geldstrafen und mehr bei Nichteinhaltung des FSLA hinzufügt, fällt die Lücke weg. Die Lücke war wohl sogar negativ, so dass es keinen überzeugenden Grund für eine Veränderung gab. Wenn Du bis hierher aufmerksam gelesen hast, wirst Du das sicherlich bemerkt haben, nicht wahr?

Als Führungskraft ist es Deine Aufgabe, dafür zu sorgen, dass Deine Vertriebsmitarbeiter wissen, was das nächste Ja sein muss, und dass sie eine maßgeschneiderte Geschäftsstrategie im Kopf haben, um es zu bekommen. Wenn der Käufer nicht bereit ist, eine Vertraulichkeitserklärung zu senden oder sich die Zeit zu nehmen, den Vertriebsmitarbeiter auf einen Rundgang mitzunehmen, wird es für ihn sehr schwierig sein, ein Angebot zu entwerfen. Bevor der Verkaufsmitarbeiter also den Kauf abschließen kann, muss er die Zusage für diese Besichtigung einholen. Wie beabsichtigt Dein Verkäufer, das zu bewerkstelligen? Wenn Dein Vertriebsmitarbeiter kein nächstes Ja in petto hat oder keinen Plan, wie er es erreichen kann, ist er praktisch blockiert. Du bist entschlossen, Deine Quote zu erfüllen? Dann solltest Du dafür sorgen, dass Dein Verkäufer jederzeit irgendwo ein weiteres Ja in Aussicht hat.

DIE CHECKLISTE FÜR EINE GESUNDE VERTRIEBSKETTE

Du weißt, dass Du eine gesunde Vertriebskette hast, wenn Deine Vertriebsmitarbeiter folgendes beibringen können:

- Konkrete Abschlussdaten (für die nächsten 30 Tage)

- Erfüllung der Quartalsvorgaben mit einer Abweichung von 15 % auf beiden Seiten

- Klare nächste Schritte (das nächste Ja)

- Klare Geschäftsstrategien

- Angemessene Bestückung der Vertriebskette (die Vertriebskette wird es ihnen ermöglichen, ihre Verpflichtung und Quoten zu erfüllen)

- Fakten für alle vorgenannten Punkte

Exzellentes Vertriebsketten-Management ist nicht etwa ein lästiges Übel, sondern zeichnet einen versierten Vertriebsprofi aus (der nachts wirklich gut schläft). Du musst sicher sein, dass Deine Vertriebsketten-Informationen korrekt sind.

Darren Gloster, Geschäftsführer und Direktor von ARMS Reliability, den Spezialisten für Vermögensstrategiemanagement, kann die positiven Auswirkungen des Lösungsorientierten Verkaufens bestätigen. In den ersten zwölf Monaten, in denen Darren und ich gemeinsam seine Vertriebsgruppe in den Grundsätzen und Techniken des Lösungsorientierten Verkaufens schulten, verzeichnete das Unternehmen einen Anstieg der Buchungen um 38 %, und die Vertriebsgruppe steigerte ihren Konvertierungserfolg von 30 % auf 45 %. Das bedeutet, dass sie mittlerweile fast jedes zweite Geschäft gewinnen, das ihre Vertriebsmitarbeiter an Land ziehen. Das Unternehmen hat einen guten Teil der Lücke von 29 % geschlossen, die es auf sich zukommen sah, und bei der derzeitigen Geschwindigkeit ist es auf dem besten Weg, sein Fünfjahresziel zu erreichen. Darren ist so begeistert vom Lösungsorientierten Verkaufen, dass er den ursprünglichen Umfang seiner Implementierung ausweitet. Wie Darren schon sagte:

"Wir haben die Einführung auch auf die Berater ausgeweitet, so dass nicht nur die Vertriebsmitarbeiter damit vertraut sind. Jetzt sprechen die Verkäufer und die Berater dieselbe Sprache und können besser zusammenarbeiten. Und wenn die Berater den Auftrag ausführen, den wir gewonnen haben, verstehen sie, wonach die Vertriebsmitarbeiter streben. Wir schulen die Ingenieure, welche die Arbeit tatsächlich ausführen, damit sie mit dem Kunden über andere Möglichkeiten und Lücken in seinem Unternehmen sprechen können. Sie erstatten dann dem Vertrieb Bericht und geben dem Verkaufsmitarbeiter einen Grund, den Kunden erneut aufzusuchen. Wenn wir also dieses wunderbare Ergebnis liefern und das tun, was wir uns vorgenommen haben, sehen wir bereits in allen anderen Bereichen des Unternehmens, wo sie sich verbessern können, und bereiten sie darauf vor, zusätzliche Anstrengungen zu unternehmen und einen größeren Wertbeitrag zu leisten."

Jeder in Deinem Unternehmen sollte das Vertriebsketten-Management als eine vertrauensbildende Maßnahme betrachten. Als hervorragender Vertriebsleiter sollte es für Dich nicht darum gehen, Deinen eigenen Erfolg zu sichern, sondern den Deiner Vertriebsmitarbeiter, wenn Du sie für ihre Informationen zum Verkauf auf die Lücke hin verantwortlich machst.

NEUNZEHNTES KAPITEL
ENTWICKELN EINER VERPFLICHTUNGSKULTUR

Wir haben immer wieder betont, wie Lösungsorientiertes Verkaufen die Vorhersehbarkeit eines Vertrieblers verbessert. Wenn Du jedoch felsenfeste Vorhersehbarkeit in Deinem Unternehmen fördern möchtest, kannst Du sie direkt in das Fundament einbauen, indem Du eine Verpflichtungskultur förderst. In einer Verpflichtungskultur werden Vertriebsmitarbeiter gefördert und gecoacht, aber es wird auch von ihnen erwartet, dass sie Verantwortung für ihre Zahlen übernehmen und sich auf sie verpflichten. Und da die Vertriebsmitarbeiter in einer Verpflichtungskultur zur Verantwortung gezogen werden, sind die Vertriebsketten-Prognosen der gesamten Gruppe im Allgemeinen vorhersehbar und akkurat, was sehr gut für das Unternehmen als Ganzes und sehr, sehr gut für den Vertriebsleiter im Besonderen ist. Denn was auch immer die einzelnen Teammitglieder zusagen, ein Vertriebsleiter kann es zu einer zentralen Gruppenverpflichtung zusammenfassen.

Wenn in einem Unternehmen mit Verpflichtungskultur die Vertriebsmitarbeiter ihren Führungskräften mitteilen, dass sie in diesem Quartal 500.000 Euro umsetzen werden, wissen die Führungskräfte, dass sie mit diesem Betrag in einem Rahmen von maximal 15 % Abweichung rechnen können. Eine Verkäuferin, die sich auf 500.000 Euro verpflichtet, weiß, dass sie nicht mit 400.000 Euro ankommen kann, aber sie sollte besser auch nicht mit 580.000 Euro enden. Wenn die Vertriebsleiter dem Management mitteilen, dass sie 50 Millionen Euro umsetzen, weiß das Management, dass sie tatsächlich plus/minus 50 Millionen Euro umsetzen werden und kann entsprechend planen. Alle sind zufrieden, und was vielleicht noch wichtiger ist, alle bleiben gelassen und zielorientiert. Das Vorhandensein einer Verpflichtungskultur befreit das Denken aller Beteiligten von der Suche nach "Rette-Deinen-Hintern"-Optionen und ermöglicht es ihnen, sich stattdessen auf die Erledigung ihrer eigentlichen Aufgaben zu konzentrieren. In einer Organisation mit einer ausgeprägten Verpflichtungskultur gibt es keine Überraschungen. Es ist durch Vertrauen und Disziplin getragen. Es stellt Genauigkeit und Vorhersehbarkeit über unrealistische Prognosen und Selbstverherrlichung. Es ist ein Umfeld, in dem alles auf das eigene Wort ankommt und Verkäufer für ihre Aufrichtigkeit belohnt werden, selbst wenn die Wahrheit nicht genau das ist, was ihre Vorgesetzten gerne hören würden, denn mit der Aufrichtigkeit geht Berechenbarkeit einher.

Eine Verpflichtungskultur kann nur entstehen, wenn man alle Elemente des Lösungsorientierten Verkaufens wirklich versteht: den aktuellen Zustand, den künftigen Zustand, die Lücke, die eigentlichen Motivationen, die gewünschten Ergebnisse und die Entscheidungskriterien des Käufers. Nur wenn man alle diese Elemente eines Verkaufs auflisten kann, lässt sich genau vorhersagen, wann ein Geschäft zustande kommen wird. Daten sind entscheidend für eine genaue Festlegung auf eine Zahl mit einer Abweichung von bis zu 15 %, und je weniger Daten man hat, desto schwieriger ist es, sich festzulegen.

Überraschung ist der Feind eines jeden Vertriebsleiters. Und doch werden Vertriebsleiter mit herkömmlichen Verkaufsteams immer wieder überrumpelt. Ihre Vertriebsleute machen ihre Prognosen oft aus dem Bauch heraus. Es ist unvermeidlich, dass sie ihre Verkaufserwartungen zu niedrig ansetzen und sie dann meilenweit übertreffen, oder dass sie ihre Messlatte zu hoch ansetzen, nur um sie dann meilenweit zu verfehlen. Nur sehr selten jedoch treffen sie ihre Vorhersagen genau oder einigermaßen. Und weißt Du warum? Weil ihr Bauchgefühl halt nicht mit Daten arbeitet. Unser Bauchgefühl ist großartig, um Chancen zu erkennen, die Stimmung anderer Menschen zu spüren und unsere Fragetechniken zu verfeinern. Als Prognoseinstrument ist es allerdings eine Katastrophe.

Wenn Du die einzelnen Mitglieder Deines Teams fragst: "Wie lautet Dein Einsatz?", bittest Du sie nicht darum, Dir zu sagen, welche Zahlen sie glauben, erreichen zu können. Du bittest sie, Dir zu sagen, was sie nach den ihnen vorliegenden Daten verdienen werden, plus/minus 15

%. Und dann werden sie sich auf diese Zahl verpflichten. Sie können nicht später zurückkommen und es ändern, wenn die Dinge aus dem Ruder laufen. Wenn sie ordentlich lösungsorientiert verkaufen, werden sie ihre Verpflichtungen erfüllen. Andernfalls – wenn sie also die eigentlichen Motivationen ihrer Käufer oder deren Entscheidungsprozesse nicht kennen oder die Lücke nicht richtig eingeschätzt haben – werden sie es nicht schaffen. Es gehen mehr Geschäfte verloren, nicht weil der Kunde kein Problem oder keine Probleme gehabt hätte, sondern weil der Verkaufsmitarbeiter nicht über genügend Informationen verfügte, um das Geschäft effektiv zum Abschluss zu bringen. Durch den Aufbau einer Verpflichtungskultur, die Deine Vertriebsmitarbeiter dazu zwingt, sich in jedem Quartal auf eine Zahl festzulegen, die sie nicht um mehr als 15 % verfehlen dürfen, zwingst Du sie dazu, sich alle notwendigen Informationen zu beschaffen, weil sie ihre Zahl sonst nicht erreichen.

An dieser Stelle nun wird das Entwickeln einer Verpflichtungskultur etwas schwierig. Deine Verkaufsleute müssen sich auf eine Zahl verpflichten, von der sie überzeugt sind, dass sie stimmt. Du kannst nicht, und ich sage es noch einmal, Du kannst ihnen nicht sagen, sie sollen es ändern oder sich nach weiteren Geschäftsmöglichkeiten umsehen. Das Verpflichten ist eine Sache der Genauigkeit und nicht etwa ein Spiel auf ein Tor. Bei einer vierteljährlichen Verpflichtung geht es darum, einen genauen Einblick in das zu geben, was der Vertriebsmitarbeiter in diesem Quartal mit einer geringen Abweichung (+/- 15 %) erreichen kann. Ich weiß, dass dies für viele Vertriebsleiter eine schwierige Angelegenheit ist. Was ist, wenn jemand mit einer Quote von 10.000 Euro pro Monat sich nur zu 20.000 Euro für das Quartal verpflichtet? Rein instinktiv würdest Du es vielleicht nicht akzeptieren wollen und ihnen aufgeben, nach mehr "Gelegenheiten" zu suchen und mit einer besseren Zahl wiederzukommen. Eine niedrige Verpflichtung auf die Quote ist jedoch nicht zwangsläufig eine schlechte Sache. Es ist sogar eine Art Geschenk, wenn Du im Voraus erkennst, dass Dein Vertriebsmitarbeiter seine Quote nicht erfüllen wird. Ernsthaft!

Denk' mal darüber nach: Was würde in Deiner jetzigen Verkaufsorganisation passieren, wenn Du nach drei Vierteln des Quartals herausfändest, dass Du die Quote um 200.000 Euro verfehlen wirst? Eine Katastrophe, oder? Du würdest in den Aktionsmodus schalten und Dein Team gewissermaßen antreiben, alles Erdenkliche zu tun, um diese Zahlen zu erreichen

– von hohen Rabatten über kostenlose Upgrades, den Verzicht auf Einrichtungsgebühren und kürzere Vertragslaufzeiten bis hin zu allen anderen "Zugaben", um rasch Aufträge zu ergattern. Hingegen weißt Du bei einer Verpflichtungskultur schon am ersten Tag des Quartals, wo Du hinsichtlich der Quote stehst, denn die Verpflichtung des Teams wird es Dir sagen. Wenn die Gesamtquote des Teams 1,1 Mio. Euro beträgt und sie sich zu nur 900.000 Euro verpflichten, hast Du soeben ein Geschenk bekommen. Du weißt 90 Tage im Voraus, dass Sie ein schlechtes Quartal haben werden, und Du hast 90 Tage Zeit, die Du sonst nicht hättest, um das Problem zu lösen. Wenn bei der Erreichung Deiner Quote ein Loch von 200.000 Euro klafft, sorgt eine Verpflichtungskultur dafür, dass Du frühzeitig davon erfährst. Anstatt eine Katastrophe zu erleben, weil Du erst am Quartalsende davon erfährst, hast Du jetzt die Chance, das Problem zu lösen. Du hast nun 90 Tage Zeit, um die fehlenden 200.000 Euro aufzutreiben. Welche neuen Methoden der Akquise könntest Du ausprobieren? Welche Unterstützung könntest Du von der Marketingabteilung bekommen? Dadurch hättest Du nicht nur genügend Zeit, um herauszufinden, wie das Problem zu lösen ist, sondern du wüsstest auch, dass Du dem/den betreffenden Verkäufer(n) zusätzliche Zeit widmen solltest, um seine/ihre Fähigkeiten im Lösungsorientierten Verkaufen zu verbessern. Das Schaffen einer Verpflichtungskultur – einer Unternehmenskultur, die auf Daten und den Einflussfaktoren für Veränderungen basiert, welche letztendlich den Verkauf vorantreiben – fördert eine erfolgreiche Verkaufsumgebung.

Erst Herausfordern, dann Annehmen

Wie bereits erwähnt, musst Du bei der Arbeit in einer starken Verpflichtungskultur die Zahlen akzeptieren, die Dein Team Dir nennt, auch diejenigen, die Du lieber nicht hättest, um das notwendige Vertrauen zu schaffen. Die Wirklichkeit zählt. Wenn Dir also jemand sagt, dass er sich zu einer Zahl verpflichtet, die unter seiner Quote liegt, musst Du das akzeptieren. Du kannst ihn nicht dazu drängen, ihre Zahlen zu ändern. Abgesehen davon, was würde es bringen, wenn Du Deinen Verkäufer zum Scheitern bringst? Wenn sie vorausschauen und absehen können, dass sie ein schlechtes Quartal haben werden, solltest Du es als Segen betrachten, dass Sie es rechtzeitig wissen, so dass Sie Ihr Möglichstes tun können, um das Problem zu beheben und die Zahlen im nächsten Quartal auszugleichen.

Die Vorhersagen Deiner Teammitglieder zu akzeptieren, bedeutet jedoch nicht, dass Du sie nicht behutsam in Frage stellen darfst. (Bitte beachten, dass ich "behutsam." gesagt habe Wir vertrauen und überprüfen, doch wir zweifeln und verhören nicht etwa). Deine Vertriebsmitarbeiter sollten immer bereit sein, ihre Antworten zu vertreten, ganz gleich, ob Du ihre Entdeckung untersuchst oder ihre finanziellen Ziele hinterfragst. Wenn jemand 200.000 Euro in der Vertriebskette hat und sich zu 200.000 Euro verpflichtet, während Du weißt, dass er eine Abschlussquote von 40 % hat, sollten Deine inneren Alarmglocken losgehen. Eine Abschlussquote von 40 % würde bedeuten, dass Dein Mann sich eigentlich für 80.000 Euro und nicht 200.000 Euro verpflichtet. Was geht hier vor sich? Und dann könntest Du fragen: "Kannst du mir erklären, weshalb Du Dich so übermäßig verpflichtest?" In den meisten Fällen wirst Du Deinem Verkäufer zu erkennen helfen, dass wichtige Informationen fehlen. Wenn Du den Mitarbeiter jedoch darauf hinweist, dass seine Abschlussquote nicht ausreicht, um die Verpflichtung zu erfüllen, und dass sich eines der Geschäfte noch in der Anfangsphase befindet, er jedoch trotzdem an seiner Verpflichtung festhalten will, musst Du ihn gewähren lassen. Lass' Deine Vertriebsmitarbeiter unbedingt an ihren Verpflichtungen festhalten. Es sind schließlich ihre Verpflichtungen und nicht Deine. Weißt Du, was passiert, wenn Du jemanden, der sich zu 80.000 Euro verpflichtet hat, zwingst, auf die Jagd nach weiteren Interessenten zu gehen, damit er stattdessen 200.000 Euro einnehmen kann? Er wird Dir 80.000 Euro bringen. Ein exzellenter Vertriebsleiter zu sein bedeutet, darauf zu vertrauen, dass Dein Vertriebsteam sein Geschäft versteht, zu überprüfen, ob seine Daten gut sind, und sich zu verpflichten, es zu unterstützen, egal was passiert. Für eine starke Vertriebsorganisation ist es entscheidend, den Mitarbeitern die Verantwortung für ihr Engagement zu geben. Das Management kann nicht die Verantwortung für sie übernehmen, sonst fällt das ganze Team auseinander.

DIE WIRKLICHKEIT IST ENTSCHEIDEND

Das Risiko einer Vertriebsketten-Analyse, die sich ähnlich anhört wie herkömmliche Vertriebsketten-Meetings oder der Dialog zu Beginn vom 18. Kapitel, besteht darin, dass Du erst dann merkst, dass Schwierigkeiten auf Dich zukommen, wenn sie beinahe schon über Dir schweben. Damit bleibt Dir nur sehr wenig Zeit, um etwas dagegen zu unternehmen oder die Tatsache abzumildern, dass Du nun wenig Hoffnung hast, die finanziellen Erwartungen zu erfüllen, die Du vor Monaten für Deine Organisation aufgestellt hast. Generell solltest Du durch den Einsatz von Methoden des Lösungsorientierten Verkaufens zur Steuerung der Vertriebskette so gut über die Fortschritte Deines Teams informiert sein, dass solche Überraschungen eher selten sind. Nichtsdestotrotz scheitern Geschäfte mitunter. Die Verkäufer werden übermütig, die Kunden werden abgelenkt, und Verträge werden nicht unterzeichnet. So etwas passiert. Das Schöne beim Lösungsorientierten Verkaufen ist jedoch, dass es wie ein phänomenales Alarmsystem funktioniert. Wenn Du beobachtest, dass ein Geschäft einen Monat lang auf dem gleichen "nächsten Ja" verharrt, weißt Du, dass etwas nicht stimmt. Aber da Du die richtigen Fragen stellst, wirst Du nicht 90 Tage damit verbringen, die Daumen zu drücken, während Dein Verkäufer Dir – ohne jeglichen Beleg – versichert, dass Du Dir keine Sorgen zu machen brauchst, weil er es schon schaffen wird.

Die besten Vertriebsleiter setzen sich bereits im Voraus mit der Realität auseinander. Sie wollen die Wahrheit wissen, auch wenn es weh tut. Zu diesem Zweck fördern sie eine Atmosphäre des Vertrauens, in der sich die Vertriebsmitarbeiter trauen, die Wahrheit auszusprechen. Die Konfrontation mit der Realität, so wie sie ist und nicht, wie sie es sich wünschen, verschafft ihnen den nötigen Spielraum, um ihre Vertriebskette auszubauen, ein paar weitere Geschäfte abzuschließen oder neue Geschäftsstrategien zu entwickeln, um die Dinge wieder auf Kurs zu bringen bzw. die Zahlen im nächsten Quartal zu verbessern. Ganz gleich, ob Du selbst verkaufst oder den Vertrieb leitest, Lösungsorientiertes Verkaufen wird Dein Paddel sein, wenn Du oder Dein Team in einen Strudel geraten solltet. Der Verkauf liegt stets ganz und gar in der Information.

ZWANZIGSTES KAPITEL
DIE RICHTIGEN LEUTE EINSTELLEN

Man könnte meinen, dass eine Diskussion darüber, wie man die richtigen Mitarbeiter für Deine Organisation zum Lösungsorientierten Verkaufen einstellt, eher am Anfang eines Gesprächs über Vertriebsmanagement und Teambildung stehen sollte. Ich habe es für den Schluss aufgehoben, weil ich möchte, dass Du völlig neu überdenkst, wonach Du bei Neueinstellungen im Vertrieb suchst. Normalerweise wären Deine Hauptkriterien wahrscheinlich spezifische Branchenerfahrungen wie SaaS oder Personalwesen oder Fertigung oder Computerhardware oder die Anzahl der Jahre an Vertriebserfahrung, eine positive Erfolgsbilanz im Vertrieb, d.h. die Anzahl der Jahre, in denen Quoten erreicht wurden, oder Reisen mit dem Präsidenten-Club, gepaart mit einer starken Persönlichkeit oder der Fähigkeit, Beziehungen aufzubauen oder Leute zu begeistern. Nach der Auswahl gemäß diesen Kriterien könntest Du die Besten aus der Gruppe zu einem Vorstellungsgespräch einladen, um herauszufinden, ob sie gut in das Unternehmen passen würden. Doch ich muss Dir sagen, dass dies nicht der richtige Weg ist, um Mitarbeiter für Lösungsorientiertes Verkaufen einzustellen und ein erfolgreiches Verkaufsteam aufzubauen.

Lösungsorientiertes Verkaufen ist eine gänzlich andere Art der Verkaufsmethodik. Hierbei kommt es nicht darauf an, aggressiv für ein Produkt zu werben, oder wahnsinnige Überredungskünste oder umwerfenden Charme zu zeigen. Beim Lösungsorientierten Verkaufen brauchen wir einen ganz anderen Verkäufertyp. Deshalb ist das Allerletzte, wonach ein Unternehmen für Lösungsorientiertes Verkaufen suchen sollte, ein typischer Verkäufer oder eine typische Verkäuferin. Die Erfahrung und bisherigen Leistungen eines potenziellen Mitarbeiters spielen natürlich eine Rolle, allerdings nur – *nur* – im Verhältnis dazu, wie viele der neun Merkmale des Lösungsorientierten Verkaufens er verkörpert:

- Neugierde

- Kritisches Denkvermögen

- Einfühlungsvermögen

- Problemlösungsvermögen

- Führungsstärke

- Kreativität

- Lernbereitschaft

- Trainierbarkeit

- Geschäftssinn

Nur weil jemand eine erstaunliche Verkaufsstatistik vorzuweisen hat, heißt das noch lange nicht, dass er auch beim Lösungsorientierten Verkaufen eine gute Figur machen wird. Wenn Du also beginnst, eine Organisation für Lösungsorientiertes Verkaufen aufzubauen oder Deine derzeitige Organisation entsprechend umzugestalten, solltest Du nach Leuten Ausschau halten, die einige oder alle dieser Eigenschaften ausstrahlen. Natürlich wäre es ideal, wenn Du welche finden kannst, die bereits in Deiner Branche arbeiten und erfolgreich sind. Das Tolle beim Lösungsorientierten Verkaufen ist jedoch, dass es branchenübergreifend ist. Man könnte einen Affen darauf trainieren, ein Produkt anzupreisen. Die beim Lösungsorientierten Verkaufen wichtigen Eigenschaften hingegen lassen sich nicht einfach bilden und fördern, sofern die Saat nicht bereits zuvor gepflanzt wurde.

DIE NEUN EIGENSCHAFTEN EINES LÖSUNGSORIENTIERTEN VERKÄUFERS

1. NEUGIERDE

Du kennst doch auch, wie kleine Kinder ständig fragen, warum der Himmel blau ist, warum Hunde Schnurrhaare haben, warum diese Frau weint, warum der Zahnarzt nur den Körper abdeckt, um Dich vor der Strahlung zu schützen, und nicht den Kopf, und warum, warum, warum, warum, zusammen mit "Wann?" und "Wie?" und "Wer?" und "Wo?" und "Welche?" und "Wie viele?" Nun suche das Kind im Körper eines Erwachsenen.

Lösungsorientierte Verkäufer haben eine angeborene Neugierde, die sie dazu veranlasst, ständig Fragen zu stellen. Immer wenn sie mit einem Kunden im Gespräch sind, denken sie bereits an die nächste Frage. Warum ist das so? Warum ist es wichtig? Inwiefern wirkt sich das auf Ihre Organisation aus? Wie ist Ihr Eindruck davon? Die meisten herkömmlichen Verkaufsleute sind einfach nicht so neugierig. Sie sind in der Regel zu sehr damit beschäftigt, über ihr Produkt zu sprechen, um viele Fragen zu stellen, und wenn sie es doch tun, fehlt ihnen meist die Neugier, die ihnen automatisch helfen würde, das wahre Problem zu finden. Sie nehmen Antworten für bare Münze, weshalb sie nicht einmal erkennen, dass sich unter der Oberfläche der Geschäftswelt ihrer Kunden eine ganze Palette von Informationen verbirgt.

Ein weiterer Vorteil bei der Einstellung neugieriger Menschen ist, dass sie in der Regel über ein ausgeprägtes Beurteilungsvermögen verfügen, d. h., wenn sie erst einmal so viele Informationen wie möglich herausgefunden haben, sind sie gut darin, diese zu einem Bild zusammenzufügen und die Geschichte zu entschlüsseln, die sie erzählen. Ähnlich wie Geologen und Archäologen empfinden auch Vertriebsleute beim Lösungsorientierten Verkaufen große Genugtuung, wenn sie tief graben, Informationsfetzen zusammenfügen und alles von Grund auf verstehen können.

2. Kritisches Denkvermögen

Neugier treibt die Fragen in die Tiefe, aber was nützt das, wenn man hernach nichts mit den gesammelten Informationen anfangen kann? Ein geborener Vertriebler beim Lösungsorientierten Verkaufen schaut sich automatisch an, was er herausgefunden hat, und macht sich dann an die Arbeit, um zu erkunden, was er mit diesen Informationen anfangen soll. Welche Schlussfolgerungen lassen sich hieraus ziehen? Welche Erkenntnisse bieten sich? Kritische Denker wissen, wie sie ihre Kunden behutsam herausfordern können, um sicherzustellen, dass sie wissen, was sie zu wissen glauben, dass der Status quo so ist, wie sie sagen, dass der zukünftige Zustand, den sie sich wünschen, so sein wird, wie sie glauben, und dass sie die Auswirkungen all ihrer Entscheidungen auf ihre Organisationen vollständig verstehen. Sie stellen Fragen nicht etwa, um ihren Wissensdurst zu stillen, sondern weil sie alles mitbekommen und die Möglichkeit sehen, Informationen auf viele verschiedene Arten zu interpretieren, zu verarbeiten und zu analysieren, um alle möglichen Ergebnisse zu erkennen.

3. EINFÜHLUNGSVERMÖGEN

Das ist eine riesige Herausforderung. Kein Käufer wird jemals einen Verkäufer einladen, ihm bei der Lösung seiner Probleme zu helfen, wenn er nicht in der Lage ist, eine emotionale Verbindung zwischen ihnen herzustellen. Der Kunde muss das Gefühl haben, dass der Verkäufer nicht nur weiß, wie es ist, in seinen Schuhen zu laufen, sondern auch, dass er das gleiche Gefühl hat, wenn die Schuhe nicht so gut passen. Vertriebsleute mit viel Einfühlungsvermögen legen den Schwerpunkt eines Verkaufs wie selbstverständlich auf den Käufer. Jemandem mit großem Einfühlungsvermögen brauchst Du niemals klarzumachen, dass es beim Verkauf nicht um ihn selbst geht, denn er denkt sowieso immer an andere. Das bedeutet nicht unbedingt, dass sie selbstloser sind als andere, sondern nur, dass sie eine reiche Vorstellungskraft haben, die sie immer wieder dazu veranlasst, die Welt nicht nur durch ihre eigene Brille zu betrachten.

4. PROBLEMLÖSUNGSVERMÖGEN

Vergiss nicht, dass es beim Lösungsorientierten Verkaufen primär eigentlich nicht ums Verkaufen geht, sondern darum, Probleme zu lösen! Und gute lösungsorientierte Verkäufer sind nicht nur Problemlöser. Wir sind auch Problemfinder. So wie ein Mechaniker, der unter die Motorhaube eines Autos schaut, oder ein Arzt, der ein Kernspintomogramm auswertet, sind wir nie glücklicher, als wenn wir die Ursache eines Problems diagnostiziert haben und sicher sind, dass wir das Know-how und die Ressourcen zu seiner Lösung haben. Du solltest Menschen in Dein Team holen, die Herausforderungen willkommen heißen und nach Lösungen für schwierige Probleme suchen.

5. FÜHRUNGSSTÄRKE

Vetriebsleute beim Lösungsorientiertes Verkaufen sind weit mehr als nur Verkäufer. Dank ihrer fundierten Kenntnisse der Branchen und Unternehmen ihrer Kunden und ihrer frischen Sichtweise können sie die objektiven Analysen, Perspektiven und Lösungen von Fachberatern anbieten. Aber wie bei allen Dingen kommt es auch hier auf die Wahrnehmung an. Ein Verkäufer, der nicht mit Leichtigkeit und Selbstvertrauen auftritt, dem es schwer fällt, bestimmt und direkt zu sein, und der seine Kunden nicht dazu bringt, ihm zuzuhören, zu vertrauen und zu folgen, wird es sehr schwer haben, sie zu führen und ihnen das Gefühl von Sicherheit zu vermitteln, während sie über Veränderungen nachdenken und sich darauf vorbereiten. Lösungsorientiertes Verkaufen bedeutet enge Zusammenarbeit.

6. KREATIVITÄT

Künstler sehen Dinge, die anderen entgehen, und zwar in Zusammenhängen, an die andere Menschen nicht einmal denken würden. Wie auch Künstler, so haben kreative Verkäufer eine besondere Fähigkeit, Probleme zu lösen, verschiedene Wege zu finden, um Ziele zu erreichen, Einwände zu berücksichtigen, Risiken zu mindern und Hindernisse zu überwinden. Wenn ein Problem einfach und überschaubar ist, mag es auch nur eine entsprechend einfache und überschaubare Lösung erfordern. Der Prozess des Lösungsorientierten Verkaufen zeigt jedoch, dass im Allgemeinen nur wenige Geschäftsprobleme so einfach sind, wie die meisten Kunden glauben. Lösungsorientiertes Verkaufen geht in der Regel so tief, dass es oftmals Probleme zutage fördert, von deren Existenz die Interessenten bisher nicht einmal wussten. Wenn sie mit einer unübersichtlichen Vielzahl von Problemen, Lösungen und möglichen Konsequenzen konfrontiert werden, sehen kreative Verkäufer die Dinge mit anderen Augen. Sie stellen sich mehrere Möglichkeiten vor, formulieren verschiedene Lösungen und denken sich einzigartige Wege aus, um knifflige Probleme zu lösen, Kundenanliegen anzusprechen, die Konkurrenz zu überlisten und ihre Produkte und Dienstleistungen im besten Interesse ihrer Kunden zu positionieren. Während sie aus der Vergangenheit lernen und mit zunehmender Erfahrung die besten Methoden entwickeln, sind echte lösungsorientierte Verkäufer darauf vorbereitet, die einzigartigen Details in jeder Verkaufschance zu erkennen, die einzigartige, kreative Lösungen erfordern.

7. LERNBEREITSCHAFT

In Anlehnung an die meisten der weltweit führenden Experten in den Bereichen Wirtschaft, Sport und Kunst betrachten lösungsorientierte Verkäufer nicht nur das ganze Leben als Lernmöglichkeit, sondern arbeiten auch gezielt daran, ihre Fähigkeiten stetig zu verbessern und ihr Wissen zu erweitern. Anstatt sich ausschließlich auf ihre Stärken zu konzentrieren, erkennen sie die Lücken in ihrem Fachwissen oder Verständnis, stellen sich ihnen und üben so lange, bis sie sichtbare Fortschritte verzeichnen können. Lösungsorientierte Verkäufer setzen sich oft persönliche Ziele und suchen sich Mentoren, die sie bei ihren Nachforschungen anleiten können. Ob es nun 10.000 Stunden im Laufe einer Karriere sind, fünf Stunden pro Woche oder nur fünfzehn Minuten pro Tag, lösungsorientierte Verkäufer nehmen sich jedenfalls regelmäßig die Zeit – nein, sie *schaffen* sich die Zeit –, in Ruhe zu lesen, zu recherchieren und darüber nachzudenken, wie sie bessere Problemlöser sein und ihren Kunden schnellere, kostengünstigere und bessere Ergebnisse liefern können.

Ehrlich gesagt, in einer Zeit, in der uns Nachrichten, technische und innovative Durchbrüche und neue Branchen-Updates in Sekundenschnelle über eine Benachrichtigung oder eine Google-Suche zur Verfügung stehen, ist es unverzeihlich, wenn sich jemand auf Unwissenheit beruft über ... na ja, über so ziemlich alles. Das allermeiste, was Du überhaupt wissen möchtest oder musst, ist kostenlos im Internet verfügbar, wenn Du es willst und die Geduld hast, danach zu suchen. Suche nach Leuten, die Freude am Lernen haben und sich von der ständigen Flut an neuem Wissen, die in diesem Informationszeitalter täglich auf uns einprasselt, nicht einschüchtern lassen. Das werden Deine stärksten Leistungsträger sein.

8. TRAINIERBARKEIT

Die Bereitschaft, sich coachen zu lassen, geht in der Regel Hand in Hand mit Neugier und Interesse an bewusstem Lernen. Auf den Punkt gebracht: Kluge Menschen nutzen die Gelegenheit, mehr zu lernen und besser zu werden. Selbst die begnadetsten Musiker und Sportler arbeiten mit Lehrern und Trainern zusammen. Niemand ist so gut, dass er nicht noch etwas dazulernen könnte.

Achte darauf, keine Besserwisser in Dein Team zu holen. Sie sind ohnehin unerträglich und leiden höchstwahrscheinlich unter dem

Dunning-Kruger-Effekt der Selbstüberschätzung. Je unwissender und inkompetenter diese Leute sind, desto mehr Vertrauen haben sie in das Wissen und die Fähigkeiten, welche sie sich beimessen. Schlimmer noch, sie sind so unwissend, dass sie nicht einmal merken, dass sie unwissend sind. Jeder, der von seinem Können solchermaßen überzeugt ist, wird sich wahrscheinlich gegen Vorschläge und Rückmeldungen wehren, was ihn daran hindert, sich jemals über seinen derzeitigen Stand hinaus zu entwickeln. Lösungsorientierte Verkäufer hingegen haben gesundes Vertrauen in ihre Fähigkeiten, sind sich indes auch ihrer selbst bewusst und offen für das Feedback von anderen.

Suche keine Menschen, die Du nach Deinem Ebenbild formen oder zu Robotern machen könntest. Mal ganz ehrlich: Roboter wären ganz schrecklich im Lösungsorientierten Verkaufen! Es ist viel zu komplex und erfordert zu viel Einsicht in den menschlichen Zustand. Was Du brauchst, sind Menschen, die gut auf Vorschläge reagieren, die bereit sind, Kritik zuzulassen, die mit konstruktiver Kritik zurechtkommen und nach Anregungen durch andere suchen. Trainierbare Menschen sind nicht nur bereit, sich weiterzuentwickeln, sondern sind auch offen für Feedback und Bewertung. Sie betrachten die Kritik ihres Chefs nicht als etwas Negatives, sondern als ein Geschenk und eine Gelegenheit, sich zu verbessern. Nicht jeder will sich coachen lassen, doch diejenigen, die trainierbar sind, ergeben hervorragende Verkäufer. Stell' sie ein.

9. GESCHÄFTSSINN

Diesen Punkt habe ich absichtlich für den Schluss aufgehoben. Es liegt auf der Hand, dass Du Mitarbeiter einstellen solltest, die ein solides Verständnis davon haben, wie ein Unternehmen funktioniert, es sei denn, Du möchtest gern eine Menge laufende Betreuung leisten müssen. Wenn Du ein Unternehmen betreibst und an andere Unternehmen verkaufst, musst Dir daran gelegen sein, geschäftsorientierte, geschäftserfahrene Leute für Dich arbeiten lassen. Doch im Gegensatz zu den anderen oben genannten Eigenschaften, die in erster Linie mit emotionaler Intelligenz (EQ) zu tun haben, ist Geschäftssinn relativ leicht zu finden und zu erlernen, entweder in der Schule oder durch Lebens- und Berufserfahrung. Ein Verkäufer kann in der Schule oder am Arbeitsplatz Buchhaltungskenntnisse, die Grundlagen der Kapitalanlage, der Lagerverwaltung und die Prinzipien für gutes Marketing lernen. Du brauchst Leute mit einem Mindestmaß an Interesse und Wissen über die Wirtschaft allgemein und im Besonderen, wenn auch nicht unbedingt, in Deiner geschäftlichen Nische. Noch wichtiger ist es jedoch, jemanden zu finden, der bereit ist, alles über Deine Sparte und die seiner Kunden zu lernen. In dieser Art von Verkaufsumgebung sollten Du die meisten Deiner Einstellungsentscheidungen nicht darauf stützen, was die Bewerber bereits erreicht haben, sondern auf ihr Potenzial, Lösungsorientiertes Verkaufen zu praktizieren.

Zusammenfassend lässt sich sagen, dass beim Auf- und Ausbau Deines Vertriebsteams die Netzwerke eines Bewerbers und seine Branchenerfahrung hinter seine Fähigkeiten zurücktreten sollten. Hat er das richtige Temperament, um ein guter lösungsorientierter Verkäufer zu sein? Verfügt er über viel Geduld, Ausdauer und Neugierde? Wie viel Zeit verbringt er mit der Lektüre von Branchennachrichten und -innovationen und um auf dem Laufenden zu bleiben? Strahlt er ein Gefühl der Glaubwürdigkeit und Vertrauenswürdigkeit aus? Wird er leicht frustriert, oder freut er sich über eine echte Herausforderung? Ist er am Verkaufen oder am Lösen von Problemen interessiert? Ist es ihm wirklich wichtig, seinen Kunden zu helfen oder seine Quote zu erfüllen? Ist er lernwillig? Scheint er eine Führungspersönlichkeit zu sein oder isoliert er andere? Gehört er zu den Menschen, die über alles etwas zu wissen scheinen, eine stetige Quelle für einzigartige Informationen und Perspektiven selbst zu den obskursten Themen? Kandidaten mit den erstgenannten Persönlichkeitsmerkmalen sind die Menschen, welche erfolgreich lösungsorientiert verkaufen können. Dies sind weitaus bessere Indikatoren dafür, wie erfolgreich ein neuer Mitarbeiter in einem Unternehmen mit Lösungsorientiertem Verkaufen sein wird, als seine jahrelange Erfahrung oder der Umfang seiner Geschäftskontakte.

EINUNDZWANZIGSTES KAPITEL
ES GEHT GAR NICHT UM DICH

Schließlich, um ein Superstar im Vertrieb zu werden, musst Du sicherstellen, dass Dein Fokus in die richtige Richtung geht. Und zwar nach außen. Genauso wie es beim Lösungsorientierten Verkaufen nicht um den Verkäufer, sondern um den Kunden geht, geht es bei der Führungsrolle im Vertrieb nicht darum, von Deinem Vertriebsteam das zu bekommen, was Du brauchst, sondern darum, Deinem Vertriebsteam das zu geben, was es von Dir braucht. Sie brauchen Deine Anleitung, Dein Feedback, Deine Richtschnur und Deine Inspiration. Wenn Du damit beginnst, Dich mehr als Coach denn als Manager zu sehen, wirst Du Dich in die richtige Denkweise versetzen, um ein erfolgreiches Team für Lösungsorientiertes Verkaufen zu bilden und zu entwickeln. Trainer unterrichten, trainieren und motivieren, und sie können sogar knallhart sein, aber weißt Du, was sie noch tun? Am Spieltag gehen sie aus dem Weg. Vertrauen muss in beide Richtungen gehen.

In gewissem Sinne lässt sich dieses Bild des Coaches auf alle Bereiche anwenden. Ähnlich wie Du Deinem Team beratend zur Seite stehst, besteht die Hauptaufgabe Deines Teams darin, seine Kunden zu beraten. Ihre Aufgabe sollte nicht darin bestehen, ihre eigenen Produkte und Dienstleistungen anzupreisen, sondern genügend Informationen zu sammeln, um den Kunden aufzuklären, eine gründliche Analyse des aktuellen Zustands seines Unternehmens vorzunehmen und Strategien vorzuschlagen, die ihn zu seinem gewünschten künftigen Zustand führen können. Das Geschäftsleben ist anspruchsvoll, und die Menschen arbeiten hart. Es ist sehr wichtig, dass sie das Gefühl haben, in den Händen von Experten zu sein, denen ihre geschäftlichen Ziele ebenso am Herzen liegen wie ihnen selbst. Die Sache ist die, dass Deine Vertriebsmitarbeiter sich nicht auf diese Ziele konzentrieren können, wenn Du ein Gefühl von Angst und Panik schürst oder sie ermutigst, einen Abschluss zu erzwingen, nur um die Quote zu erfüllen, oder ihnen das Gefühl gibst, dass sie Abstriche machen müssen, um das Geschäft abzuschließen. Das ist die herkömmliche Unternehmenskultur im Verkauf, und das ist Mist.

Es liegt an Dir, eine Coaching-Kultur anstelle einer Verkaufskultur zu fördern. Deshalb solltest Du die Fähigkeit Deines Teams, lösungsorientiert zu verkaufen, konsequent unterstützen. Unterstreiche dieses Ziel bei jedem Vertriebsketten-Treffen und bei jeder Begegnung. Du solltest Deinem Team die notwendige Unterstützung zukommen lassen, damit es zu einem erstklassigen Vermittler des Wandels und zu einem unverzichtbaren Faktor für seine Kunden wird. In einer in ihrem Buch *The Challenger Sale* (Der herausfordernde Verkauf) veröffentlichten Studie haben Matthew Dixon und Brent Adamson von CEB (jetzt Gartner) herausgefunden, dass 53 % der Kundentreue nicht, wie man vielleicht erwarten würde, auf den Kundenservice zurückzuführen ist, sondern auf das Verkaufserlebnis.[xv] Hörst Du das? Mehr als die Hälfte der Loyalität eines Kunden ist auf die Arbeit zurückzuführen, die Dein Team leistet, bevor der Interessent Eure Dienstleistung oder Euer Produkt überhaupt kauft! Sie werden weder durch das Unternehmen oder die Marke, noch durch das Produkt- und Dienstleistungsangebot oder das Preis-Leistungs-Verhältnis angezogen. Es ist das Verkaufserlebnis, das sie einnimmt. Und es gibt nichts Effektiveres, um dieses Verkaufserlebnis zu intensivieren, als Lösungsorientiertes Verkaufen.

Die erfolgreiche Umsetzung von Lösungsorientiertem Verkaufen steht und fällt mit der Stärke der Führung. Es ist Deine Fähigkeit, die Prinzipien des Lösungsorientierten Verkaufens in Vertriebsketten-Meetings, Coaching-Sitzungen, im Einstellungsprozess und in jährlichen Bewertungsgesprächen zu stärken, die den Erfolg Deines Unternehmens sichert. Allzu oft bieten Vertriebsorganisationen zwar Verkaufstrainings an, leisten aber keine Nachbetreuung. Anschließend sind sie dann ratlos, warum die Ausbildung nicht funktioniert hat. Lösungsorientiertes Verkaufen ist weitaus komplexer als traditionelle Verkaufsmethoden. Es stellt strengere Anforderungen an die Verkäufer und erfordert zu viele subjektive Beurteilungen, als dass neue lösungsorientierte Verkäufer ohne Unterstützung durch das Vertriebsmanagement erfolgreich sein könnten. Ohne Anleitung und Unterstützung werden die Methoden des Lösungsorientierten Verkaufens nicht vollständig verinnerlicht oder – noch schlimmer – nicht auf die Verfahren und die kollektive Denkweise Deines Unternehmens übertragen, so dass sie für Dein Team nicht funktionieren werden.

Der Schlüssel zum Aufbau einer Organisation zum Lösungsorientierten Verkaufen liegt in der Ausbildung des Teams, der Einstellung der richtigen Mitarbeiter und dem Management des Teams im Hinblick auf die Lücke, den aktuellen Zustand und den künftigen Zustand. Das bietet die Gewähr, dass das Team tief in die Materie eindringt und sich ein klares Bild davon macht, wo der Kunde steht, mit welchen Problemen er zu kämpfen hat, warum ihn diese Probleme schmerzen, welche Auswirkungen die Probleme auf das Unternehmen haben und schließlich, wo der Kunde hin will. Wenn Du Dein Team herausforderst, wirst Du schnell feststellen, dass eine erfolgreiche Umsetzung Wiederholungen und Vertiefungen erfordert. Als Vertriebsmanager oder Vertriebsleiter ist es Dein Job, dafür zu sorgen, dass es haften bleibt.

FAZIT

Am Tag, bevor ich die Arbeit an diesem Buch vollendete, hatte ich ein Telefongespräch mit einem Geschäftsführer, das mir das enorme und kraftvolle Potenzial des Lösungsorientierten Verkaufens noch einmal bestätigte. Es war meine zweite Begegnung mit diesem Unternehmen. Ich hatte bereits mit der Vertriebsleiterin des Unternehmens gesprochen, und sie empfahl mir, mit dem Geschäftsführer zu reden. Er war dazu bereit, obwohl er nicht wirklich zu verstehen schien, warum der Anruf notwendig war. Wie die meisten Geschäftsführer hatte er die Herausforderungen in seinem Unternehmen bereits erkannt und Strategien zu deren Bewältigung eingeführt. Er war zuversichtlich, dass das, was er bereits tat, ziemlich gut funktionierte, und um ehrlich zu sein, als ich ihm bei der Aufzählung der Ergebnisse zuhörte, konnte ich ihm nicht widersprechen. Auf den ersten Blick wirkte es so, als hätte er alles unter Kontrolle. Doch ich ließ das Gespräch nicht abreißen und stellte so viele Fragen über das Unternehmen, wie ich nur konnte, weil ich mir dachte, dass ihm nicht wirklich bewusst sein konnte, was er nicht wusste. Irgendetwas bewegte diesen Mann dazu, das Gespräch mit mir fortzusetzen, obwohl er glaubte alles im Griff zu haben. Irgendetwas stimmte immer noch nicht ganz. Was war das?

Dann stellte ich ihm einige Fragen zu seinen Wachstumsstrategien und zur Entwicklung von Nachfrage. Er sagte, er habe einige Ideen dafür, und sie klangen so, als ob sie tatsächlich funktionieren würden. Doch während ich weiter Druck machte, wurde plötzlich klar, dass er nicht an die Fähigkeit seines Teams glaubte, sein Produkt effizient und effektiv zu verkaufen. Das geschah, als ich nach der Vertriebskette zu fragen begann. Wie lange dauert es, ein Geschäft abzuschließen? Wie lange dauert ein Verkaufszyklus? Verlaufen Geschäfte schneller im

Sande als Ihnen lieb ist? Und als wir begannen, uns mit den eigentlichen Geschäften zu befassen, wurde deutlich, dass sein Team Schwierigkeiten hatte, den Verkauf zu steuern, zu handhaben und erfolgreich zu beenden. Sie waren immer wieder überrascht, wenn Geschäfte platzten. Ich ging weiter und fragte nach der Größe der Vertriebskette. Sie machte nur 50 % der Zielvorgabe aus. Selbst wenn er also alles in der Vertriebsketter abschließen würde, ließe sich das Ziel immer noch nicht erreichen. Und das wäre ohnehin nicht möglich gewesen − ihre Abschlussquote lag nämlich unter 50 %.

Je länger der Geschäftsführer redete, desto klarer wurde uns beiden, dass er nicht nur ein Problem mit der Kundengewinnung hatte, sondern auch ein Verkaufsproblem. Das Team war zu sehr auf das Produkt fixiert, um den Wert effektiv zu vermitteln. Sie müssten die Interessenten besser davon überzeugen, dass ihre Probleme real und zudem bedeutsam waren. Und daraus folgte, dass sein Verkaufstraining einfach nicht funktionierte. Nach einigen weiteren Fragerunden war ich in der Lage, den Grund dafür herauszufinden − seine Schulungen konzentrierten sich nur auf einen Teil seines Problems und boten nur eine halbe Lösung.

Es war irgendwie unglaublich. Innerhalb von fünfzehn Minuten wechselte dieser Mann von "Wir haben kein Problem" zu " Verdammter Mist, wir haben ein Problem und meine Lösung funktioniert nicht!" Daraufhin erklärte ich ihm, wie Lösungsorientiertes Verkaufen funktioniert und wie es sein gesamtes Problem lösen würde, indem es nicht nur die Gespräche seines Teams mit potenziellen Kunden, sondern auch die gesamte Kultur seines Unternehmens verändern würde. Er war begeistert.

Dies ist nicht das erste Mal, dass so etwas passiert. Vor kurzem hatte ich wieder einen Anruf, bei dem mir jemand sagte, dass ihm das Angebot meines Unternehmens gefalle und er mit uns zusammenarbeiten wolle, dass er aber wegen des knappen Budgets bis zum nächsten Jahr warten müsse. Unbeirrt stellte ich ihm ein paar weitere Fragen, und es dauerte nicht lange, bis er erkannte, dass die Kosten des Wartens bis zum nächsten Jahr weitaus höher wären, als wenn er die Mittel aufbrächte, uns jetzt zu beauftragen. Das ist die Stärke des Lösungsorientierten Verkaufens. Als ich jünger war, hätte ich diese beiden Geschäfte verloren, weil ich nicht gewusst hätte, wie ich den Verkauf über scheinbar unüberwindliche Hindernisse hinwegführen sollte. Indem ich mich jedoch auf den aktuellen Zustand konzentrierte und die Geduld aufbrachte, im aktuellen Zustand *zu bleiben*, bis der Kunde seine wirklichen Probleme zu erkennen vermochte, war ich in der Lage, ihn zu seinem gewünschten zukünftigen Zustand zu führen, die Lücke zu bewerten und ihm eine maßgeschneiderte Lösung zu servieren. Es ist für Dich und den Kunden gleichermaßen aufregend, weil Ihr die Arbeit gemeinsam gemacht habt, und sobald Ihr das Problem als das erkannt habt, was es wirklich ist, könnt Ihr den Weg zu einem künftigen Zustand erkennen – dem glücklichen Ort, an dem das Problem nicht mehr länger besteht

Kennst Du auch dieses Gefühl, wenn Du die letzte Seite des Zauberwürfels an die richtige Stelle drehst oder das nächste Level in einem Videospiel erreichst? So fühlt es sich an, wenn Du Dir mit Lösungsorientiertem Verkaufen den Weg zu einem Geschäftsabschluss freischaufelst. Es ist ein Gefühl reiner Freude und Zufriedenheit. Das Gefühl lautet nicht *Ich habe ein Produkt verkauft. Es heißt JA! Ich kann helfen! Wir können das Problem lösen!* Du bist wie der berühmte Schwarze Panther oder Spiderman, wenn sie mal wieder die Welt retten. Und beim Lösungsorientierten Verkaufen hat man dieses Gefühl immer wieder, was an und für sich schon viel mehr Möglichkeiten schafft.

Das Spiel des Verkaufens ist hart, keine Frage, aber es ist doppelt so hart, wenn man die Regeln nicht kennt. Jetzt kennst Du sie. Jetzt weißt Du, dass es beim Verkaufen mitnichten darum geht, Dinge zu verkaufen, sondern darum, Veränderungen zu ermöglichen. Du verfügst über die richtigen Werkzeuge und die richtige Einstellung, um die Probleme Deiner Kunden, ihre Ursachen und deren Auswirkungen auf den aktuellen Zustand Deiner Kunden genau zu verstehen. Jetzt weißt Du, wie Du Deinen Wert maximieren kannst, wie Du Einblicke in die Welt Deiner Kunden bekommst, wie Du die Lücke zwischen dem aktuellen und dem künftigen Zustand bewertest, wie Du Glaubwürdigkeit aufbaust, wie Du mit Deinem Fachwissen den Verkauf beeinflussen kannst, wie Du Einwände und Kundenängste überwindest und wie Du eine auf gegenseitigem Respekt basierende Vertriebspartnerschaft zwischen Dir und Deinem Kunden aufbaust. Jetzt weißt Du, was Du tun solltest *und* weshalb. Du verstehst das Spiel.

Kein Vertriebsmitarbeiter sollte in einem Stadium nutzloser Verkaufsgespräche und langweiliger Besprechungen verharren oder zusehen müssen, wie hart erarbeitete Chancen über Nacht auf Nimmerwiedersehen verschwinden. Kein Vertriebsleiter sollte zusehen, wie sein Team krampfhaft versucht, auf den letzten Drücker am Quartalsende eilig noch Geschäfte abzuschließen. Diese Art des Verkaufens und des Lebens im Vertrieb ist einfach nur Mist. Lösungsorientiertes Verkaufen macht die Sache um Welten besser. Versetze Dich in einen künftigen Zustand, in dem Du ein Beeinflusser und kein Clown bist, in dem die Vertriebskette gut gefüllt und vorhersehbar ist, und in dem Du Dich sicher fühlst und jeden Verkauf im Griff hast. Dieser künftige Zustand gehört allein Dir, wenn Du lernst, lösungsorientiert zu verkaufen. Diese Methodik gibt Dir Zugang zu allem, was Du wissen musst, um das Spiel des Verkaufens geschickt zu spielen und auf jeder Ebene zu gewinnen.

TRAINING

ASALESGROWTH co.
ENTWICKLER VON GAP SELLING

A Sales Growth Company schult Unternehmen jeglicher Größe im
Konzept des Lösungsorientierten Verkaufens.
Wenn Sie mehr erfahren oder eine Schulung in Lösungsorientiertem
Verkaufen buchen möchten, besuchen Sie uns auf: **gapsellingtraining.com**

Hier scannen

ONLINE TRAINING
Sie möchten noch besser in
Lösungsorientiertem Verkaufen werden?
Schauen Sie sich unser interaktives Angebot zur
Wahl Ihres individuellen Plans an!

*Lösungsorientiertes Verkaufen
Online Training*

BESONDERER DANK

Stephanie Land, Du bist ein Engel, und Deine Arbeit ist ohnegleichen. Du hast sechs Monate lang in meiner Gedankenwelt gelebt und bist heil herausgekommen. Du bist ein echter Superheld. Danke, dass Du mich gepuscht hast, dass Du mich hinterfragt hast, und dass Du dafür gesorgt hast, dass ich es richtig hinbekommen habe.

#keenanpeeps, nichts von alledem wäre ohne Euch möglich. Ich kann Euch nicht genug danken. Ihr Leute motiviert mich. #keenanpeeps ist heute eindeutig die großartigste Vertriebsgemeinschaft im Internet. Ihr seid wirklich unschlagbar.

An alle Käufer, Interessenten und Kunden, die mir ein Nein, ein Ja oder ein Vielleicht gegeben haben. Jedem Vertriebsleiter, Vertriebsmitarbeiter oder direkten Mitarbeiter, den ich je hatte, jeder Vertriebsorganisation und jedem Vertriebsumfeld, in dem ich je tätig war, sage ich hiermit Dank! Ihr alle habt einen Anteil daran, denn jede einzelne Erfahrung hat den Prozess des Lösungsorientierten Verkaufens geprägt, geformt und weiterentwickelt.

Danke!

ÜBER DEN AUTOR

Keenan ist Geschäftsführer/Präsident und Hauptakteur von A Sales Growth Company Inc. Er hat sein ganzes Leben lang ständig irgendetwas an jemanden verkauft. Er unterrichtet und coacht schon fast genauso lange. Mit über 20 Jahren Vertriebserfahrung, auf die er selbst überhaupt nichts gibt, hat Keenan die Welt des Vertriebs lange Zeit beeinflusst, von ihr gelernt und sie mitgestaltet. Keenan findet den Elefanten im Raum, nennt die Dinge beim Namen und lässt nichts und niemanden aus.

Keenans Leidenschaft für das Lösen von Problemen geht weit über die Welt des Verkaufens und der Wirtschaft hinaus. Er ist gefeierter Autor von *Not Taught: What It Takes to be Successful in the 21st Century That Nobody's Teaching You* (Unbekanntes Wissen: Was man im 21. Jahrhundert zum Erfolg braucht, doch Dir niemand beibringt). Das 21. Jahrhundert hat das Informationszeitalter eingeläutet und gleichzeitig neue Regeln für den Erfolg mit sich gebracht. *Not Taught* zeigt, dass die Regeln des Industriezeitalters nicht mehr funktionieren und dass man die neuen Erfolgsregeln lernen muss, wenn man erfolgreich sein möchte.

Als Vater von 3 großartigen Mädchen, PSIA-zertifizierter Skilehrer der Stufe 2 (also noch mehr Coaching) und begeisterter Fan von Boston Sports ist Keenan immer verdammt beschäftigt, wenn er sich nicht gerade mit A Sales Growth Company befasst.

ÜBER A SALES GROWTH COMPANY

A Sales Growth Company ist das führende Beratungsunternehmen für Vertriebsmanagement im 21. Jahrhundert. Die Welt des Verkaufs hat sich drastisch verändert, und sie wird auch weiterhin nicht langsamer werden. A Sales Growth Company ist sich dieser Veränderungen bewusst und ist führend darin, Unternehmen dabei zu helfen, die Methoden, Mittel und Ansätze des 21. Jahrhunderts zu nutzen, um den Umsatz zu steigern und Umsatzziele zu erreichen. A Sales Growth Company ist ein dynamisches, engagiertes, innovatives und smartes Management-Beratungsunternehmen. A Sales Growth ist nicht die Verkaufsorganisation aus Großvaters Zeiten. Für weitere Informationen über *Gap selling* oder andere A Sales Growth Companys Services, besuche uns auf **salesgrowth.com**.

KONTAKT

Rufe mich an, ich rufe zurück!

- @KEENAN
- @KEENAN_REDPLAID
- FACEBOOK.COM/HEYKEENAN
- LINKEDIN.COM/IN/JIMKEENAN
- INFO@SALESGROWTH.COM

FUSSNOTEN

[i]CSO Insights, Running Up the Down Escalator [CSO Einblicke, Die Rolltreppe nach unten Hochlaufen]: 2017 CSO Insights World Class Sales Practices Report [CSO Einblicke Bericht über Weltklasse-Vertriebsmethoden], Miller Heiman Group, 2017, www.csoinsights. com/wp-content/uploads/sites/5/2017/08/2017-World-Class-Sales-Practices-Report.pdf

[ii]James M. Olson and Mark P. Zanna, ed., Advances in Experimental Social Psychology [Fortschritte in der experimentellen Sozialpsychologie] (Academic Press, 2014) vol. 50, 68. www. elsevier.com/books/advances-in-experimental-social-psychology/zanna/978-0-12-800284-1

[iii]University of Arkansas, "Longer is Better? We Seem to Think So" [Länger ist besser? Anscheinend glauben wir das], University of Arkansas News, 2. September 2010, www.news. uark.edu/articles/14579/longer-is-better-we-seem-to-think-so

[iv]Rosabeth Moss Kanter, "Ten Reasons People Resist Change" [Zehn Gründe, warum Menschen sich dem Wandel widersetzen], Harvard Business Review, 25. September 2012, www. hbr.org/2012/09/ten-reasons-people-resist-chang

[v]Arthur Miller, *Death of a Salesman* [Tod eines Handlungsreisenden], Viking Press, 1949

[vi]Ibid

[vii]Ibid

[viii]Matthew Dixon and Brent Adamson, "Selling is Not About Relationships" [Beim Verkaufen geht es nicht um Beziehungen], HBR.org, 30. September 2011, www.hbr. org/2011/09/selling-is-not-about-relatio

[ix]Dave Kurlan, "New Data shows Sales Weaknesses Cause Powerful Chain Reactions In Salespeople" [Neue Daten zeigen, dass Schwächen im Vertrieb mächtige Kettenreaktionen bei Verkäufern auslösen], Understanding the Sales Force [Den Vertrieb verstehen], 30. Mai 2018, www.omghub.com/salesdevelopmentblog/new-data-shows-sales-weaknesses-cause-powerful-chain-reactions-in-salespeople

[x]Dave Kurlan, "New Data Shows How Relationships and the Need to Be Liked Impacts Sales Performance" [Neue Erkenntnisse zeigen, wie Beziehungen und das Bedürfnis nach Sympathie die Verkaufsleistung beeinflussen], Understanding the Sales Force [Den Vertrieb verstehen], 4. Juni 2018, www.omghub.com/salesdevelopmentblog/new-data-shows-how-relationships-and-the-need-to-be-liked-impact-sales-performance

[xi]Brent Adamson and Nick Toman, "Why You Should Teach Customers How to Buy" [Warum Sie Ihren Kunden beibringen sollten, wie man kauft], Gartner, 12. Oktober 2014

[xii]Chris Orlob, "Closing Techniques in Sales Are Dead—Here's Why" [Abschlusstechniken im Vertrieb sind tot – hier ist der Grund], LinkedIn, 22. Mai 2018, www.linkedin.com/pulse/ closing-techniques-sales-dead-data-explains-why-chris-orlob

[xiii]Rachel Cohon, "Hume's Moral Philosophy" [Humes Moralphilosophie], Stanford Encyclopedia of Philosophy, 29. Oktober 2004

xivBrent Adamson, Matthew Dixon, et. al., *The Challenger Customer* [Der herausfordernde Kunde] (New York: Penguin Group, 2015), 5

xvXV CSO Insights, Running Up the Down Escalato [CSO Einblicke, Die Rolltreppe nach unten Hochlaufen]: 2017 CSO Insights World Class Sales Practices Report [CSO Einblicke Bericht über Weltklasse-Vertriebsmethoden], Miller Heiman Group, 2017, www.csoinsights.com/wp-content/uploads/sites/5/2017/08/2017-World-Class-Sales-Practices-Report.pdf

DAS IST ES.
RUHE. ICH BIN WEG.

Made in United States
Orlando, FL
31 October 2022

24074377R00181